JN078449

世界の教養が身につく

1week ——— 7themes

1日
(いちにち)

1
(いち)

西洋美術

キム・ヨンスク 著　大橋利光 訳　上村 博 監修

365

日本実業出版社

日本語版によせて

　いまさら西洋美術の教養書なんて、と思われた方がいらっしゃるかもしれません。もはや「泰西名画」をありがたがった昭和の時代ではありません。また美術史の入門書もたくさんあります。しかし、この本を手にとった方はおそらくすでに感じているように、本書には斬新な魅力があります。365日の毎日にひとつの話題と図版がある、という体裁の妙もありますが、むしろ著者の書く内容自体に、これまでの類書にないおもしろさがあります。

　レオナルド・ダ・ヴィンチやゴッホなど、おなじみの名前がたびたび取り上げられる一方で、それらに伍して女性の芸術家を公平に扱おうとする姿勢や、地域・ジャンルの広がりと多様性を意識した記述は新鮮で、西洋美術の豊穣さをあらためて実感させてくれます。また著者は、しばしば議論のわかれる問題にも踏み込んで自身の見解をさらりと述べますが、そこには最近の美術史学上の動向をしっかりと咀嚼したあとがうかがわれ、単なる主観的な印象に終わらない鋭さがあります。

　しかし、最後に何よりも大事なことがあります。それは、著者が、ただ作品の歴史的背景を説明し、作者の逸話をつづるというだけでなく、きわめて丁寧に作品そのものを見つめている、という点です。本書をひもとく読者は、著者のまなざしに導かれ、作品に込められた繊細なニュアンスを汲み取り、ひそかなメッセージを発見することでしょう。そうした作品そのものを観察し、注視する力は、案外身につけにくいものです。

　芸術の教養とは、芸術家や作品にまつわる博識や薀蓄[うんちく]ということに尽きるものではありません。むしろ自他の文化遺産にじっくりと向き合い、その芸術的達成を感受し評価できることこそ、真の教養と言うべきでしょう。本書に親しんで得られる教養はまさにそれです。これからの365日、ぜひ知的な楽しみとともに、感性をのびやかにはばたかせてください。

2023年2月

上村　博

美術への理解を深め、視野を広げる365のレッスン

　本書『1日1西洋美術』は、1日1ページで1点の作品を取り上げ、1年間で365点の美術作品に触れながら、美術についての基礎教養を身につけられる本です。

　001番から順に読み進めていってもよいですし、好きな作家や作品、興味のあるテーマから読み始めてもかまいません。また、毎日1ページずつ読むだけではもの足りないという人は、2ページ、3ページと読み進めてもよいでしょう。

　美しい作品、ちょっと怖い作品、ほのぼのとした作品、なかにはいくぶん奇妙に見える作品まで、多様な名作を目にしながら、作品の背後にある長い歴史と知的営為の積み重ねに思いを馳せてみましょう。365日を経ることで、あなたならではの教養の基礎ができあがり、その先には豊かな世界が広がって見えるはずです。

　本書は、曜日ごとに7つのジャンルを扱っています。日替わりでさまざまなジャンルにふれ、美術についての偏りのない知識を身につけていくことができます。

MON (月) 作品	教養としてぜひ知っておきたい名画
TUE (火) 美術史	美術の歴史を知る上で重要な画期的作品
WED (水) 画家	美術史を大きく動かした芸術家の印象的な人生
THU (木) ジャンル・技法	作品を読み解く上で注目すべき様式や技法
FRI (金) 世界史	名画で鮮やかに描かれた世界史上の出来事
SAT (土) スキャンダル	名作と巨匠にまつわる裏話的エピソード
SUN (日) 神話・宗教	ギリシャ・ローマの神話や聖書などの伝説

紙面の構成と本書の使い方

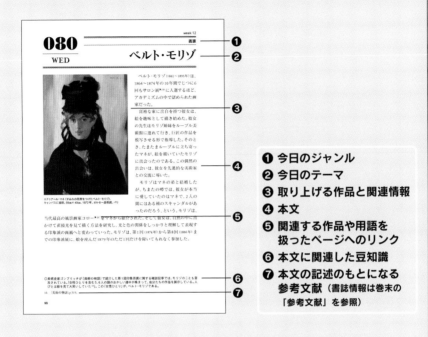

まずは作品画像（**❸**）を見ながら本文（**❹**）を読み進めましょう。作品をチェックしながら読むと、理解が深まります。

関連する作品や芸術家、用語などへのリンク（**❺**）は、興味があればぜひ開いてみてください。知識がつながり、広がっていくはずです（リンク先の数字は作品番号）。

豆知識（**❻**）があるページは、目を通して本文の内容を振り返ってみましょう。参考文献（**❼**）は、取り上げた作品やテーマについて、さらに深く知りたいときの「最初の一歩」として活用してください。

> **凡例**
> ・本書における人名、作品名、地名は、日本で広く通用している名称および表記法を採用した（ただし英語の作品名から訳者が訳したものも含まれる）。
> ・聖書からの引用は、「新共同訳」によるものとした。
> ・作品キャプションの都市名には原則として国名と州名（アメリカ合衆国の場合）を付した。首都および知名度の高い都市は、国名・州名を省略した。
> ・通貨の円換算は、該当時のもの。

読み返して「好き度」をUPさせよう！ チェックリスト

	MON	TUE	WED	THU	FRI	SAT	SUN
week 1	001	002	003	004	005	006	007
week 2	008	009	010	011	012	013	014
week 3	015	016	017	018	019	020	021
week 4	022	023	024	025	026	027	028
week 5	029	030	031	032	033	034	035
week 6	036	037	038	039	040	041	042
week 7	043	044	045	046	047	048	049
week 8	050	051	052	053	054	055	056
week 9	057	058	059	060	061	062	063
week 10	064	065	066	067	068	069	070
week 11	071	072	073	074	075	076	077
week 12	078	079	080	081	082	083	084
week 13	085	086	087	088	089	090	091
week 14	092	093	094	095	096	097	098
week 15	099	100	101	102	103	104	105
week 16	106	107	108	109	110	111	112
week 17	113	114	115	116	117	118	119
week 18	120	121	122	123	124	125	126
week 19	127	128	129	130	131	132	133
week 20	134	135	136	137	138	139	140
week 21	141	142	143	144	145	146	147
week 22	148	149	150	151	152	153	154
week 23	155	156	157	158	159	160	161
week 24	162	163	164	165	166	167	168
week 25	169	170	171	172	173	174	175
week 26	176	177	178	179	180	181	182

- 読み終えたら、作品のお気に入り度や内容理解度によって「○△×」で評価を記してみましょう。
- ある程度、表が埋まったら、「△」のものから読み返してみるのがおすすめです。読み返して評価が変わったら、「△」に重ねて「○」を上書きしてもよいでしょう。
- 「○」が多くなればなるほど、あなたの美術への「好き度」は高まっているはずです。「×」の作品や初めて見る作品にも、親しみを感じられるでしょう。

week 27	183	184	185	186	187	188	189
week 28	190	191	192	193	194	195	196
week 29	197	198	199	200	201	202	203
week 30	204	205	206	207	208	209	210
week 31	211	212	213	214	215	216	217
week 32	218	219	220	221	222	223	224
week 33	225	226	227	228	229	230	231
week 34	232	233	234	235	236	237	238
week 35	239	240	241	242	243	244	245
week 36	246	247	248	249	250	251	252
week 37	253	254	255	256	257	258	259
week 38	260	261	262	263	264	265	266
week 39	267	268	269	270	271	272	273
week 40	274	275	276	277	278	279	280
week 41	281	282	283	284	285	286	287
week 42	288	289	290	291	292	293	294
week 43	295	296	297	298	299	300	301
week 44	302	303	304	305	306	307	308
week 45	309	310	311	312	313	314	315
week 46	316	317	318	319	320	321	322
week 47	323	324	325	326	327	328	329
week 48	330	331	332	333	334	335	336
week 49	337	338	339	340	341	342	343
week 50	344	345	346	347	348	349	350
week 51	351	352	353	354	355	356	357
week 52	358	359	360	361	362	363	364
week 53	365						

2週間この絵の前に座り続けていられるものなら、
僕は自分の生涯の10年間を喜んでくれてやる。▶340
—
フィンセント・ファン・ゴッホ

001
MON

オフィーリア

ジョン・エヴァレット・ミレイ《オフィーリア》、キャンバスに油彩、76.2cm×111.8cm、1851〜1852年、テート・ギャラリー、ロンドン

　シェイクスピアの戯曲『ハムレット』の主人公ハムレットは、愛する恋人オフィーリアの父を誤って殺してしまった。自分の父を殺害した叔父とその人を取り違えたのである。オフィーリアは、恋人の手によって父が死んだことで精神に異常をきたし、結局川に落ちて溺死してしまう。

　ジョン・エヴァレット・ミレイ（1829〜1896年）は、《オフィーリア》を描くにあたり、リジーという愛称の帽子屋店員、エリザベス・シダルをモデルとした。ミレイは、身体が半分水に浸かっている様子をリアルに描こうと、彼女に絵の中の服を着せ、水を張った浴槽に横たわらせたが、シダルはそのせいで、命にかかわるほどのひどい風邪を引いた。ミレイはまた、水辺の草や木、花などをできる限り自然に描こうと、5ヶ月以上にわたって毎日11時間ずつ、川のほとりにイーゼルを立てて作品に取り組んだ。このような苦心の末にようやく完成した絵は、しかし、「排水路の雑草の中のオフィーリア」などといった酷評にさらされた。現在、この絵はおよそ50億円台の価値があるとされている。

◎エリザベス・シダルは、ミレイの画家仲間であるダンテ・ゲイブリエル・ロセッティ▶269と結婚したが、ロセッティの度重なる浮気にこらえられず、薬物に依存して中毒死した。この絵のために死んだふりを演じていたはずが、結局はこの絵のように生涯を終えたのである。

002
TUE

原始美術 I

紀元前3万7000～3万3500年、ショーヴェ洞窟壁画 (フランス) の一部

　J.M.ショーヴェが1994年に発見した、全面積約8500㎡という洞窟内部の壁画の一部である。洞窟内にはさまざまな種類の動物が描かれており、今では絶滅したホラアナグマの姿も見ることができる。洞窟の入口が崩壊して塞がり、長期間密閉状態になっていたおかげで、壁画は大きく損傷することもなく、鮮明さを保つことができた。この絵を描いた旧石器時代の人たちは、動物の血や植物、色のある石を挽 [ひ] いたもので絵の具をつくった。木を燃やしてつくった木炭でスケッチした痕跡も見つかっている。火の発見が、すでに美術にも大きく影響していることがうかがえる。

　ずんぐりとしたホラアナグマの体格をよく観察し、その特徴的な点だけを単純化して描写しており、氷河期の旧石器人による絵だとは思えないほどに優れている。おそらく、深い洞窟の中に住んでいた人々が、自分たちよりもずっと力が強くて敏捷な動物との闘いに打ち勝つことを願って描いた絵だと推測される。洞窟によっては、動物の絵の上にとがった石を何度も投げつけた痕が残っているものもあり、一種の儀式だと見られる。このように原始美術は、かなり呪術的な機能を果たしていた。

◎ショーヴェ洞窟では、祭壇のように見える段の上にホラアナグマの頭骨を載せたところも発見されており、祭祀を行っていたものと推測されている。

003
WED

フィンセント・ファン・ゴッホ

フィンセント・ファン・ゴッホ《ひげのない自画像》、
キャンバスに油彩、40cm×31cm、1889年、個人所蔵

フィンセント・ファン・ゴッホ《自画像》、キャンバスに油彩、
65cm×54cm、1889年、オルセー美術館、パリ

　フィンセント・ファン・ゴッホ（1853～1890年）。今ではあまりにも有名な画家だ。その名前を聞いただけで、「自分で耳を切った」「37歳で自殺した」などの修飾語とセットにして、苦しみ、悲しみ、狂気、執着といった単語が想起される。オークションの最高価格を更新、というニュースにたびたび作品が登場するものの、生前、公式に販売された絵は、たった1点にすぎない。

　1888年12月、ゴッホが片耳を切り落としたという事件は、当時彼が住んでいた南フランスのアルル村全体をざわつかせた。事件を受けて、このような人と一緒に暮らすのは不安だ、という嘆願書が住民から出され、ゴッホは半強制的に病院に入院させられた。退院後も隔離状態で、監禁に近い生活を余儀なくされた。画家であり、彼の友人でもあったポール・シニャックによると、この頃のゴッホは、「昼間はちゃんとしていても、夜になると急に油絵用の油を飲もうとする精神異常の症状」を見せていたという。発作も頻繁に起こった。1889年5月、ゴッホは、病院に入院することをみずから決意した。左側の絵は彼が入院中に描いたもので、それまでの自画像とは異なり、きれいにひげを剃った姿である。母親へのプレゼントとして、息子の姿を少しでも若く見せようとしたのだ。この頃ゴッホは、右側の青いスーツ姿の自画像も描いている。ここに載せた2点が、彼の短い生涯で最後の自画像となった。

004
THU

ソット・イン・スー

アンドレア・マンテーニャ《円形天窓》、フレスコ、直径270㎝、1465〜1474年、ドゥカーレ宮殿「結婚の間」、マントヴァ(イタリア)

　イタリアのマントヴァを支配していた公爵のためにつくられた宮殿(パラッツォ・ドゥカーレ)の「結婚の間」の天井画である。丸い井戸の縁に沿って立つ人々が、下を見下ろしている。縁にとまっているクジャクは、向かい側の植木鉢を見ている。

　時計でいえば4時・7時・9時の位置にいる子どもたちは、井戸の中の手すりにかろうじて足を掛けているが、よく見ると翼のある天使なので、落ちてしまう危険はないだろう。11時のところでは貴婦人と黒人の召使いが話をしており、1時のところでは3人の女性が、下から見上げるわれわれのあら探しでもするかのように、ひそひそ話をしている。

　アンドレア・マンテーニャ(1431頃〜1506年)は、宮殿内部の柱が天井の柱へと自然に続いているように描いた上で、天井中央の空間を井戸の形に区切り、その縁には、下から上を見上げたときのように天使や人々を描いた。これはマンテーニャが最初に駆使した手法で、「下から上」という意味で「ソット・イン・スー(Sotto in Su)技法」と呼ばれる。まるで空に向けて開いているかのような天井画によって、建物に広がりを感じさせるこの技法は、ルネサンスを経てバロック時代にも大いに流行した。

◎この部屋は、もともと「絵のある部屋」という意味で「カメラ・ピクタ」と呼ばれていた。のちにここで結婚の宴がしばしば開かれたことから、17世紀以後「結婚の間」という意味で「カメラ・デッリ・スポージ」(スポージはイタリア語で新婚夫婦の意)とも呼ばれるようになった。

005
FRI
古代スパルタと女性

エドガー・ドガ《競技中のスパルタの少年少女》、キャンバスに油彩、109cm×155cm、1860年頃、ナショナル・ギャラリー、ロンドン

　エドガー・ドガ（1834〜1917年）▶031 は、フランス美術アカデミー▶226 に代表される保守的な画風に反対した印象派▶289 の画家として知られているが、その彼もやはり、初期にはアカデミーで好まれる神話や歴史などのテーマをよく描いた。この絵は、古代ギリシャのスパルタの少年・少女の日常を描いたものである。左側の少女たちは胸をあらわにして、右側にいる裸の少年たちに向かって攻撃的な態度を示している。この少女たちは、恥じらいや恐れからは完全に自由である。少年たちのほうも、彼女らを見下している様子はない。奥にいる人々は、緊迫状態にある少女と少年を落ち着かない様子で見守っている。

　常に戦時下同様だったスパルタでは、虚弱な子どもが生まれると、遠くに見えているタイゲトス山の麓に投げ捨てた。女性たちもやはり戦士として育てられ、徒競走、レスリング、円盤投げ、やり投げなどの運動が必須とされた。彼女らが男性のように裸で運動や行進をしたのは、臆病で恥ずかしがる心を捨て去るためであった。この絵の左側の少女は、脚を見ると10本あるのに頭は4つである。未完成作なのだろう。

◎スパルタの女性が高い社会的地位にあったことはほかのポリス（都市国家）でも広く知られていたという。アテネの女性が「スパルタの女性が男性を支配する唯一の女性だという理由は何ですか？」と尋ねると、「われわれが男性を産んだ唯一の者だからですよ」と答えるほどであった。

006
SAT

あなたがほしい

シュザンヌ・ヴァラドン《エリック・サティの肖像》、キャンバスに油彩、41cm×22cm、1893年、フランス国立近代美術館、パリ

シュザンヌ・ヴァラドン（1865～1938年）は、私生児として生まれた。帽子屋や八百屋、レストランなどで働いてかろうじて糊口［ここう］をしのいでいた彼女は、サーカス団員にまでなったこともあるが、15歳でモデルの仕事を始めると、モンマルトルの画家たちの心をわしづかみにし、ミューズへと一躍生まれ変わった。ルノワールは彼女を愛して何度も絵に描いたし、ロートレックに至っては、マリー・クレマンティーヌという本名に代えてシュザンヌという名前をつけ、当時、画壇の大家であったドガに紹介して、彼女の画家としての出発を手助けしてやった。

シュザンヌは一時、『ジムノペディ』で知られる作曲家エリック・サティと恋に落ち、6ヶ月間、熱烈に交際した。しかし、彼女はささいな口げんかがきっかけでサティのもとを永遠に去り、サティはそれ以後30年以上もの間、彼女とともに暮らした自身のアパートに誰も立ち入らせなかった。知人たちは、サティが亡くなってようやくドアが開けられたその家から、彼がシュザンヌに宛てて書いた手紙の束と、シュザンヌが描いたこの肖像画を見つけ出したのである。人生での恋はただこの一度だけ、しかもその相手は自分を傷つけたシュザンヌだったというこの男は、生涯貧困から抜け出すことができないまま、ひたすら初恋の人の名前を呼びながら、死んでいった。彼は彼女のために、『あなたがほしい』という曲を残している。

◎シュザンヌ・ヴァラドンが18歳のときに未婚の母として産んだ息子は、画家仲間であり友人のミゲル・ユトリロの姓をとって、モーリス・ユトリロと名づけられ、やはり有名な画家となった。シュザンヌは、息子の友人で20歳年下のアンドレ・ユッテルと恋に落ちて結婚したが、離婚した。

007
SUN

我が子を食らうサトゥルヌス

フランシスコ・デ・ゴヤ《我が子を食らうサトゥルヌス》、
油画として描いた壁画をキャンバスに写したもの、143cm×81cm、
1820〜1823年、プラド美術館、マドリード

クロノス（サトゥルヌス）は、天の神ウラノスと地の神ガイアの間に生まれ、母ガイアの求めに応じて父を鎌で切りつけて死なせたのち、世を治める王となった。ところが、彼もまた子どもに王位を追われることとなるだろうという予言を聞いてからは、生まれる子どもをそのたびに1人ずつ捕まえて食べるようになった。

生きたまま子どもを食べるクロノスの姿は、画家ゴヤ（1746〜1828年）▶118, 278, 292の祖国であるスペインを虎視眈々とねらうフランス、あるいは善良な国民を愚弄する腐敗したスペインの指導層、理性の時代にあっても横行する狂気と野蛮に対する隠喩かもしれない。

晩年に聴力を失ったゴヤは、マドリード郊外に家を建て、隠遁［いんとん］するかのようにして絵を描いた。彼は、家の中の2部屋の壁に石灰を塗り、その上に油絵具で暗く濁った感じの壁画を描いた。これは「黒い絵」と呼ばれる。現在は壁から剥がされ、復元作業ののち、美術館に展示されているが、その過程でクロノスの性器が消された。父の性器を鎌で切り取ったクロノス▶014に、後世の人々が仕返しをしたというわけだ。

008
MON

真珠の耳飾りの少女

ヨハネス・フェルメール《真珠の耳飾りの少女》、キャンバスに油彩、
44.5cm×39cm、1665年頃、マウリッツハイス美術館、ハーグ（オランダ）

　こちらに背を向けていたが、人の気配を感じたのか、ふと振り向く彼女。耳に下げている真珠を目にもつけたかのように、今にも涙がしずくとなってこぼれ落ちそうだ。けれども表情は、それほど悲しそうな様子でもない。世間の騒々しさをすべて吸い込んでしまうこの静かな絵の前では、そわそわとうわついた気持ちは禁物だ。

　レオナルド・ダ・ヴィンチ（1452〜1519年）の《モナリザ》▶100に見るように、顔の肌とそれに続く目、鼻、口の輪郭線をさっとかすかに描いて写実的な感じを強調したこの絵には、「北方のモナリザ」というニックネームがある。フェルメール（1632〜1675年）▶150が暮らしたオランダ・デルフトの名産である染付磁器を思い起こさせる青色、独特の落ち着きのある黄色、唇に塗りつけた赤色、この3色に白と黒が加えられただけの、すっきりと淡泊なこの肖像画のモデルが誰なのかは、じつはよくわかっていない。おそらくフェルメールの子どものうちの1人か、または家事を手伝う召使いをモデルにしたのだろうと推測されている。後者のケースを題材に、『真珠の耳飾りの少女』という小説と映画が生まれた。

◎この作品が1881年にハーグのオークションに出されたとき、作品の国外流出を防ぐために、デ・トンベという人物が購入した。2度の復元作業を経て今日見るような姿を取り戻し、のちにマウリッツハイス美術館に寄贈された。

009
TUE

原始美術 II

作者不詳《ヴィレンドルフのヴィーナス》、石、高さ11.1cm、
紀元前約2万7000〜2万5000年頃、ウィーン自然史博物館、ウィーン

　人間は、約4万年前から、自分たちの住みかである洞窟の奥深い場所に道具を使って絵を描き、石やマンモスの骨、象牙などを削って、半人半獣像や人物像などを彫刻してきた。こうした人間の〈美術活動〉には、さまざまな理由があるだろうが、概して自分たちの期待、望み、願いなどをかなえるための呪術的な目的が大きかったものと思われる。

　1909年、オーストリアのヴィレンドルフで発見されたこの彫刻像は、乳房と生殖器のほうが顔よりもずっと目立っている。このことから、この彫刻像は出産や育児などと関連していただろうという推論がなされている。10cmほどの大きさで持ち運びしやすいところから見て、原始人たちはこの彫刻像をお守りのように身につけて歩き、多産に恵まれることを願ったのだろう、ともいわれている。

　学者らがこの彫刻像を《ヴィレンドルフのヴィーナス》と名づけたのは、女性のヌード像さえ見れば「ヴィーナス」と名づけていたかつての習慣の産物と思われる。いずれにしても、この女性の彫刻像は、旧石器時代の人々にとって、最も人生を共にしたい女性の典型として、崇拝や愛慕の対象とされたのだろう。

010
WED

ローザ・ボヌール

アンナ・クランプク《ローザ・ボヌールの肖像》、キャンバスに油彩、
117.2cm×98.1cm、1898年、メトロポリタン美術館、ニューヨーク

　19世紀を生きた画家にとって、フランス・パリのサロン展▶226 に入選することは、国家公認の画家というお墨つきをもらうことにほかならなかった。1848年、女性はせいぜい絵の中の登場人物になれる程度でしかなかった時代に、ローザ・ボヌール (1822～1899年) は、女性として初めてサロン展で一等賞 (金賞) を獲得した。

　彼女は、コルセットで身体を締めつけて生活していたほかの女性たちとは異なり、異性装の許可まで受けて、当時は男性だけが身につけることのできたズボンをはいていた。専門とする動物の絵を描くためには、食肉処理場と家畜小屋を走って行き来できるズボンが便利だった、という理由もあるが、男性の服装をしていれば自分に失礼な振る舞いをする人もいなくなる、と考えたためでもある。ローザは、幼いときからの友人であったナタリー・ミカという女性と40年間暮らし、彼女と死別した後は、この絵を描いた女性画家アンナ・クランプク (1856～1942年) と余生を送った。絵の中のローザは、ばっさりと短く切った銀髪に、気楽な普段着という様子でスカートとこざっぱりした上着を着て、自分がいつも描いている動物の絵の前でポーズをとっている。

◎ローザ・ボヌールは、フランスの国威を宣揚したことによって卓越した功績を残したと評価され、最高勲章にあたるレジオン・ドヌール勲章を贈られた。やはり女性芸術家としては最初であった。イギリスではヴィクトリア女王が自分のためにウィンザー城で彼女の作品を展示させ、アメリカでは「ローザ・ボヌール人形」がつくられて驚くべき売上を収めた。

011
THU

葬儀用の肖像彫刻

作者不詳《先祖二人の胸像を運ぶローマの貴族》、大理石、165cm、紀元前50～15年頃、カピトリーノ美術館コンセルヴァトーリ宮殿、ローマ

　古代エジプトでは、人が亡くなるとその顔にワックスや石膏を塗ってデスマスクをつくり、故人の姿をいつまでも忘れないよう大切にした。このことに端を発し、顔から首、胸の一部を描写した肖像彫刻が、ギリシャやローマにおいても発展していった。

　彫刻制作のあり方は、ギリシャとローマでは大きく異なった。個人を崇拝したり記念したりすることに消極的だったギリシャ人たちは、オリンピック競技や戦争を勝利に導いた英雄たちを彫刻にするときも、実物の姿に基づくのではなく、ひたすら典型どおりにつくり上げた。

　一方、現世的趣向の強いローマ人たちは、顔の小さなしわに至るまでもれなく再現したリアルな彫刻を好んだ。ローマの貴族たちは、先祖の肖像彫刻をつくって家の中に陳列し、あるいは保管して、一族の誰かが亡くなったときに、その彫刻を携えて出かけた。この彫刻像は、まさにその様子を描写したものだ。

◎葬儀の際に先祖の顔の彫刻を持つことに選ばれたのは、一族の中で最近亡くなった人と最も顔が似ている人であったという。ちなみにこの彫刻像で先祖の肖像を持っている人物は、残念ながら頭部が失われたため、ほかの人物の肖像彫刻によってのちに補われている。

012

FRI

世界史
アレクサンドロス大王
誕生の伝説

ジュリオ・ロマーノ《オリュンピアスを誘惑するゼウス》、フレスコ、1526〜1528年、
テ宮殿ブシュケの間、マントヴァ(イタリア)

　20歳で即位してからの13年間でギリシャ、ペルシャ、インドの3大陸を征服し、大帝国を建設した古代ギリシャのマケドニアの王、アレクサンドロス(紀元前356〜323年)は、他人から見ても人並み外れた存在だが、彼自身でも自分を半神半人の英雄だと思っていたのか、記念コインにヘラクレスの姿で登場したりもしている。何しろ並大抵の人物ではないので、彼の誕生を巡っても、興味深い神話が後づけされている。

　現実の彼は、マケドニアの王フィリッポス2世(在位前359〜前336年)とオリュンピアスの間に生まれたが、神話では、父はゼウス(ユピテル)と脚色された。ある日、眠りに落ちたオリュンピアスに欲情を抱いたゼウスが、蛇に変身して彼女に襲いかかり、それによってアレクサンドロスを身ごもったというのである。この絵には、半分蛇になっているゼウスが、驚くオリュンピアスに飛びかかっている姿があらわに描写されている。その後ろでは、ゼウスの象徴である鷲が、稲妻で男の目を突いている。この男がフィリッポス2世で、妻がゼウスと同衾[どうきん]した現場を見てしまった罪で、視力を失うことになった。実際、フィリッポス2世は、アレクサンドロスが生まれて1年後の紀元前355〜354年のメトネの戦いで右目の視力を失っている。

013
SAT

消えた医師ガシェ

フィンセント・ファン・ゴッホ《医師ガシェの肖像》、キャンバスに油彩、
67cm×56cm、1890年、個人所蔵

フィンセント・ファン・ゴッホ[003]が、短い人生の最後の定着地としてパリ近隣のオーヴェル・シュル・オワーズ[365]を選んだのは、精神科医でありながら絵を好み、アマチュア画家でもあったポール・ガシェと芸術を論じ合って、さらにその診療も受けたいと考えたからであった。ところがいざ診療が始まってみると、火のように激しい性格であったところに先頃、妻を失って深刻な鬱[うつ]に陥ってしまったガシェ医師を前に、はたして自分を治療することができるのだろうかと、心配になった。

それでも、互いに似たところのある2人は親交を続けた。絵の中のガシェは、深い悲しみの底からようやく再起したばかりのような、沈み込んだ様子だ。テーブルの上のコップにはジギタリスという植物を挿してあるが、これはゴッホが患っていたてんかんや躁鬱[そううつ]病の治療剤の材料として使われたものだ。

ガシェを描いた絵は合わせて2点あり、1点はオルセー美術館（パリ）に所蔵されているが、この絵は1990年5月、ニューヨーク・クリスティーズのオークションにおいて8250万ドル（約120億円）で落札され、日本の大昭和製紙グループ（当時）の齊藤了英会長の手に渡った。会長は、絵を決して一般には公開しなかった上に、自分が死んだら一緒に葬ってほしいとまで遺言した。1996年の会長の死後、この絵は完全に消え去ってしまい、どこでも見ることができない状態である（1997年頃に齊藤家がサザビーズに売却し、非公開でオーストリア出身の投資家が推定9000万ドルで購入したとされるが、所在不明のままである）。

◎右肘の下に置かれた2冊の本は、ゴンクール兄弟の『ジェルミニー・ラセルトゥー』と『マネット・サロモン』である。前者は〈精神疾患〉、後者は〈芸術〉を主題とした本で、この2冊がガシェのすべてを物語っている。

014
SUN

ヴィーナスの誕生 I

サンドロ・ボッティチェッリ《ヴィーナスの誕生》、キャンバスにテンペラ、172.5cm×278.5cm、1484年頃、ウフィツィ美術館、フィレンツェ

　愛の女神アフロディテ（ヴィーナス）が貝に乗って登場する場面を描いたこの絵は、中世以後で初めて試みられた実物大の女性ヌード画である。大地の神ガイアは、息子のクロノスに、天の神ウラノスの性器を切り落とさせた▶007。切り落とした父の性器をクロノスが海辺に放り投げたところ、泡が湧き立って、その中からアフロディテが生まれた。彼女は、絵の左側で西風の神ゼフィロスが力強く吹き出している風によって、キプロス島に到達した。ゼフィロスのすぐわきには、花の妖精クロリスが伴っているが、絡み合った彼らの脚はあまりにも官能的である。右側の季節の女神ホーラは、島に着いたばかりのアフロディテに服を着せようとしているが、当の本人は着るつもりもなさそうだ。

　中世には抑圧されていたヌード画である点、そしてやはり中世には度外視されていたギリシャ神話を主題としている点などは、ボッティチェッリ（1445～1510年）▶073がルネサンスにさしかかる時代に生きたことを示している。両手で自身の隠すべきところを隠しているこの姿勢は、古代ギリシャの彫刻家による女性ヌード彫像から借用したものだ。しかし、隠すべきところを隠すには腕の長さが足りなかったのだろう、アフロディテの左腕は肩が壊れてしまいそうに垂れ下がっている。

015
MON

岩窟の聖母

レオナルド・ダ・ヴィンチ《岩窟の聖母》、パネルに油彩、189.5cm×120cm、1495〜1507年、ナショナル・ギャラリー、ロンドン

1483年、レオナルド・ダ・ヴィンチはミラノ公国の「無原罪の御宿り信心会」の依頼を受けて、その年の12月8日までにこの絵を完成させると契約した。信心会は、この絵によって聖母マリアの日を記念したのち、サン・フランチェスコ・グランデ聖堂に祭壇画として掲げる予定であった。

しかしダ・ヴィンチは契約どおりに絵を完成させられず、しかもそのときにミラノを離れていたことから、騒動が起こった。1506年、ダ・ヴィンチは、法廷で2年以内に絵を完成させよとの判決を受けたため、フィレンツェ市庁舎でアンギアーリの戦い[145]に関わる壁画を描いていた途中にもかかわらず、大あわてで再びこの絵に取り組まざるを得なくなった。

ダ・ヴィンチは、イタリアの南部地域を旅行している際に見た奇岩怪石の自然の風景に大いに感動し、この絵の背景とした。画面には、聖母マリア、幼いイエス、天使、洗礼者ヨハネがいるが、のちに信心会では、2人の幼子を混同しないように、左側の幼いヨハネに十字架を描き加えた。イエスの背中を支えている天使の手のあたりは、未完成のようにも見える。絵の中に登場する水や各種の植物は、植物学者かつ河川の研究者としてダ・ヴィンチがしばしばスケッチしていたものである。

◎この絵は1507年に完成しており、ルーブル美術館に所蔵されている同名の絵（1483〜1486年制作と推定）よりも後に描かれ、大きさは若干小さい。締切日に遅れて訴訟にまで巻き込まれながらも、ルーブル美術館所蔵の絵に手入れして提出したりせず、同じ内容の絵を2点も描いたのがなぜなのかは、わかっていない。

016
TUE

エジプト美術 I

作者不詳《ナルメルのパレット》両面のうちの一面、
石板、高さ63.5㎝、紀元前3000年頃、
エジプト博物館、カイロ

　紀元前3000年頃、上・下2つの国に分かれていたエジプトは、ファラオのメネスによって統一された。諸説あるものの、メネスは「荒れ狂うナマズ」という意味の名をもつナルメルと同一人物と見られる。

　この石板は、太陽光から目を保護するための化粧品を混ぜるパレットである。しかし、大きさからすると装飾用または祭儀用に用いられたものと思われる。パレット上部の左右に描かれた角のある雌牛は、ファラオを守る女神ハトホルで、その間にナマズと鑿[のみ]がともに王宮を示す枠の中に描かれている。象形文字で「荒れ狂うナマズ」、すなわちナルメルを意味する。

　中央には、上エジプトの王冠をかぶったナルメルが、下エジプトの王の髪をひっつかんで、棍[こん]棒で殴りつける場面が大きく描かれている。ナルメルの背後には、ファラオの履き物を手にした侍従が見える。右側では、鷹の頭部をもつ太陽神ホルスが、捕虜の首に巻かれたロープをつかんで引っ張っている。ホルスとは、とりもなおさずナルメルのことである。捕虜の背には、紙をつくるために使われた植物、パピルスが生えている。当時、下エジプトはパピルスの主産地であった。

　パレットの下部では、2人の捕虜が大あわてで逃げ出している。つまるところ、このパレットは、ナルメルが上下エジプトを統一した最初のファラオであることを記録し、誇示するために制作されたものとみることができる。

017
WED

ギュスターヴ・カイユボット

ギュスターヴ・カイユボット《自画像》、キャンバスに油彩、
40.5cm×32.5cm、1892年頃、オルセー美術館、パリ

　ギュスターヴ・カイユボット（1848～1894年）は、軍服納入業を経営する裕福な父のもとに生まれた。弁護士試験に合格しながらも、法曹となる道をあきらめ、画家になろうと決心した。そしてフランスの国家的美術教育機関であるエコール・デ・ボザールに入学したものの、在学中に父が亡くなって莫大な遺産を相続すると、以後は金の心配もなく絵さえ描いていればよいという満ち足りた生活を送った。

　カイユボットは、印象派▶289の画家がひとしきり嘲笑されていた頃、第2回印象派展に8点の作品を出品し、印象派の画家たちといっそう親しく交流するようになった。それ以後も、カイユボットは印象派展に何回か参加した。

　カイユボットは、パリの道路、広場、橋などを行き交う人々の何気ない日常を、独特の大胆な構図で描き出して高い名声を得たが、彼の存在をいっそう際立たせたのは、貧しくて恵まれない画家たちを物心両面から支援したことだった。カイユボットは、画家仲間の売れない作品を買い集めていた。そのうち67点をリュクサンブール美術館（パリ）で常設展示するよう、国に遺贈した。だが、保守的なフランス美術アカデミー▶226の反対により、約半数は美術館外の小さな展示場で別に展示されるという扱いを受けた。後年、専門家や大衆が印象派に向けるまなざしは好意的なものに転じ、フランス政府の態度もすっかり変わった。

018
THU

ドリッピングと
アクション・ペインティング

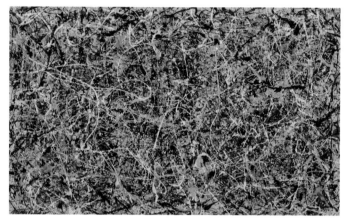

ジャクソン・ポロック《ナンバー1》、キャンバスに油彩、エナメル、アルミニウム、160㎝×260㎝、1949年、ロサンゼルス現代美術館、ロサンゼルス（アメリカ・カリフォルニア州）

　この絵は、絵の具を筆で塗ったのではない。撒［ま］いたり垂らしたりして描かれたものである。このように、棒切れやパレットナイフなどに絵の具をつけ、振りまいたり振りかけたりする手法を、「したたらせること」という意味で「ドリッピング」という。キャンバスをイーゼルの上に載せ、立って、あるいは座って描くのが一般的な描き方だとすると、ジャクソン・ポロック（1912〜1956年）はそれとは異なり、東洋画の画家のように床に紙を敷いて、その上で制作を行った。彼の制作の様子はそれ自体が1つの芸術のようで、「アクション・ペインティング」とも呼ばれる。見てすぐにわかる具体的な形象（つまり具象）ではないという点で抽象美術▶338であるとともに、画家の爆発的なエネルギーが感じられる表現主義▶303の特徴も兼ね備えた彼の絵の世界は、「抽象表現主義」と名づけられている。

　ポロックの絵は、1940〜1950年代のアメリカの美術界を牛耳っていた評論家グリーンバーグに絶賛された。グリーンバーグは、奥行きのある3次元的な幻影を生み出す西欧の絵画とは異なり、ポロックのように画面全体を均質に覆う表現で平面性を示すのが「アメリカ的」な絵画だと賞賛した[1]。

◎ポロックは、写真家ハンス・ネイムスが撮影した制作時の写真や映像によって、さらに名声を高めた。だが、ネイムスがたびたびカメラを向けたことが、無我の境地で絵を描いていたポロックにとっては、相当なストレスとなった。そのためポロックは、酒に酔うと、ネイムスに向かってありとあらゆる罵詈雑言を浴びせかけた。

1　「「アメリカ型」絵画」（『グリーンバーグ批評選集』所収）。

019
FRI

アレクサンドロス大王と
イッソスの戦い

パオロ・ヴェロネーゼ《アレクサンドロス大王の前に出たダレイオスの家族》、キャンバスに油彩、236cm×475cm、1565〜1567年、ナショナル・ギャラリー、ロンドン

　アレクサンドロス大王[012]があれほど広大な帝国を効率的に支配することができたのは、彼が徹底して寛容によって国を治めていたためだ。この絵は、彼の友人であり帝国の将軍であったヘファイスティオンとともに、イッソスの戦い（紀元前333年）の戦後、敗れたペルシャ王家の女性たちと対面した場面である。中央には、ペルシャのダレイオス3世の妻と母、そして子どもたちがひざまずいている。右側に並んで立っている2人の男性のうち、赤い服を着たほうがアレクサンドロスなのか、あるいはその後方の金色の戦闘服姿の男性がそうなのかは不確かである。ダレイオス3世の母も、この絵を見ているわれわれ同様に迷ったのだろう、後ろの背の高い人物がアレクサンドロスだと思って声をかけたが、それはヘファイスティオンだった。あわてる彼女に対して、アレクサンドロスは「お間違いになったわけではない、この男もまたアレクサンドロスなのだから」と、かばってやったという逸話が伝わっている[2]。

　紀元前4世紀のこの出来事は、16世紀のヴェネツィアで主に活動していた画家、ヴェロネーゼ（1528〜1588年）によって描かれた。ヴェロネーゼは、ヴェネツィアの有力者ピザーニ家の邸宅を背景とし、登場人物も同家の人物をモデルとした。

◎その後、アレクサンドロスはダレイオス3世の娘スタテイラを2番目の妻に迎え、ヘファイスティオンはスタテイラの妹ドリュペティスと結婚した。

2　『アレクサンドロス大王東征記』2巻12節（上巻、pp.148-149）。

020
SAT

プライドで取り戻した10円

ジェームズ=アボット=マクニール・ホイッスラー
《黒と金のノクターン──落下する花火》、キャンバスに油彩、
60cm×47cm、1875年、デトロイト美術館、デトロイト（アメリカ・ミシガン州）

色彩に対する審美的な探究を続けたホイッスラー（1834〜1903年）[213]が、2日間で描いた遊園地の花火の風景である。画面の下方には花火を鑑賞する人々がおぼろげに見えており、漆黒の暗い夜空に打ち上がった花火が川の水面に落ちていく様子が、まるで金粉をまいたように輝いている。

ホイッスラーは、自身のこの作品に200ギニーの値をつけた。当時のドルでは約1000ドルあまりだったが、インフレなどを勘案して高く見積もるなら、現在の日本円で数十万円以上にもなる金額である。その価値がどれぐらいのものであったかはともかく、2000年にクリスティーズで落札されたホイッスラーの《灰色のハーモニー：氷のチェルシー》の価格が日本円で約3億1000万円ほどだったことと比べればおやつ代程度だったにもかかわらず、評論家ジョン・ラスキンは、「公衆の面前で絵の具壺のなかみをぶちまけるだけで、200ギニーを要求するほどふざけたやつがいるとは考えてもみなかった」と非難した[223]。これに激怒したホイッスラーはラスキンを訴えた。ホイッスラーは「200ギニーは私の生涯のなかで得た知識に対して支払われるべきもの」と主張し、結局勝訴した[3]。しかし、損害賠償額は1ファージング、すなわち10円ほどにすぎなかったから、莫大な訴訟費用によって、ホイッスラーは一文無しになってしまった。プライドを守るために彼が支払った代価は、あまりにも高かったというわけだ。

---

3 『ホイッスラー展』図録、p.178。

021

SUN

パラスとケンタウロス

サンドロ・ボッティチェッリ《パラスとケンタウロス》、キャンバスにテンペラ、207cm × 148cm、1482年頃、ウフィツィ美術館、フィレンツェ

この作品は、ボッティチェッリ▶073がひそかに慕っていたシモネッタ・ヴェスプッチ(1453頃〜1476年)▶029をモデルとして制作された。

題名のパラスは、知恵の女神アテナの別名で、彼女は戦争の女神でもある。暴力などの物理的な力を用いる戦争の男神アレスとは異なり、交渉や対話、妥協などによって戦争を勝利に導く。一方、ケンタウロスは、下半身が馬である半人半獣の怪物である。その怪物の頭をパラスがつかんでいるのは、飼い慣らされていない野性を眠らせる理性の優位を意味している。

絵の背景はナポリの港である。1478年頃、当時フィレンツェを支配していたメディチ家のロレンツォは、教皇の権勢をバックにフィレンツェをおびやかしていたナポリ王のもとを、非武装で訪問して交渉し、無血で平和を取り戻すことに成功した。以後、ロレンツォはフィレンツェにおいて、「偉大な人(イル・マニフィコ)」という修飾語つきで呼ばれた。パラスが着ている服を見ると、オリーブの木の模様とともに、3〜4個のダイヤモンドの指輪が組み合わされた文様が描かれている。この文様はメディチ家で用いられた紋章の1つで、「神に対する愛」を意味するものである。

022

MON

赤のハーモニー

アンリ・マティス《赤のハーモニー》、キャンバスに油彩、180.5cm×221cm、1908年、エルミタージュ美術館、サンクトペテルブルク（ロシア）

　アンリ・マティス（1869～1954年）▶046は、絵の中で細部の描写を大胆に省略し、最も基本となる形のみを残した。色彩は、対象が実際にもつ色に基づくのではなく、ただ視覚的快感だけのための存在であるかのように描かれていて、明暗が失われ遠近感▶284も希薄になった画面を平坦に覆いつくし、装飾的な印象を与えている。この絵もまた、左隅の椅子あたりでわずかに遠近感を感じられるのみで、手前・奥という空間感覚はほとんど失われている。すっかり赤色で覆われた壁とテーブルは、細い線によってかろうじて分けられている。テーブルの上のアラベスク文様は壁から流れ落ちてきたかのようであり、果物までも文様の一部のように感じられる。右側の女性も、絵の中で特別な位置づけを与えられてはおらず、装飾の一部にすぎない。左方の緑の草むらと青い空はそれなりに自然の色に近いが、窓の外の風景なのか、それとも絵を掛けてあるのかはわからない。

◎裁判官の道を目指していたマティスは、盲腸炎の手術を受けて入院していた間、退屈しないようにと母親が買ってくれた画材がきっかけで、美術家を夢見るようになった。父親を激怒させながらもついに美術家となった彼は、「よい肘掛け椅子」のような、「心配や気がかりの種のない、均衡と純粋さと静穏の芸術」を夢見ている[4]、と語った。

4　「画家のノート」（『マティス　画家のノート』p.47）。

023
TUE

エジプト美術 II

作者不詳《鳥の狩りをする書記ネブアモン》、フレスコ、紀元前1350年頃、大英博物館、ロンドン

　3000年以上にわたる統一王朝を築いていたエジプト人たちは、霊魂の不滅を信じ、死は生の延長ととらえた。とくに現人神であったファラオの墓は、王宮の代わりとなる空間であり、ファラオが生前使っていたものを含むあらゆる奢侈[しゃし]品を、遺骸と一緒に内部に納めた。墓の壁面は、ファラオの日常から業績に至るまでを記録した象形文字と挿絵によって、びっしりと埋められている。絵や肖像彫刻などは、肉体の代わりとなってカー（死後の霊魂）が宿ると考えられ、人体をただ目に映るまま〈自然に〉描くよりも、部位の特徴を明確に表現することが重んじられた。

　この絵で、書記ネブアモンの足が最も大きく、横向きに描かれているのは、そうすることで足が最も足らしく見えるからであり、肩や胸、瞳などが正面向きに描かれているのもゆがみなく完璧に見えるからである。一方、ネブアモンの両脚の間に座って小さく描かれている人物に目を向けると、この正面性の法則が、ネブアモン以外の存在を描くときにはややぞんざいになっていることがわかる。ネブアモンはパピルスの船に乗り、立ち上がって左側のパピルスの上へと飛び立つ鳥を狩っている。その後方には、帽子をかぶったネブアモンの妻の姿が見える。エジプト人たちは、人物の地位に従って相対的に大きさを描き分けた。

024
WED

ヴィジェ=ルブラン

ヴィジェ=ルブラン《麦わら帽子をかぶった自画像》、
キャンバスに油彩、97.8cm×70.5cm、1782年、
ナショナル・ギャラリー、ロンドン

ペーテル・パウル・ルーベンス
《シュザンヌ・フールマンの肖像》、パネルに油彩、
79cm×55cm、1625年頃、ナショナル・ギャラリー、ロンドン

　パリに生まれたヴィジェ=ルブラン (1755〜1842年) は、パステル肖像画家の父ルイ・ヴィジェに絵を学んだ。1776年、母の強い勧めに負けて、画家で美術商であるジャン=バティスト=ピエール・ルブランと結婚し、数年後にヴェルサイユ宮殿で宮廷画家として活躍するようになった。1783年からは、女性としては珍しく、フランス美術アカデミーの会員となった。彼女は、王妃マリー・アントワネット側近の画家として肖像画を30点近く描くとともに、王妃の話し相手ともなった。ところが、そのことが理由で、1789年のフランス革命▶271以後、パリを離れざるを得なくなった。

　以後、ヨーロッパ各地の都市を巡りながら、主として貴族や王族の肖像画を描き、社交界において一目置かれる重要な人物となった。彼女は、洗練された服や装身具を自らつくり、あるいは選んでモデルに身につけさせ、やわらかく繊細ながらも生きて動き出しそうな筆づかいで肖像画を描いた。1日に3人の肖像画を描いたほど多作だった彼女が残した絵は、肖像画600点あまり、風景画200点あまりで、合計800点以上にのぼる。片方の手にパレットと筆を持っている左側の自画像は、彼女がいつも尊敬していたルーベンス▶199が描いた右側の肖像画をオマージュしたものだ。

025
THU

浮世絵

エドゥアール・マネ《エミール・ゾラの肖像》、キャンバスに油彩、146.5cm×114cm、1868年、オルセー美術館、パリ

エミール・ゾラは、今日のわれわれには小説家として広く知られているが、かつてのフランスでは、一流画家への登竜門だったサロン展[226]を辛辣に批判した、進歩的かつ自由奔放な芸術批評家としても有名であった。

この絵の中のゾラは、本や筆記具が乱雑に置かれた机の前で、本を手にして考えに耽［ふけ］っている。羽根ペンの奥にちらっと"MANET"という文字がのぞいているのは、この絵を描いたマネ（1832〜1883年）の展覧会パンフレットに、以前ゾラが文章を寄せたことを想起させるためだ。

壁には、マネが描いた《オランピア》[120]と日本の浮世絵が1点、その奥に版画で印刷されたベラスケス[276]の絵が見える。

この浮世絵は、江戸時代末期に活躍した力士、大鳴門灘右ヱ門を描いた相撲絵で、二代目歌川国明によって描かれたものである。浮世絵は木版による大量生産が可能で、輸出用の陶磁器を包む緩衝材に使われたことで、西欧に渡った。マネをはじめとする当時のヨーロッパの美術家たちは、遠近法が失われ、装飾的な色彩や独特の構図を用い、明暗が緻密でなく平面的な感じを与える浮世絵に熱狂し、その収集に熱を上げた。

026

FRI

ローマの建国

ジャック=ルイ・ダヴィッド《サビニの女たちの仲裁》、キャンバスに油彩、385cm×522cm、1799年、ルーブル美術館、パリ

　1人の女性が、2つの集団の争いを必死に仲裁しようとしている。この絵は、古代ローマの建国神話に関連するものである。女性の左腕の先には1人の将軍が持つ盾があり、そこには1匹の狼とその乳を吸う2人の子どもが見える。トロイア戦争に敗れたアイネイアスは、現在のローマ付近に来て国を建てたものの、すぐに弟に王位を奪われた。王となった弟は、兄の娘であるシルウィアが子どもを産むと、その子が自分の地位をおびやかすかもしれないと恐れていた。そこで彼はシルウィアを監禁したが、戦争の神アレスが彼女と関係をもち、2人の間にロムルスとレムスという双子が生まれた。王はこの双子を川に捨てたが、たまたま通りかかった狼が2人を見つけて、乳を与えて育てた。この双子が成長して建てた国が、ローマである。

　初期のローマでは、人口の増加が必要とされた。彼らは、隣村のサビニから女性を拉致し、ローマ人と強制的に結婚させた。のちにサビニの男性たちが戦意を固めてローマに攻め込んだが、すでにローマ人の子どもを産み育てていた女性たちの立場からみれば、この戦争は親戚同士の争いのようなものだった。フランス革命▶271前後の混乱期の画家ダヴィッド（1748～1825年）▶094は、革命によって分裂してしまったフランス人に、この絵を通じて融和のメッセージを伝えようとした。

027
SAT

フリーダ・カーロ、彼をはめ込む

フリーダ・カーロ《私の心のディエゴ》、繊維板に油彩、76cm×61cm、1943年、ジャック&ナターシャ・ゲルマン・20世紀メキシコ美術コレクション、ニューヨーク

　18歳のとき、突然の交通事故で下半身不随となったフリーダ・カーロ（1907〜1954年）▶206 は、リハビリに成功し、補助器具をつけて歩くことができるようになった。

　彼女はすぐに運命的な人物と出会うことになる。メキシコ社会主義運動に参加し、彼女とほぼ意を同じくした画家ディエゴ・リベラ（1886〜1957年）に出会ったのである。リベラは、メキシコ特有の色彩鮮やかな壁画の制作で、すでに大物画家として尊敬を集めていた。21歳違いという年齢差にもかかわらず、2人はたちまち恋に落ち、結婚した。

　社会に対する考え方を同じくし、芸術を論じ合うこともできる理想的な同伴者であり同志でもあったが、絶えることのないリベラの浮気は、彼女の心に傷を残した。かつてバス事故に遭った際、鉄製の手すりの柱が彼女の身体に突き刺さり、子宮を貫通したことがある。この大けがの後遺症のために、彼女は切望していた子どもの流産まで何度も経験し、2人は離婚と再婚を繰り返した。フリーダ・カーロ自身が語るように、彼女の人生をぶち壊した最大のものは、バスに激突した電車、そしてディエゴ・リベラであった。しかしこの2つよりもさらに悪かったのは、それにもかかわらずそれほどまでにも彼女がリベラを愛していたという事実だった。彼女は、メキシコの伝統衣装の姿で自身を描いた。そして額には、愛憎の念が入り混じるディエゴ・リベラをしっかりとはめ込んだ。

028
SUN

アドニスの死

セバスティアーノ・デル・ピオンボ《アドニスの死》、キャンバスに油彩、189cm×285cm、1512年頃、ウフィツィ美術館、フィレンツェ

　この絵は、愛の神アフロディテ（ヴィーナス）と狩人アドニスの愛と死にまつわる神話を題材としている。2人は、神と人間という身分の違いを越えて、熱烈な恋に落ちた。ある日アドニスは、1人では狩りに出かけないようにとアフロディテが繰り返し引き留めたにもかかわらず、狩りに出かけて猪に襲われ、死んでしまった。彼の血が染み込んだ土から、アドニス（フクジュソウ）の花が咲いた。この絵の真ん中には、背中に矢筒をつけた息子のエロス（クピド）を伴って座るアフロディテの姿が描かれている。左側には、猪の襲撃を受けたアドニスがぐったりと横たわっている。川の向こうに見える建物は、ヴェネツィアのドゥカーレ宮殿▶191と鐘塔である。

　セバスティアーノ・デル・ピオンボ（1485～1547年）は、ヴェネツィアで生まれてその地の大物画家たちから絵を学んだ。1511年にローマに移ると、ヴァチカンに滞在し、無愛想このうえないミケランジェロ（1475～1564年）▶052の友人となり、その影響を受けて、解剖学の知識に基づく正確な人体描写法の知識を手に入れた。とくに彼は、美しい風景の中に人物を配置することを好んだ。

◎ピオンボという名前は「鉛の印章」という意味である。1531年に教皇クレメンス7世（在位1523～1534年）から玉璽［ぎょくじ］管理人の職を与えられてついた別名である。

029
MON

春（プリマヴェーラ）

サンドロ・ボッティチェッリ《春 (プリマヴェーラ)》、パネルにテンペラ、203㎝×314㎝、1481～1482年、ウフィツィ美術館、フィレンツェ

　ボッティチェッリ▶073 の代表作の1つである《春 (プリマヴェーラ)》は、フィレンツェのメディチ家からある貴公子への結婚プレゼントとして注文を受けて制作されたものである。登場人物を左から順に見ていくと、冬の黒雲を払い去るヘルメス (メルクリウス)、純血・美・愛など結婚を意味する三美神、そして愛の女神アフロディテ (ヴィーナス) と、目を覆ってぞんざいに矢を射るエロス (クピド) がいる。エロスが射たものが黄金の矢ならば、それが当たった人は最初に見た人に愛情を抱くことになる。

　アフロディテの頭の左右では、しなった木の枝による空間が、後光のように女神を強調している。画面の右側では、春の西風をもたらすゼフィロスが花の妖精に触れるやいなや、プリマヴェーラ (春) として誕生する場面が繰り広げられている。華麗な花模様の服を着た春の女神プリマヴェーラは、ボッティチェッリの片思いの相手であったシモネッタ・ヴェスプッチ▶021 をモデルとしている。背景の柑橘類の木々は、学名に "medica" がついており、メディチ家を想起させる。また、描かれている170種以上の花のほとんどはメディチ家の別荘付近でよく見られるものである。つまりこの絵には、黒雲が追い払われ、暖かい西風が吹きよせる春、花々が咲きこぼれる場所でメディチ家の夫妻が愛の実を結ぶように、との願いが込められている。

030
TUE

古代ギリシャ美術

レオカレス原作《ベルヴェデーレのアポロン》、大理石、
224cm×118cm×77cm、
紀元前300年頃に制作されたものをローマ時代に複製、
ヴァチカン美術館、ヴァチカン

　ペルシャとの戦争に勝利したアテネの繁栄期は、美術の最盛期でもあった。西洋では、この時期のギリシャ美術を常に敬い、また模範とすべき〈古典〉ととらえてきた。現存するギリシャの彫刻像は、もともとブロンズや大理石でつくられていたものを、のちにローマ人たちが複製したものが多い。とくにブロンズ像の場合、ほとんどが溶かされてコインや装身具、武器などに形を変えてしまった。

　ルネサンス期、ミケランジェロ▶052はこの彫刻像に驚嘆し、《最後の審判》▶288を描く際に主人公イエスの顔のモデルとして用いた。また、18世紀ドイツの考古学者ヴィンケルマンは、古代ギリシャ美術を「高貴なる単純と静謐なる偉大[5]」と称え、この作品については「この肉体を熱して動かす血管も腱[けん]もなく、おだやかな流れのように注ぎ込んだ天上の精神が、いわばこの彫像の輪郭を定め、満たしたのである[6]」と、賛辞を惜しまなかった。大蛇ピュトンを退治したアポロン（アポロ）は、右足に体重を乗せて左足を軽く上げた自然な姿勢をとっているが、この姿勢は「コントラポスト」と呼ばれる。

　戦争に勝利したのち、マケドニアによって滅ぼされるまでの古典期ギリシャの美術家たちは、人間の身体が最も美しく完璧に見える比率（「カノン」と呼ばれる）を追究し、それを適用して作品を生み出していった。贅肉のまったくないアポロンの美しい身体は、いくぶん女性的な雰囲気さえ感じさせる。

5　「絵画と彫刻におけるギリシア芸術模倣論」（『ギリシア芸術模倣論』p.46）。
6　「彫像描写　アポロ描写」（『ギリシア芸術模倣論』p.301）。

031
WED

エドガー・ドガ

エドガー・ドガ《自画像》、紙にパステル、47cm×32cm、
1885～1900年、アルプ美術館（バーンホフ・ローランズエック）、
レマーゲン（ドイツ）

エドガー・ドガ（1834～1917年）の父親は、一族が所有する銀行の支店長であった。成功したブルジョア一族出身の父親は、「de Gas（ド・ガ）」という貴族風の姓を用いたが、ドガ自身は自分の若い感覚で「Degas」という姓を用いた。ふとしたことがきっかけで絵に関心を持ち始めた彼は、通っていたパリ大学法学部を退学して、画家への道を歩むことにした。

ドガはルーブル美術館などに出入りしていて知り合ったマネを通じて、多くの進歩的な画家たちと交際するようになった。彼は美術品マニアだった父から、多額の財産に加えて、ベラスケスやドラクロワなど有名画家の作品までも相続しており、お金を稼ぐために無理に絵を描く必要はなかった。しかし、あるとき破産してしまい、よく売れる絵、つまりバレリーナの絵やヌード画などもときに描いた。

彼は美術の新しい動きを積極的に取り入れ、印象派の集まりにも熱心に出かけたが、印象派の画家たちが追究したような光が生み出す色の表現や、野外に出かけて描く風景画には関心がなかった。しかし、新たな媒体として出現したカメラは好きで、都市の人々の姿▶074をカメラに収めることに熱中した。この自画像は、描いては中断し、また描いては中断しながらようやく晩年に完成したものだが、その頃の彼は、持病である眼病のためにほとんど視力を失っていた。

◎ドガは、この自画像を友人に見せながら、自分が犬みたいに見える、と笑いながら話したというエピソードがある。

032
THU

静物画

ヤン・ブリューゲル（父）《小さい花卉［かき］画──陶製壺の──》、
パネルに油彩、51㎝×40㎝、1599〜1607年、
ウィーン美術史博物館、ウィーン

　静物画は、それ自体は動くことのない日常的な事物を描いたもので、古くは古代ローマ時代の壁画にもすでに登場している。

　食器、本、花などは、神話・宗教の歴史を扱った絵や肖像画などの中で、主題を引き立たせるための脇役とされてきた。また、絵の実力を磨くための練習用の素材でもあった。しかし、16〜17世紀のオランダでは、それらを描いた絵が独立したジャンルを形成するようになる。日常の事物が、絵の主人公として登場したのである。

　質素な新教（プロテスタント）国家のオランダでは、宗教画や大型の歴史画の注文はそれほど多くなく、売るにも買うにも適した小さめの静物画が流行した。人々は市場で、あるいは画家や画商を通じて静物画を購入し、自分の家の壁に掛けた。絵の中でいつまでも目で楽しむことのできる高価な器を見ることで、実物を買うお金はなくとも、買ったつもりになって満足した。同様に、高価なのにすぐにしおれてしまう本物の花の代わりに、春の花も夏の花も問わず一緒に華やかに活けてある絵を見て、目で香りを楽しんだのである。

　オランダの有名画家の一族であるブリューゲル家のヤンは、とくに花の静物画で名高く、この絵の中には、140種類以上の多種多様な花が描かれている。

◎ブリューゲルの一族には何人もの画家がいたが、父と子が同じ名前を用いる場合も多かった。それらを区別するため、英語圏では、父の場合はthe elderを、子の場合はthe youngerを名前につけて表記するが、日本では（父）、（子）をつけることが多い。

033
FRI

ハンニバル、アルプスを越える

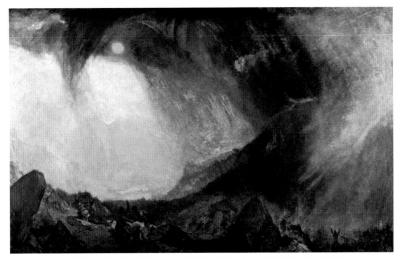

ウィリアム・ターナー《吹雪：アルプス越えを行うハンニバル将軍とその軍勢》、キャンバスに油彩、146cm×237.5cm、1812年頃、テート・ギャラリー、ロンドン

　激しく吹き荒れる白い吹雪、墨のような黒雲、それでも堂々たる威厳を保つ丸い太陽。大自然の前に立つ一介の人間のちっぽけさを描いた風景画のように見えるが、これは、ローマに挑んだハンニバルの軍隊の武勇談をさりげなく主題として挿入した絵である。

　紀元前270年にイタリアを統一したローマは、地中海の対岸、アフリカ大陸のカルタゴとの戦争を起こした。ラテン語でカルタゴ人を「ポエニ」と呼ぶことから、この戦争は「ポエニ戦争」と名づけられている。ポエニ戦争の最初の目標は、地中海の制海権掌握であった。第一次ポエニ戦争ではローマ軍が勝利したが、その後カルタゴの名将ハンニバルが登場すると、形勢は逆転した。

　ハンニバルは、兵士約4万人とゾウ37頭を帯同して船に乗り、カルタゴ・ノヴァ（今日のスペイン）に到着すると、アルプスを越えてローマに進撃した。かくも大回りをし、険しいアルプスを越えて敵軍が進撃してくるとは思ってもみなかったローマは、衝撃に見舞われた。だが、カルタゴにハンニバルがいるとすれば、ローマにはスキピオ（大スキピオ）という名将がいた。彼は逆に、ハンニバルが不在のカルタゴに進撃した。ポエニ戦争でついに勝利を収めたローマは、領土を広げて大帝国へと成長した。

034
SAT

双子のモナリザの発見

レオナルド・ダ・ヴィンチの弟子《モナリザ》、パネルに油彩、
76.3cm×57cm、1503〜1519年、プラド美術館、マドリード

　スペインのプラド美術館には、あの有名なルーブル美術館の《モナリザ》[100]にそっくりながらも、もう少し若い姿で眉が細く、背景までしっかり描き込まれた《モナリザ》が展示されている。

　発見当時には真っ黒な埃がこびりついていてわからなかったが、復元の過程で、ルーブルの《モナリザ》と背景がほぼ同じであることに加え、女性の服装までも同じであることがわかり、誰もが驚いた。

　研究者らは、赤外線やX線を用いて撮影し、この2つの作品の関係を調べた。その結果、ダ・ヴィンチがルーブルの《モナリザ》を描く際に、頭部や手の形を直し、上衣をやや下に降ろして胸元が見えるように修正したのと同じ過程で、プラドのこの絵でも同様の修正作業が進められていたことが明らかになった。

　あくまで推測だが、ダ・ヴィンチの弟子の1人が師匠をまねて、師匠が描けば自分も描き、師匠が修正すれば自分も修正するというようにして完成したもののように見える。この絵は、美形でダ・ヴィンチの同性の恋人でもあったサライ[127]、またはフランチェスコ・メルツィという2人の弟子のどちらかによる作品だろうと、多くの人が推定している。

035
SUN

ウルカヌスの鍛冶場

ジョルジョ・ヴァザーリ《ウルカヌスの鍛冶場》、銅版に油彩、38cm×28cm、1564年頃、ウフィツィ美術館、フィレンツェ

画家であり建築家であったジョルジョ・ヴァザーリ (1511〜1574年) は、200人以上に及ぶルネサンス期の美術家の人生について記した『芸術家列伝』の著者でもある。ヴァザーリは、共和政であったフィレンツェを公国に改めたコジモ1世・デ・メディチ▶194の息子、フランチェスコ1世・デ・メディチから注文を受けて、この作品を描いた。錬金術にのめり込んだフランチェスコは、神話中の最高の発明家ヘパイストス (ウルカヌス) の鍛冶場の絵で自分の居所を飾ろうと考えた。

画面左側では戦争の女神かつ知恵の女神アテナ (ミネルヴァ) が、ウルカヌスに1枚の紙を渡している。ミネルヴァが設計図を渡すと、鍛冶の神ウルカヌスはそれに合わせて物をつくるのである。ここでは、設計の重要性、ひいてはデッサンの重要性が力説されている。ヴァザーリは、フィレンツェにデッサン・アカデミーを設立し、デッサンこそ美術の基本だと指導した。画面左上ではアーチとアーチの間に三美神が立っており、それをすぐ下で熱心にスケッチしている4人のヌードの学生が見える。ヴァザーリにとっては、ウルカヌスの鍛冶場イコール自分のデッサン・アカデミーであった。

一方、ウルカヌスの前に置かれた盾には、ヴァザーリが仕えたコジモ1世とフランチェスコ1世の生まれ星座である山羊座と牡羊座が描かれている。

036
MON
アルノルフィーニ夫妻像

ヤン・ファン・エイク《アルノルフィーニ夫妻像》、パネルに油彩、
82cm×60cm、1434年、ナショナル・ギャラリー、ロンドン

　ルネサンス美術のめざましい発展には、イタリア人が発明した遠近法が大きな役割を果たした。平面の絵で空間感覚を表現することができ、自然かつ本物らしい幻影を生み出すことができたためである。他方で、今日のオランダからベルギー付近にあたるフランドルで活躍した画家、フーベルト・ファン・エイク（1370頃〜1426年）とヤン・ファン・エイク（1395頃〜1441年）▶045 の兄弟がつくり出した油彩も、ルネサンス美術の写実主義的特性に大きく貢献した。鉱物を砕き、テレピン油に混ぜてつくった油絵具は、多様な色をつくりやすく、乾く前でも上塗りすれば修正が可能で、絵の完成度を高める上で大いに役立った。

　ヤン・ファン・エイクの絵に見られるこまやかさ、精巧さなどは、アルプス以北の人々に特有の精確さに油彩の長所が組み合わさった結果である。この絵は、富裕な織物商人アルノルフィーニとその妻を描いたものである。それほど大きな絵でないにもかかわらず、天井のシャンデリアやその下の鏡が輝いている様子、着ている服、さらには子犬の毛並みに至るまで細かに描かれている。鏡の縁を装飾する10個の円には、イエスの受難の場面が順に描かれている。そして鏡とシャンデリアの間に書かれた文字は「ヤン・ファン・エイクここにありき。1434年」という意味で、彼が夫妻の結婚の場面に立ち会ったという事実に加えて、この絵を描いた張本人でもあることを明かしている。

037
TUE

ヘレニズム美術

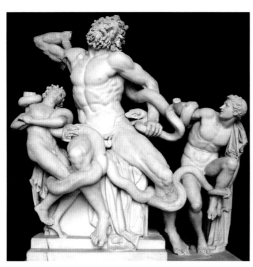

ハゲサンドロス、アテノドロス、ポリュドロス《ラオコオン像》、大理石、
高さ240cm、1世紀初め、ヴァチカン美術館、ヴァチカン

紀元前338年、ギリシャはマケドニアの王フィリッポス2世に征服された。その跡を継いだ息子のアレクサンドロス大王 ▶012,019 は、大帝国を建設する一方で、自身が征服した東方の文化とヘラス（ギリシャ）的な文物を互いに混交させた。この時代は「ヘレニズム時代」と呼ばれる。ヘレニズム時代は、ローマによって帝国の版図が吸収される紀元前31年まで続いた。

無表情かつ優雅で静的だった古典主義とは異なり、ヘレニズム美術には、演劇のように感情を激しく表出して動的であるという特徴がある。ヘレニズム美術の特徴をよく示しているこの《ラオコオン像》は、1506年、ローマのエスクイリーノの丘の上にあったネロ（在位54～68年）の宮殿跡で1人の農夫によって発掘された。この作品は、トロイア戦争でギリシャ方についた女神アテナ（ミネルヴァ）が、トロイアの司祭ラオコオンに海蛇を遣わしたことにより、彼が2人の息子とともに苦しみながら死ぬに至った場面 ▶105 を描き出したものである。ラオコオンの筋肉はまさにちぎれんばかりにねじれており、息子たちにぐるぐると巻きついた蛇の胴体にも力がみなぎっている。恐怖の悲鳴がこみ上げて、顔がバラバラになってしまいそうなほど乱れた表情だ。

◎《ラオコオン像》は、皇帝ネロが黄金の宮殿を飾る際にロドス島から持ってきたものと思われる。発掘当時にこの作品の価値を認識したミケランジェロの協力で、教皇ユリウス2世（在位1503～1513年）が農夫から作品を買い取り、ヴァチカン宮殿に運び込ませた。このことを知った人々が作品を見物しようと押し寄せたために宮殿を開放するに至ったことが、ヴァチカン美術館の始まりとなったという。

038

WED

クロード・モネ

オーギュスト・ルノワール《クロード・モネの肖像》、キャンバスに油彩、
85cm×60.5cm、1875年、オルセー美術館、パリ

パリに生まれ、フランス北部の海岸都市ル・アーヴルで育ったクロード・モネ（1840～1926年）は、地元の人々のカリカチュア（特徴を強調して滑稽に表現した風刺画）を描くことで知られていた。地元のある画材商に陳列されていたモネの絵を見て、画材商仲間のウジェーヌ・ブーダンがモネを誘って弟子とすると、モネはブーダンとともにル・アーヴルの海辺の風景を描きながら、画家となることを本格的に思い描くようになった。

モネは、叔母の援助を受けながらパリで美術の勉強を始めたが、サロン展▶226への入選だけを目標とする伝統的な教育方針に不満を抱いた。そして、意を同じくする友人たちとともに自然の中に飛び出し、日光や大気の中でじかに目に見えるままの風景を、いかなる脚色もなく描くことを繰り返した。

そうした画家たちが集まり、サロン展とは別の独立した集まりと展覧会を企画した。これが「印象派▶289」の始まりである。印象派に対する大衆の理解が次第に高まるにつれて、彼はとうとう国際的なスターとなった。モネは、パリ郊外のジヴェルニーの広々とした敷地に自分だけの庭をつくり、睡蓮をはじめとする多数の植物を池いっぱいに育て、それをキャンバスに写す営みを続けた。晩年の彼は、画家としては致命的な白内障を患ったが、にもかかわらず生涯を終えるその日まで、決して絵を描くことをやめなかった。

039
THU

イコン画

作者不詳《宇宙の支配者イエス》、モザイク、1080〜1100年頃、ダフニ修道院、ダフニ（ギリシャ）

イコン（聖像）は、誰も見たことのないイエスやマリア、聖人たちを描いたものであり、想像によって生み出されたイメージにすぎない。だから、神聖なる存在が描き手次第で隣家のおじさんのように、あるいは美男子にと、さまざまに描かれてしまう。このことは大きな問題を生み出した。また、描かれた聖像を前にして祈りを捧げていたはずの人々が、ついには聖像それ自体を崇拝するようになってしまうことも問題だった。

8世紀以後、キリスト教社会は、この聖像崇拝を巡って分裂を始めた。コンスタンティノープルを首都とする東ローマ帝国は聖像制作に反対したが、西方のローマを中心とする教会では、読み書きを知らない人たちにとって絵こそが最も重要な媒体になり得ると考えた。やがて東ローマ帝国では大々的な聖像破壊運動まで繰り広げられるに至り、キリスト教社会は、東ローマ帝国の正教会とローマ中心のローマ・カトリックへと完全に分裂した。

しかし、結局聖像の必要性は認められた。ただし正教会は、一定不変の基本的な枠組みの中で聖書の内容や人物を描かせ、描き手が誰であっても、同じイメージ、同じ姿勢をとらせた。この厳格な伝統と規則はこの後、1000年にわたって続き、ローマ・カトリック圏の画家たちにも影響を及ぼした。この絵の中のIC XCとは、イエス・キリストを意味する古典ギリシャ語 Ἰησοῦς Χριστός の最初と最後の文字をとったものである。イエスは、謹厳かつ厳粛な表情で、正面を向いている。

040
FRI

カエサルの死

ジャン＝レオン・ジェローム《カエサルの死》、キャンバスに油彩、85.5cm×145.5cm、1867年頃、
ウォルターズ美術館、ボルティモア（アメリカ、メリーランド州）

　ローマの始まりは王政だったが、紀元前509年以後は、貴族による元老院が執政官
を、平民による民会が護民官をそれぞれ置いて政局を導く、共和政体制へと変わっ
た。しかし、ポエニ戦争▶033以後のローマでは、貴族と平民の間の対立が激化し、深刻
な混乱期に陥った。

　カエサル（紀元前100〜44年）は、3名の執政官を置く体制を提案し、ポンペイウス、ク
ラッススとともに三頭政治を行った。カエサルは、今日のフランスにあたるガリア
を征服し、総督としてその地にとどまった。クラッススが死去すると、自分をしりぞ
けようとする勢力と対決するため、軍隊を率いてルビコン川を渡り、ローマに進撃
した。このときに生まれた有名な言葉が「賽[さい]は投げられた」である。

　カエサルは、ローマで終身の独裁官の地位にのぼり、庶民に配慮したさまざまな
政策で一身に人気を集めたが、彼を牽制したい元老院の貴族と意を同じくしたブル
ートゥスによって暗殺された。この絵の左側手前に、カエサルがぐったりと横たわ
っている。彼の死に興奮した人々が押し寄せているそのときに、絵の右側では1人の
男がじっとうつむいて椅子に座り、ローマの今後の成り行きを心配して、物思いに
深く沈んでいる。

041
SAT

低俗で浅薄な主題

ギュスターヴ・カイユボット《床に鉋［かんな］をかける人々》、キャンバスに油彩、102cm×146.5cm、1875年、オルセー美術館、パリ

　労働者の姿を描いた画家はもちろんそれまでにもいたが、カイユボット▶017 のこの絵は、都市労働者の姿を描いているという点に特別さがある。また、それまでの画家が労働のつらさを可視化し、同情や連帯意識をあおり立ててきたとすれば、この絵はそれよりも、働いている人の力強い動きや、均整のとれた筋肉をもつ身体の美しさに、そして彼らを包み込む室内の光と影に、目を向けさせるものである。こうしたずば抜けた完成度にもかかわらず、この絵は1875年のサロン展▶226 で落選した。このとき、審査員らはこの作品を「低俗で浅薄な主題を扱ったものだ」と酷評した。神話や英雄、宗教といった道徳的な内容を扱っておらず、都市労働者の暮らしぶりをあまりにもリアルに描写した作品だという、信じがたい理由によるものだ。これ以後、カイユボットは未練なくサロン展を放り出し、印象派の集まりに合流した。莫大な遺産を相続して裕福だった彼は、無理に自分の作品を売る必要がなかった。したがって、彼は自分の作品の大部分を自分で所蔵していたため、大衆にはあまり知られることもなく忘れ去られていった。彼の存在が知られるようになったのは、作品が売りに出されるようになった1960年代以後のことである。

042

SUN

レダと白鳥

ティントレット《レダと白鳥》、キャンバスに油彩、167cm×221cm、1550～1560年、ウフィツィ美術館、フィレンツェ

　レダは、スパルタの王妃だった。ある日、レダの美貌に夢中になったゼウス（ユピテル）が、白鳥に姿を変えて彼女と交わった。そしてレダは4人の子どもをもつことになったが、そのうちの1人がヘレネーである。ヘレネーもやはりスパルタの王妃となったが、夫がいるにもかかわらずトロイアの王子と恋に落ちて駆け落ちし、スパルタとトロイアによるトロイア戦争を引き起こすことになる。

　この絵は、まるで画像補正ソフトで彩度をぐっと下げたように、全体的にくすんだトーンに感じられる。これは、ティントレット（1518～1594年）▶262 の色彩に対する理解度の高さを証明するものである。レダは、画面を斜めに横切るようにして横たわっている。右下では、白鳥が首を長く伸ばして彼女をむさぼっている。その長い首が、不思議なことに男性の象徴を連想させる。

　左下の鳥屋［とや］の中の鴨と、それをねらっている猫は、右側のレダと白鳥の関係と対になっている。レダの足元にいる子犬は、主人を誘惑する白鳥に向かって吠えている。召使いとカーテンの間の暗がりには、鳥籠に入ったオウムの姿がかすかに見える。オウムは「純潔」を意味する鳥だが、鳥籠に閉じ込められているので、その美徳を発揮する力を失っているようだ。

043
MON

ひまわり

フィンセント・ファン・ゴッホ《ひまわり》、キャンバスに油彩、
95cm×73cm、1889年、ファン・ゴッホ美術館、アムステルダム

ゴーギャン（1848〜1903年）▶129が来るという知らせにひとしきり興奮したゴッホ▶003は、ゴーギャンが滞在する部屋を飾る《ひまわり》を描いた。彼は、ゴーギャンが自分のひまわりの絵を大いに称賛してくれて、さらにゴーギャンのほかの絵と交換までしてくれたことを、忘れていなかった。もともとは部屋全体をひまわりの絵で埋め尽くそうという考えだったが、よく描けた作品だけを選んで、2点を壁に掛けた。

しかし、よい時間はあっという間に過ぎた。2人の関係は、ゴッホが自分の耳を切り落としたことで、転げ落ちるように破局に向かった。ゴッホは、彼とともに生活を送ることをいやがった村の人々の嘆願によって病院に送られ、退院して家に戻ってからも隔離状態で暮らさざるを得なかったが、それでも彼は、かつてゴーギャンを迎えるために描いた絵を、もう一度複製して描いた。この絵は、現在ロンドンのナショナル・ギャラリーに所蔵されている作品を再び描いたもので、15輪の花が描かれている。キャンバスの上の部分をいったん枠から外して伸ばしているので、ほかの《ひまわり》よりも上部の空間に余裕がある。

ゴッホの入院中に荷物をまとめてアルルを離れてしまったゴーギャンは、のちにゴッホに対し、あわてて出発したために置き忘れてきた自分の習作の代わりに、ゴッホの《ひまわり》がほしいと要求した。彼はそれほど、これらの絵を高く評価していた。今日でも、《ひまわり》はオークションに出品されるたびに最高価格を更新しており、独特の冷たく寂しい黄色は、そのままゴッホを象徴する代表的な色となったようだ。

◎ゴッホの《ひまわり》は、現在、ミュンヘンやロンドンのほかに、東京にもある。そのうち、東京の安田火災海上保険（当時）が当時の最高価格2475万ポンド（約58億円、うち10％は手数料）で落札した絵は、ゴッホの署名がないこと、普段ゴッホが使っていた絵の具とは種類が違うことなどから、贋［がん］作だとする見解もある。

044
TUE

初期キリスト教美術

作者不詳《受胎告知》、フレスコ、2世紀頃、プリシッラのカタコンベ壁画、ローマ

多神教社会であった古代ローマでは、キリスト教の唯一神思想はとうてい受け入れられないものだった。とくに、イエスをこの世の王と考えて皇帝よりも尊崇するキリスト教信者は、ローマ帝国の立場でみれば、排斥され打倒されるべき対象であった。

そのため、キリスト教信者たちは公開の場所で集会や儀式を行うことができなかった。そこで彼らが選んだ秘密の会合の場所は、意外にも地下の共同墓地、すなわち「カタコンベ」の中だった。「窪地の傍ら」という意味のギリシャ語に由来するカタコンベは、16世紀以後、初期キリスト教信者らの地下墓地を指す用語として用いられている。

洞窟を連想させる内部には、壁面を何層にも掘って上から下までぎっしりと遺骸を安置し、天井と壁はキリスト教関連の絵で装飾された。この絵は、天使ガブリエルが現れて、マリアが原罪なく受胎したことを彼女に知らせている場面である。この壁画は、西洋美術史に登場する「受胎告知」▶072,147,154 の絵のうち、最も古いものとして知られている。

◎カタコンベで何が行われているのか、ローマ人たちがまったく知らないはずはなかった。しかし彼らは、死者の領域をむやみに侵害しない程度の礼儀はもち合わせていた。したがって、キリスト教信者にとってみれば、地下墓地は多少なりとも危険を免れられる場所であった。

045

WED

ヤン・ファン・エイク

ヤン・ファン・エイク《赤いターバンの男の肖像》、パネルに油彩、
25.5cm×19cm、1433年、ナショナル・ギャラリー、ロンドン

オランダの画家ヤン・ファン・エイク（1395頃〜1441年）▶036 は、兄のフーベルト・ファン・エイクとともに油彩技法を発明し、絵画の写実主義的完成度を高めた。油彩の発明は、まもなくヴェネツィア経由でフィレンツェなどイタリア全域に伝わり、その地の画風を変化させ、ルネサンス美術の発展に大きな役割を果たした。

彼は、対象の形態を可能な限り細密に描写しており、その精巧さには舌を巻く。この絵の男性は、ヤン・ファン・エイクが宮廷画家として活動していた当時、ブルゴーニュの上流層が好んでいた赤いターバンを身につけている。鋭い視線を投げかける男性の固く結ばれた薄い唇を見ると、性格の冷ややかさが感じられる。この人物がヤン・ファン・エイク自身だという具体的な記録はない。しかし、額の上部に書かれた“ALC IXH XAN（我がなし得る限り）”という言葉に注目すると、真ん中にあるIXHは「私」という意味にもとれるが、彼の名前「エイク」も想起させる。つまり「エイクがなし得る限り」という意味にも解釈できるのである。

◎「我がなし得る限り」は、ヤン・ファン・エイクが座右の銘としていた言葉でもある。ちなみに額の下部には、「ヤン・ファン・エイクが私をつくった」という文字が制作年とともに書かれている。

046
THU

デクパージュ

アンリ・マティス《ブルーヌード》、デクパージュ、103.8cm×86cm、
1952年、ポンピドゥー・センター、パリ

「色彩の巨匠」と呼ばれた画家マティス[022]は、健康状態が悪化する中で、絵や彫刻の作業につらさを感じ始めていた。新しい作業方法を模索していた彼は、紙を切り抜いて貼ろうと考えついた。「デクパージュ」と呼ばれるこの技法は、紙を切り抜いた後に色を塗り、あるいはすでに色を塗ってある紙を切り抜いて、あらかじめ用意した別の紙の上に重ねて貼りつけるようにして構図をとらえていくものである。こまやかにディテールを引き立たせるというよりは、鮮やかで明るくシンプルな色の、単純な形によって画面を構成する。

初めは小さなサイズで制作を始めたが、年を経るにつれ、作品のサイズは大きくなっていった。紙の上にさらに紙を貼りつけるため、飛び出ている箇所があり、まるでレリーフ（浮き彫り）のような効果が生まれている。平面でありながらも立体、立体でありながらも平面、というわけだ。また、抽象、具象という二者択一でもなく、抽象的でありながら具象、具象的でありながら抽象という作品である。

マティスは、1941年に腸の手術を受けたのち、切り紙絵の制作に本格的に取り組むようになった。この絵は彼の最晩年に制作された連作《ブルーヌード》のうちの1点で、1907年に描かれた女性ヌード画と同じ題名だ。

◎マティスは、「私はいつも自分の努力を包みかくそうとつとめてきました」と語っている[7]。この色紙による作品も、形と色彩が単純なため、一見すると誰にでもできそうに見える。

7　「ヘンリー・クリフォード宛ての手紙」1948年2月14日付（『マティス　画家のノート』p.380）。

047

FRI

クレオパトラの死

グイド・レーニ《クレオパトラ》、キャンバスに油彩、110cm×94cm、1640年、プラド美術館、マドリード

アレクサンドロス[012,019]に征服された紀元前305年頃以後、エジプトは、マケドニアのプトレマイオス王家によって支配されていた。同王家の女王クレオパトラは、紀元前51年から紀元前30年までの約20年間にわたって、エジプトを治めた。

彼女は弟とともにエジプトを統治したが、弟とその取り巻きによって権力の座を追われると、エジプトに遠征に来たカエサルと深い関係を結び、カエサルの助けによって王位を取り戻した。クレオパトラはその後、カエサルとともにローマに行ったが、ローマの貴族たちは異邦人である彼女を歓迎しなかった。結局彼女は、カエサルが暗殺された[040]直後、再びエジプトに戻ってくることになった。

一方、ローマはカエサルの死後、混乱の中で2度目の三頭政治へと進んでいく。その3人の執政官のうちの1人であるアントニウスは、今日のイランにあたる地域を支配していたパルティア王国に遠征する途上でエジプトに立ち寄り、クレオパトラと恋に落ちてしまった。彼は、パルティア遠征への関心を失い、そもそもローマに帰ることさえ考えなくなってしまった。アントニウスは、自分とクレオパトラを懲らしめるためにやってきた別の執政官、オクタヴィアヌスとのアクティウムの海戦で敗れたのちに自殺し、クレオパトラも毒蛇にかみつかせる方法で自ら命を絶った。

048

SAT

ある古い農家に
埋もれていた名作

レンブラント・ファン・レイン《画家の息子ティトゥスの肖像》、
キャンバスに油彩、65㎝×56㎝、1655年頃、ノートン・サイモン美術館、
パサデナ（アメリカ・カリフォルニア州）

この絵に描かれたティトゥス
は、レンブラント（1606～1669年）
▶157 と妻サスキアの間に生まれた。
彼は、レンブラントが破産したの
ち、父の作品を取り引きする美術
商の仕事をした。結婚し、子ども
も1人いたが、結局は父よりも1
年早く亡くなった。レンブラント
は息子を失った後、ユダヤ人街の
粗末な家で晩年を送り、誰にも知
られないまま孤独死の形でこの世
に別れを告げた。

19世紀初め、絵画の復元家ジョー
ジ・バーカーは、オランダでの
仕事を終えてイギリスに帰ろうと
したが船に乗り遅れ、ハーグの古
びた農家で一晩泊まることになっ
た。そこで偶然この絵を見つけた
のだが、農家の主人はたいしたこととも思わず、作品をただ同然で譲ってくれたと
いう。

その後、数々のコレクターの手に渡ったこの作品は、1965年のオークションで大
きな注目を集めた。アメリカの事業家で、自らの名を冠する美しい美術館も設立し
ているノートン・サイモンは、この作品を購入するためならば、どんなことでもでき
る用意を整えていた。ところがオークション当日、競売人は、あまりにも高い価格が
提示され、それ以上価格が上がることはないだろうと考えて、急いで落札させてし
まった。ノートン・サイモンは強く抗議し、オークションを再度続けさせて、ついに
この絵を購入した。当時の落札価格は220万ドル（約7億9000万円）だった。

049

SUN

ヴィーナスとマルス

サンドロ・ボッティチェッリ《ヴィーナスとマルス》、パネルにテンペラ、69cm×173.5cm、1485年頃、ナショナル・ギャラリー、ロンドン

　女神アフロディテ（ヴィーナス）の前で、戦争の神アレス（マルス）が完全に武装解除の状態になっている。暴力や戦争よりも愛のほうが一枚上手、ということだ。この絵は、メディチ家の貴公子ジュリアーノ・デ・メディチと、そのひそかな愛人と考えられているシモネッタ・ヴェスプッチ▶021,029 をモデルとして描かれたという説がある。この2人は、相前後する時期に亡くなった。シモネッタは22歳で結核のために亡くなり、ジュリアーノはその2年後の1478年、当時のメディチ家の政敵であったパッチ家が送り込んだ刺客によって暗殺された。アレスの頭の横に見える蜂の巣からオオスズメバチ（ヴェスパ）が出てぶんぶんと飛び回っているが、これは彼と向かい合っている女性がヴェスプッチ家の出身であることを想起させる。実際、ヴェスプッチ家では、自分たちの姓にちなんでヴェスパを一族のシンボルに定めていた。

　2人の間では、半人半獣のサテュロスたちがアレスの槍にまとわりついていたずらをしている。画面左側のサテュロスはアレスの兜をかぶっていて、右側ではホラ貝をアレスの耳に当てて力いっぱい吹き鳴らしているが、アレスは目を覚まさない。長い槍や貝殻、ホラ貝は、主として男女の性的イメージに関わりがある。この絵はインテリアのために、たとえばベッドのヘッドボードや、長いソファの背もたれのような家具の大きさに合わせて制作されたものと思われる。

◎ジュリアーノ・デ・メディチが亡くなった同じ年に、フィオレッタ・ゴリーニという女性が彼の子どもを産んだ。正式な結婚関係ではなく私生児として生まれたその子どもをメディチ家が引き取り、その子どもはのちに成長して教皇クレメンス7世となった。

050

MON

分別盛り

カミーユ・クローデル《分別盛り》、
ブロンズ、121cm×181cm×73cm、
1899年、ロダン美術館、パリ

　カミーユ・クローデル(1864〜1943年)は、フランス国立の美術学校であるエコール・
デ・ボザールで彫刻を学びたいと考えたが、同校は女学生を受け入れていなかった
ため、やむなく私立の美術学校で学ぶ道を選んだ。彼女は、師のアルフレッド・ブー
シェがローマに旅立つにあたって代理の先生として紹介したロダン(1840〜1917年)
▶067と、深い恋愛関係に陥ることとなった。

　しかし、19歳のクローデルと恋に落ちた24歳年上のロダンには、苦しい時期を共
にした女性、ローズ・ブーレ(1844〜1917年)がすでにいた。芸術と制作について論じ合
える知的で若く美しい仲間であり、モデルでもあったクローデルに比べて、ブーレ
はただ彼の食事を準備してくれる長年の恋人にすぎなかった。一時期、ロダンはブー
レとの関係を整理してクローデルと結婚しようとしたが、実現はしなかった。ク
ローデルは、背信感、喪失感、執着のために心を病み、精神病院に収容された。

　この《分別盛り》は、クローデル自身とロダン、ブーレにまつわる作品である。1人
の男が老婆に伴われてしぶしぶと歩を進めている一方で、その後から若い女性がひ
ざまずいてとりすがり、哀願している。若くありたいけれども結局は老いていく中
年という存在を表現しているという解釈も、もちろん可能である。

◎ロダンは、ブーレを特別に愛していた様子はない。彼は、ブーレとの間に生まれた息子を戸籍に入れることも
しなかったし、ブーレを正式に妻として認めたのは、彼女が亡くなる2週間前になってからだった。一方でク
ローデルは、退院してもよいという医師の診断にもかかわらず、母や弟が退院を拒んだため、精神病院に閉じ
込められて30年以上を過ごし、亡くなった。

051

TUE

中世美術

リウタールの福音書　挿絵《キリストとして描かれたオットー3世》、
33.4cm×24.2cm、996年頃、アーヘン大聖堂、アーヘン（ドイツ）

神聖ローマ帝国のオットー3世 (980～1002年) は、983年に3歳という幼さで王位についたのち、側近らによる摂政政治を経て、996年以後、自ら帝国を統治するようになった。

印刷術が発明される前の本は、獣皮を薄く打ち伸ばして、その上に文字や挿絵を1つひとつ手で書き込む筆写本の形式であった。こうした本は、ときに表紙を高価な宝石で装飾されることもあった。となると、本は想像を超えるほど高価なものであり、誰もが所有できるものではなかった。この絵は、リウタールという修道士がオットー3世に捧げた聖書の挿絵の1つで、上部の中央には、神がオットー3世に皇帝の冠をかぶらせているのが見える。彼の足元には地球があるが、地球を足で踏まえているところは、イエスを描写するときにのみ許された表現だった。

オットー3世の身体はアーモンド型の線で囲まれているが、これは「マンドルラ」といって、神やイエス、聖人の神聖さを強調する後光のようなものである。マンドルラは、主に翼を持った4つの生命体とともに登場する。これは、4人の福音書記者を象徴している。画面いちばん上の左側で翼をつけた人はマタイ、その下の翼をつけた牛はルカ、いちばん上の右側にいる鷲はヨハネ、その下の翼をつけた獅子はマルコだ。中世美術は、リアルかつ理想的な美しさを誇っていたそれまでの時代とは異なり、聖書の理解を手助けするための定型的な表現が主流を占め、そこにさまざまなシンボルが付け加えられた。

052
WED
ミケランジェロ・ブオナローティ

ミケランジェロ・ブオナローティ《最後の審判》(部分)、
フレスコ、13.7m×12.2m、1534〜1541年、
システィーナ礼拝堂、ヴァチカン

ダニエレ・ダ・ヴォルテッラ
《ミケランジェロの肖像 (部分)》、パネルに油彩、
88.3cm×64.1cm、1545年頃、
メトロポリタン美術館、ニューヨーク

《ピエタの像》▶078《ダヴィデ》などの作品で古代ギリシャの彫刻を再生した、言葉どおりの「ルネサンス」の彫刻家ミケランジェロ (1475〜1564年) は、絵画においても新たな出発点を築いた。彼は、高さ20mのシスティーナ礼拝堂の、縦横が13m×40mという大きな天井を、驚嘆すべき完璧な絵によって装飾した▶114, 288。

60代半ばにさしかかっていた彼は、さらに礼拝堂の祭壇画の依頼も受け、「最後の審判」の場面を描き上げた。この絵では、真ん中のイエスと聖母マリアを中心に、殉教した聖人・聖女が、自分たちを拷問し処刑した器具とともに登場している。イエスの左足の下で、右手にナイフを、左手に剝いだ皮を持っているのは、聖バルトロマイだ。彼は、キリスト教信者であるという理由で生きながらに皮を剝ぐ拷問を受けて殉教した[8]。ミケランジェロは、剝いだ顔の皮を自分の姿として描いた。またバルトロマイは、詩人かつ著述家で教皇庁でも実力者であったピエトロ・アレティーノ▶135 (1492〜1556年) をモデルとしたともいわれる[9]。

◎アレティーノは、その口ぶりの鋭さにおいて他の追随を許さない文人であった。自分がばかにされていると考えた彼は、「ミケランジェロを皮剝ぎにしてやるつもりだ」と言いふらしていた。したがって、ミケランジェロがバルトロマイが手にしている皮にあえて自分の顔を描き添えたのは、「そうおっしゃってましたね、どうぞ」というアレティーノへのクールな返答だとみることもできる。

8 『黄金伝説』117、使徒聖バルトロマイ (第3巻、p.289)。
9 『ルネサンスの異教秘儀』第12章、ミケランジェロのバッカス的秘儀、pp.148-160 (ドイツ生まれの美術史家エドガー・ウィントは、アレティーノとミケランジェロの論争を背景としてこのバルトロマイが描かれたという解釈を示した)。

053
THU

モノタイプ

エドガー・ドガ《舞台の踊り子》、紙にモノタイプとパステル、58cm×42cm、1876～1877年、オルセー美術館、パリ

「モノタイプ」は平版画の一種で、平らな金属板や石板にインクや絵の具を塗った後、それが乾かないうちに紙に押し当てる版画技法をいう。したがって、普通の版画のように絵の具を何度も塗って何枚でもほしい数だけ刷れるというものではなく、1～2枚程度しか刷ることのできない、版画と絵の中間ぐらいのやり方である。

この作品では、モノタイプで刷った絵の上に、パステルで線や色を加えて完成させている。ドガ▶031のモノタイプ作品を見た詩人のマラルメは、印象派とマネについての評論の中で、「奇妙な新しい美しさ」[10]とほめたたえた。

この《舞台の踊り子》は、ドガを大舞台に送り出した作品だ。ドガは、特別なエピソードを盛り込むことにはこだわらず、まるで街角のカメラマンのように、目に飛び込んできたままの場面を作為なく取り込んだような絵を主に描いた。自分が生きている時代と空間を題材にしたという点で、神話や宗教、英雄のエピソードを扱ってきた伝統的な画家とは異なっていた。《舞台の踊り子》も、舞台の一場面を見物している見物人の視点で描いた絵であり、カメラをひっさげて劇場の2階あたりにのぼり、見下ろす角度で撮影したような構図である。

◎この当時のバレリーナは、今日とは異なってほとんどが貧しい労働者家庭の出身で、公演が終われば続いて性売の仕事へ、という悲しい職業であった。美しいダンスのこの少女は、もうしばらくすると、黒い服を着た紳士による遊戯の対象となったはずだ。ドガは、そんな悲しい時代の風景を見逃すことなくきっちりととらえてみせた。

10　「印象派の画家たちとエドゥアール・マネ」(『マラルメ全集』第III巻、p.442)。

054
FRI

帝政ローマの始まり

カエサルが暗殺された後、彼の養子であり、後継者と目されていたオクタヴィアヌスは、第2次三頭政治▶047の一角に浮上した。彼は最終的に、三頭政治を共に行ったアントニウスとレピドゥスをしりぞけ、紀元前27年にローマの初代皇帝として即位した。帝政ローマの始まりである。元老院は、彼を「尊厳なる者」という意味で「アウグストゥス」と称した。

1863年にローマのプリマポルタ地区で発掘されたこの彫像は、もともとブロンズ像だったが、大理石で複製されたものである。片方の腕を挙げた姿勢は、彼が帝国を導く指導者であることを象徴している。興味深いことに、彼は、鎧を身につけて上衣を腰に巻きつけた状態であるにもかかわらず、履き物を脱いでいる。ローマ人たちがこのような裸足の表現を用いたのは、多くは神の像を制作する

作者不詳《プリマポルタのアウグストゥス》、大理石、高さ204cm、14〜29年頃、ヴァチカン美術館、ヴァチカン

際であった。したがって、アウグストゥスが裸足になっているのは、彼が神と同様の存在であることを明示しているというわけだ。

彼の傍らに立っているエロス（クピド）は、アフロディテ（ヴィーナス）の息子である。カエサルの一族は自分たちがアフロディテの子孫であることを代々誇りとしていた。したがって、ここにエロスが配されていることで、アウグストゥスがカエサルの血を引いていることを想起させる。裸足のオクタヴィアヌスが「尊厳なる者」アウグストゥスとなってローマ帝国を支配するようになってから約200年の間、帝国は「パックス・ロマーナ」と呼ばれる安定期を送った。

055
SAT

絵に残した2度の恋

ペーテル・パウル・ルーベンス《三美神》、パネルに油彩、
221cm×181cm、1639年、プラド美術館、マドリード

ルーベンス▶199 は、実力も名声もある画家だった。17世紀当時のヨーロッパ王室の高位高官にあった人々が、どうすれば彼の絵を1点でも買い求められるだろうかとやきもきしたほどである。絵の才能だけでなく教養も豊かで、しかも語学力もずば抜けていたので、彼は外交官としても活躍した。

優れた外見に知性、財力まで兼ね備えていたルーベンスは、人々の噂にものぼるほど夫婦仲もよかった。しかし妻が早世すると、53歳にしてなんと37歳も年下の若い妻を迎えることとなった。この男は、どこかにすまない気持ちでもあったのだろうか。あるいは、自分が2人を愛する気持ちを思い出として残したかったのだろうか。彼は、3人の美しい女神を描きながらも、右側の女神を亡くなった最初の妻イザベラ・ブラント、左側の女神を2人目の妻であるエレーヌ・フールマンとそっくりに描いている。何であっても描いたそばからどんどん売れていくという大人気の渦中で、ルーベンスは、この絵だけは売らずに大事に手元に置いていた。

だいたいにおいて、三美神をヌードで描くのは、絵の鑑賞者が女性の身体を一度にあちこち観察できるように、という画家の配慮を発端としていることが多い。

◎権勢家だった53歳のルーベンスが、貴族の女性との縁談も振り切って、あえて平民出身の16歳の少女と再婚したのは、彼女がアントウェルペンで噂の美女だったから、という説もある。再婚後の2人の間には5人の子どもが生まれたが、末っ子は彼が痛風で亡くなる直前に生まれたばかりだった。

056

SUN

天の川の起源

ティントレット《天の川の起源》、
キャンバスに油彩、148cm×165cm、
1570年、ナショナル・ギャラリー、
ロンドン

　ゼウス（ユピテル）は妻のヘラ（ユノ）に内緒で、アムピトリュオン王の妃アルクメネとの間に、子のヘラクレスをもうけた。ゼウスはこの子を溺愛し、永遠に死ぬことのない英雄に育ってほしいと願った。ゼウスは思慮の末にヘラの力を借りることにし、彼女が眠りに落ちたすきにこっそりと乳を吸わせた。その気配に目を覚ましたヘラは、びっくりして子どもを力いっぱい押しのけようとしたが、乳を吸う力があまりにも強かったので、子どもの口が離れたとたんにヘラの母乳が四方に飛び散った。これが天の川になった、とギリシャ神話では伝えている。

　ティントレットの絵は、ゼウスが子どもを抱いて乳を吸わせている一方で、目覚めたばかりのヘラが戸惑っている様子を描いている。子どもの足元あたりには、ゼウスといつも一緒にいる鷲が稲妻をつかんでいるのが見える。絵の右側にいるクジャクは、ヘラと深く関わりがある。ヘラは、100個の眼をもつ巨人アルゴスに、ゼウスの不倫を監視するよう命じた。しかしアルゴスはゼウスの計略によって倒されてしまい、憤ったヘラはアルゴスの眼をとってクジャクの羽の飾りにした▶112。翼をつけた子どもは、愛の矢を放つエロス（クピド）だ。

057
MON

ホロフェルネスの
首を斬るユディト

アルテミジア・ジェンティレスキ《ホロフェルネスの首を斬るユディト》、
キャンバスに油彩、199cm× 162cm、1612～1621年、
ウフィツィ美術館、フィレンツェ

カラヴァッジョ《ホロフェルネスの首を斬るユディト》、
キャンバスに油彩、145cm× 195cm、1599年、
バルベリーニ宮国立古典絵画館、ローマ

　これらの絵は、旧約聖書外典（続編）の1つ、『ユディト記』の一場面（13章1～10節）を描いている。イスラエルの女性ユディトが召使いの女性とともに、祖国を侵略するアッシリアの将軍の首をはねるところである。

　アルテミジア・ジェンティレスキ（1593～1653年頃）は、画家である父オラツィオ・ジェンティレスキ▶217のアトリエで絵を学んだ。彼女は、父の画家仲間アゴスティーノ・タッシから性的暴行を受け、法廷で恥辱的な証言をしなければならなかった。タッシは、さらに元妻の殺害の罪まで明らかにされたが、わずか1年間の監獄暮らしだけで自由の身となった。一方でアルテミジアは、自ら工房を運営して自身の人生を切り開き、後年、女性では初めてフィレンツェのデッサン・アカデミー会員となった。

　暴れる男の首を力強く両手で切りつけている場面は、性的暴行から裁判に至る過程、さらにはその後の彼女の人生全体に加えられた有形無形の暴力に対する憤りと仕返しとも映る。右側のカラヴァッジョ▶066の絵も同じ内容を扱っているものの、カラヴァッジョの絵のユディトは美しくかよわげで、いつも男性の助けを必要とする少女のイメージである。召使いの女性は、何の手助けもできない老婆であり、ただ少女の若さと美しさを際立たせるだけの存在として描かれている。

058

TUE

聖像、絵となった聖書

クルドフ詩篇写本　挿絵《聖像崇拝禁止》、19.5cm×15cm、
858〜868年頃、ロシア国立歴史博物館、モスクワ

キリスト教は、ローマ、コンスタンティノープル、イェルサレム、アンティオキア、アレクサンドリアの5つの地域に大教区を置いた。このうちローマは西ローマ帝国の支配域にあったが、それ以外は東ローマ帝国の領土内にあり、さらにコンスタンティノープルを除く3地域は、7世紀にイスラーム勢力の占領下に入った。

ミサを行う際、ローマではラテン語、コンスタンティノープルではギリシャ語で聖書を読み上げるなど、2つの教区間にはさまざまな面で違いが見られるようになった。そして1054年、聖像崇拝論争を契機として両者は互いに破門、完全に分裂した。ローマの主教は自らカトリック教皇と称したが、この「カトリック」とは〈普遍的〉という意味である。一方、東ローマ教会は「正教」と称しており、自分たちこそ〈正統〉だという含意がある。

聖像崇拝論争は、神、イエスなどの姿を絵や彫刻として表した聖像に向けた祈禱などの崇拝行為を巡って起こった論争である。西ローマ教会では、ラテン語を知らないゲルマン人らに布教するためには絵や彫刻が有用だと考え、聖像は〈絵で見る聖書〉であると称賛した。この絵は、聖書の詩篇を載せた筆写本の1つである。画面下側では、1人の男性が一所懸命にイエスの顔を拭い去ろうとしている姿が見える。この人物が聖像の制作や崇拝に反感をもっていることを意味する。

◎ところが、イエスの顔を拭っている男性の顔は、爪などによって掻き取られたように著しく欠損している。これは聖像の制作に好意的な者のしわざなのだろう。

059

WED

画家

エルンスト・ルートヴィヒ・キルヒナー

エルンスト・ルートヴィヒ・キルヒナー《兵士としての自画像》、
キャンバスに油彩、69㎝×61㎝、1915年、
オバーリン大学アレン記念美術館、オバーリン（アメリカ・オハイオ州）

ドイツ表現主義の巨匠で、「ブリュッケ▶352」と呼ばれる先進的な絵画グループをリードしたキルヒナー（1880〜1938年）は、荒々しく強烈な線と色によって、目ではなく心を刺激する絵を描いた。彼はドレスデンに生まれ、その地で建築を専攻し、その後にミュンヘンで美術を学んだ。肩に書かれている75という数字は、キルヒナー自身が服務した第75砲兵部隊を思い浮かべて記したものだ。

傷痕の残る力のない目元、そして何よりも切り取られた手首、またヌードモデルなどが、絵の中の雰囲気を暗く凄絶なものとしている。実際、キルヒナーは第一次世界大戦（1914〜1918年）中に30代前半で強制的に徴兵され、運転兵として活動したが、何ヶ月も経たないうちに、自殺を試みるなど神経衰弱の症状が現れ、一時除隊となった。結局、彼は酒やモルヒネにのめり込み、再度召集されることはなかった。

現実のキルヒナーは、この絵のように手首を切り取られたことも、そこまで激しい戦場の任務についたこともない。しかし彼は、この作品を通じて、望まぬ軍隊生活が彼の魂をぶち壊してしまい、モデルがいても絵を描くことのできない状態、つまり絵を描くべき手が失われた状態にまで至ったことを物語っている。彼はその後、ナチスによって自分の作品が「退廃芸術▶200」に分類されたことに激しく憤り、深刻な鬱［うつ］病を患って自ら命を絶った。

060
THU

トロンプルイユ

コルネリス・ヘイスブレヒツ《裏のキャンバス》、キャンバスに油彩、66.6㎝×86.5㎝、1670年、
コペンハーゲン国立美術館、コペンハーゲン

　「トロンプルイユ」とはフランス語で「目をあざむく」という意味で、見る者が絵と気づかないほど実物に似せて描く技法をいう。古代ギリシャのゼウクシスは、あまりにも絵が上手であったため、ブドウを描くと鳥たちがそのブドウを食べに飛んでくるほどだった。一方、彼と絵の腕前を競っていたパラシオスは、たいへん写実的にカーテンを描いた。それを見たゼウクシスは思わず「カーテンを引いて絵を見せてくれ」と言ってから、自らの誤りに気づいた。そのカーテンはパラシオスが描いたトロンプルイユの絵だったのだ。ゼウクシスは負けを認めざるを得なかった[11]。

　実物に似せて描く逸話はほかにもある。同じく古代ギリシャの伝説によれば、恋人と別れることになった少女が恋人を壁の前に立たせて明かりをともし、影の輪郭で肖像を描いたといい、これが絵の起源となったとされる[12]。このように西洋では、実物そっくりの描写を高く評価する伝統がある。それゆえにヘイスブレヒツ（1630頃〜1675年頃）も、裏返したキャンバスの実物のような目だましの絵を好んで描いた。

11　『プリニウスの博物誌』35巻36章65節（第6巻、pp.1420-1421）。
12　『プリニウスの博物誌』35巻43章151〜152節（第6巻、pp.1438-1439）。

061

FRI

ローマ帝国内での
キリスト教の広がり

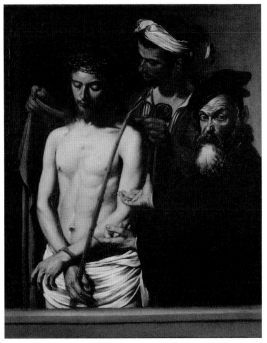

カラヴァッジョ《この人を見よ（エッケ・ホモ）》、キャンバスに油彩、128cm×103cm、1605年頃、ストラーダ・ヌオーヴァ美術館（パラッツォ・ビアンコ）、ジェノヴァ

ローマの初代皇帝アウグストゥス▶054が帝国を支配していた時期に、神の子であり世界の王であるイエス・キリストが生まれた。生を受けた者は皆、神の前に平等だという彼の説教は、少数の支配者によってたえず奪われる生活を送っていた多くの人々の心を動かした。

イエスの教えに従う人が多くなると、ローマ皇帝を世界の王とするしくみの中で生きてきたローマの支配層は、居心地の悪さを感じ始めた。またユダヤ教の指導者たちも、神がこんなに早く救世主を送ってくるはずがないと考えて憤激した。そこでユダヤ人が、自分たちの地位をおびやかすイエスを告発した。彼らはローマ帝国のユダヤ総督ピラトのもとにイエスを連行し、「この者を処刑せよ」と主張した。

この絵は、告発を受けたピラトが「この人を見よ（エッケ・ホモ）」と声を張り上げ、イエスにいったいどんな罪があるのかとユダヤ人たちに問いかけている場面である。イエスは結局処刑されたが、彼の復活と救いを信じるキリスト教信者たちは、次第に増加していった。皇帝に服従しないキリスト教信者たちに対し、ローマ帝国は迫害を続けたが、屈服させることはできなかった。ついには皇帝でさえ、キリスト教信者を懐柔して、彼らの力を借りなければならなくなっていった。

◎眉間にしわを寄せて、ユダヤ人を見るように絵の外側にいる鑑賞者を見ているピラトは、カラヴァッジョ自身の姿をモデルとしたものである。

062

SAT

ゴッホの耳

フィンセント・ファン・ゴッホ《耳を切った自画像》、キャンバスに油彩、
60㎝×49㎝、1889年、コートールド美術研究所、ロンドン

フィンセント・ファン・ゴッホ[003]は、芸術家が集まって互いに頼り合い助け合いながら作業を行う芸術家共同体を構想し、尊敬していた画家ゴーギャン[129]を自らの家に招いた[043]。しかし、冷淡なゴーギャンと熱烈なゴッホは、まるで水と油のような、なじみ合うことの難しい間柄であった。

ゴーギャンが自分から離れようとしていることに感づいたゴッホは、不安に駆られたせいか、ゴーギャンが寝泊まりしていた部屋にいきなり立ち入るなど、異常な行動が目立ち始めた。クリスマスを目の前にしたある日、ゴッホは、散歩していたゴーギャンを尾行した。ゴーギャンは身震いして立ち止まり、ゴッホのほうを向いた。

これはあくまでゴーギャンが述べた内容なので、彼自身に有利な話にすぎない可能性はあるのだが、ともかくも、ゴーギャンはその日、ゴッホがかみそりを手にしているのを見て、彼をたしなめた上で家に戻らせたという。そして不安を覚えたゴーギャンは、ゴッホと暮らしていた家ではなく近くのホテルに泊まった。一方でゴッホは、自分の耳を切り取り、行きつけのカフェで働いている女性に渡した。この絵は、耳を切り取った自分の姿を描いた2点の自画像のうちの1点である。病院の記録などによって、ゴッホは左側の耳を切り取ったことが明らかだが、この絵の包帯は右側の耳に巻かれている。自分の姿を鏡で見て、そのまま描いたためだ。

◎ゴッホが自分の耳を切り取った理由は、さまざまに推測されている。何よりもゴーギャンに裏切られたという失意が大きな原因として指摘できるが、そのほかにも、弟のテオが結婚するとの知らせを聞き、感情的に、また経済的にも捨てられてしまうという恐怖感が原因だとする説もある。なかには、フェンシングを趣味としていたゴーギャンがゴッホとけんかして耳を切り取ったのだろう、という見解まである。

063

SUN

バッカスとアリアドネ

ティツィアーノ・ヴェチェッリオ《バッカスとアリアドネ》、キャンバスに油彩、175cm×190cm、1520〜1522年、ナショナル・ギャラリー、ロンドン

　オウィディウスの『変身物語』によると[13]、クレタのアリアドネ王女は、アテネの王子テセウスが怪物ミノタウロスを退治するために複雑な迷路に踏み込もうとした際に、彼に糸玉を持たせ、迷わず脱出できるようにしてやったという。首尾よくミノタウロスを倒して迷路から生還したテセウスは、一緒にアテネに帰ろうと付き従ってきたアリアドネを途中の島に置き去りにしてしまった。事態を知ってすすり泣いているアリアドネを偶然目にし、ひと目ぼれしたバッカスは、彼女にプロポーズした。

　この絵の左側の水平線には、テセウスが乗った船が見える。青い服を着たアリアドネは海に向かって手を伸ばしているが、そんな彼女の様子を、ブドウの枝でつくった冠をかぶった酒の神バッカスが、気遣わしげな目つきで見ている。一方、右側はにぎやかである。シンバルのような楽器を持ったバッカスの従者たちが、半人半獣のサテュロス、シレノスとともに登場している。女神たちは、アリアドネとバッカスの結婚を祝うために光り輝く王冠を贈った。バッカスがその王冠を空に放り投げると、星になった。絵の左上部には、青空の中に「かんむり座」が見える。

13 『変身物語』巻8（上巻、pp.315-316）。

064

MON

ラ・ベル・フェロニエール

レオナルド・ダ・ヴィンチ《ラ・ベル・フェロニエール》、パネルに油彩、
63cm×45cm、1490年、ルーブル美術館、パリ

ルーブル美術館には、《モナリザ》▶100 に劣らずすばらしい、ダ・ヴィンチによるもう1点の肖像画がある。黒色の背景の前でやや斜めを向き、窓枠の外の何かに視線を投げかけているこの魅惑的な女性の絵を、フランスの貴族たちは《ラ・ベル・フェロニエール》、つまり「美しいフェロニエールの女性」と呼んだ。フェロニエールとは、女性の額に巻きつける、金の鎖のついた宝石の装身具である。だがこの言葉には、「フェロン氏の妻」という別の意味もある。したがってこの絵のタイトルは、「美しいフェロン氏の妻」と解釈することも可能だ。

ところで、この絵もまた《モナリザ》と同じく、モデルが誰なのかは不確かで、さまざまな推測ばかりが飛び交っている。フランスの宮廷では、この女性はフェロンという姓をもつ、名前から考えても鉄（フランス語ではfer）と関係のある装飾業者の妻で、国王フランソワ1世（在位1515〜1547年）との恋仲が噂された女性と見られている。しかし、ルドヴィーコ・スフォルツァの愛人、ルクレツィア・クリヴェッリこそこの女性だ、という見解もある。ルドヴィーコ・スフォルツァは、色黒でアラブ人のようだというので「黒い人」という意味の「イル・モーロ」という別名でも呼ばれ、ダ・ヴィンチがミラノ滞在時代に仕えていた公爵である▶127。

誰をモデルとしたにせよ、鋭く知的なまなざしや、すっと通った聡明そうな鼻筋、小さくきりっと結ばれた唇の魅力は、今でも鑑賞者の胸をときめかせる。

065
TUE

初期ルネサンス I

ジョット・ディ・ボンドーネ《死せるキリストへの哀悼》、フレスコ、200cm×185cm、1306年、スクロヴェーニ礼拝堂、パドヴァ（イタリア）

　ジョット・ディ・ボンドーネ（1266頃〜1337年）は、ルネサンスの幕開けの画家として、またチマブーエの弟子としても知られている。ルネサンス（Renaissance）は「再誕生」という意味であり、中世に失われていた古代ギリシャ・ローマの〈人間中心〉の文化が復活したことを指している。美術史においても同様に、ルネサンスとは、理想的かつリアルで現実感に優れた古代ギリシャ・ローマの様式の復活を意味する。

　この絵はルネサンスの出発点にあたる絵なので、まだ不自然に見えるところもある。しかし、金色の背景という非現実的な設定のもとに、登場人物が立体感もなく無表情に描かれた中世の絵を見慣れていた当時の人々の目には、何よりもこの真っ青な空色の背景からして、新鮮さそのものだった。また、イエスに顔を密着させているマリアの姿からは、〈人間的〉な感情が伝わってくる。空を飛んでいる天使たちは感情もあらわに大きな声で嘆き悲しんでいるし、亡きがらを前に哀悼している人物は、衣服の中に厚みのある立体的な身体があることが感じられる。

　この絵は、イタリアのパドヴァにあるスクロヴェーニ家の個人礼拝堂にぎっしりと描かれた壁画のうちの1つである。富裕層による個人礼拝堂の建設や装飾が競って行われ、中世に比べて美術家の処遇がはるかによくなったことも、ルネサンスが発展する上で大きな原動力となった。

◎スクロヴェーニ礼拝堂は、生涯を終えた父親が天国に行くことを願って息子が建てたものである。その父親とは、のちにチャールズ・ディケンズの小説『クリスマス・キャロル』（1843年）に登場する「けちんぼのスクルージ爺さん」のモデルとなった人物である。この当時、青色の絵の具は黄金よりも高価で、貴重だった。青い背景の絵ばかり数十点が天井や壁を埋め尽くしているこの礼拝堂を見ると、一族の財力は想像を超えるものだったのだろうと感じられる。

066
WED

カラヴァッジョ

カラヴァッジョ《ゴリアテの首を持つダヴィデ》、キャンバスに油彩、
200cm×100cm、1610年、ボルゲーゼ美術館、ローマ

カラヴァッジョ（1573～1610年）は、1600年代のバロック美術[156]を主導した。明暗の極端な対比、グロテスクな主題、劇的な雰囲気によって人々の心を一気につかむ彼の絵には、感情や心理を重んじたバロック美術の特徴がはっきりと表れている。

1606年、カラヴァッジョは、つまらないいざこざの末に人を殺してしまう。彼はその足でローマを飛び出し、ナポリ、マルタ、シラクサ、メッシーナ、パレルモなどを転々とした。貴族たちはカラヴァッジョの逃避行を積極的に支援したが、彼は行く先々で事件や事故を引き起こし、同じ場所にとどまることができなかった。

　寝ているうちに連行されるのが心配で、履き物も脱がず剣を傍らに置いて寝なければならなかった4年間の逃亡生活に終止符を打つためには、赦免状が必要だった。カラヴァッジョの画力を惜しんだ教皇パウロ5世（在位1605～1621年）は彼に騎士の爵位を与えて赦免も行ったが、カラヴァッジョはまたもや事件を起こした。彼は、パウロ5世の甥であるボルゲーゼ枢機卿に再度の赦免を請うほかなくなった。この絵はその頃に描かれたもので、若いダヴィデが巨人ゴリアテの首をひっさげている場面を描いている。カラヴァッジョは、ダヴィデを若い頃の自分、ゴリアテを現在の自分の姿に描いた。善なる自分が悪なる自分をすでに処罰した、という意味なのだろう。

067
THU

彫刻の印象主義者

オーギュスト・ロダン《バルザック像》、石膏、132cm × 121cm × 275cm、1891～1898年、オルセー美術館、パリ

ロダン▶050 がフランス文学者協会の依頼を受けて制作した、偉大なる小説家バルザック（1799～1850年）のこの彫像は、評論家や大衆から強烈な非難を浴びた。のみならず、フランス文学者協会はこの作品の受け取りを拒否した。このことは、モネの《印象・日の出》▶289 など、印象派の画家の絵を初めて見た人々の反応と酷似している。

彼らは、この彫像にバルザックのいかなる側面も見いだすことができず、美術家が発揮すべき高度な技巧も感じ取ることができなかった。彼らの目には、粗く削り出された石の断面ばかりが目立ち、本格的な制作の前に石をざっと切り出しただけの準備段階にしか見えなかった。印象派の絵から感じる完成度の低さを、このバルザック像からもまったく同様に感じたというわけである。

しかしロダンは、この作品のために7年以上もバルザックについて研究し、数えきれないほどの習作を繰り返していた。彼は、バルザックを写真で写したように彫刻することは、はなからあきらめていた。身体じゅう布にくるまって立っているバルザックは、遠く離れて見れば、現実世界のあらゆるものをはねのけながら湧き上がってくる巨大な存在のようにも見える。ロダンは、バルザックの英雄らしさというイメージをつかむことに注力するとともに、彫像全体の雰囲気が、石の粗い表面に当たる光の変化に伴ってさまざまに違って見えることに注目したのである。

◎作品の受け入れを拒否されたことで、この像をブロンズで鋳造しようという夢はかなわなかった。ブロンズ像は、バルザックの死後、しばらくの年月が経ってようやく制作された。

068

FRI

コンスタンティヌス帝の
キリスト教公認

ピエロ・デッラ・フランチェスカ《コンスタンティヌス帝の夢》、
フレスコ、329cm×190cm、1452〜1466年、
聖フランチェスコ聖堂、アレッツォ（イタリア）

アウグストゥス▶054以後の200年以上にわたって「パックス・ロマーナ（ローマの平和）」という安定期を謳歌したローマ帝国は、その後、50年の間に25人もの皇帝が入れ替わるという混乱に陥っていた。権力の座に対する野望が強まる中で、どうにかこうにかライバルを押しのけて皇帝になったとしても、簡単にその地位を追われてしまう世の中になった。

270年、ローマの将軍コンスタンティウス・クロルスは、皇帝となるために妻子まで捨てて、王族の血統を引くテオドラと結婚し、皇帝に即位した。彼に捨てられた息子は、成長して政敵マクセンティウスをしりぞけ、父の跡を継いで皇帝の座にのぼると、コンスタンティヌス（在位306〜337年）と呼ばれるようになった。コンスタンティヌスは、キリスト教を公認した皇帝としても知られている。

伝承によると、コンスタンティヌスはマクセンティウスとの決戦のためにローマに向かう途中、突然、「これで勝つだろう」という文字が空高く十字架とともに現れたのを目撃した。彼は驚いたが、気持ちを静めて幕舎に戻り、眠りについた。しかし、その夜の夢の中でも再び同じ場面を見たので、ついにキリスト教への改宗を決心したという。この絵では、コンスタンティヌスは赤い色の屋根の幕舎の中で、やはり赤い色の布団を掛けて眠っている。左上方からは、翼をつけた天使が手の中に見え隠れしている小さな十字架を持って、幕舎に近づこうとしている。

◎コンスタンティヌス帝はその後、首都をローマではなく現在のトルコのイスタンブルに移した。もとはビザンティウムと呼ばれたその都市は、遷都以後、彼の名をとってコンスタンティノポリス（コンスタンティノープル）と呼ばれるようになった。

069
SAT

幸いにもヴァリではありません

エゴン・シーレ《死と乙女》、キャンバスに油彩、180cm×150.5cm、1915年、ベルヴェデーレ美術館、ウィーン

　エゴン・シーレ[192]の人生で最も頻繁に登場する女性としては、妹のゲルティ・シーレを挙げることができる。エゴンとの近親相姦疑惑が絶えない彼女は、早くも12歳のときから、兄のヌードモデルをしていた。もう1人、ひょっとするとエゴンの人生の最も大きな部分を占めていたのかもしれない女性は、ヴァリ・ノイツェル（1894〜1917年）だ。ヴァリはもともとクリムトの絵のモデルだったが、エゴンのためにポーズをとるようになった。彼女は、エゴンが自分と同棲している最中に少女を家に引き入れて猥褻［わいせつ］な絵を描いたときにも、そしてそのことが社会的に物議を醸したときにも、エゴンを擁護して彼のそばを離れなかった。彼女自身も、エゴンの芸術のためなら、どんなにみだらなポーズを求められてもすべて応じたのである。

　しかしエゴンは、彼女を捨てた。エゴンは支援者に送った手紙に「私はもうすぐ結婚します。幸いにもヴァリではありません」とまで書いた。彼が結婚相手に選んだ女性は、鉄道庁の高級官僚の娘エーディト・ハルムスだった。ところがエゴンはヴァリに、自分の結婚後も恋人として、モデルとして一緒にいてほしいと頼み込んだ。ヴァリは断固として拒否し、従軍看護婦に志願して、戦場で生涯を終えた。絵の中の〈死〉はエゴン、〈乙女〉はヴァリである。1915年、エゴンがヴァリと決別して結婚した年に描かれた絵だ。

070

SUN

マルスに対抗するミネルヴァ

ペーテル・パウル・ルーベンス《マルスからパークスを守るミネルヴァ（戦争と平和）》、キャンバスに油彩、
203.5cm×298cm、1629～1630年、ナショナル・ギャラリー、ロンドン

　立派な外見と弁舌に加えて、外国語にも長けたルーベンス▶199は、17世紀最高の画
家として、また外交官としても、多数の君主や貴族たちに愛された。1629年には、ス
ペインのフェリペ4世（在位1621～1665年）の命を受けてイギリスを訪問し、両国の平
和協定を成立させた。イギリスのチャールズ1世は、その功績に対し騎士の爵位を与
えた。ルーベンスは感謝の意としてこの絵を描き、王に捧げた。

　絵の中央には、兜をかぶった戦争の女神アテナ（ミネルヴァ）が、やはり戦争の神で
あるアレス（マルス）を制止している様子が見える。アテナは、暴力で戦争を率いるア
レスとは異なり、対話と歩み寄りによる勝利を追求する神である。アテナの手前に
いる女性は、豊饒の神プルートスに乳を与えている。半人半獣のサテュロスが差し
出す果物、女性が手にしている宝石、赤んぼうの天使が持ってきているオリーブの
花輪と杖は、「平和と調和」を意味する。スペインとイギリスは暴力ではなく対話で
戦争を終わらせたのだから、豊饒と和合の中で幸せに暮らそう、という意味である。

◎アレスのすぐ手前でたいまつを持っている少年は、結婚と純潔の神ヒュメナイオス（タラシウス）である。彼
　の名前は「処女膜」を意味する英語 hymen の語源だともいわれる。

071

MON

快楽の園

ヒエロニムス・ボス《快楽の園》、パネルに油彩、195㎝×220㎝、1500年、プラド美術館、マドリード

　美術館で作品の予備知識がないなら、人がたくさんいる絵に近づいてみるとよい。奇抜な想像力に舌を巻くこの絵の前には、いつでも大勢の観覧客がいる。

　この絵は、折りたたんだり広げたりできる三連画▶286 の形で制作されている。左側には、アダムとイヴの誕生の場面とともに、動物や植物などが登場している。中央には、欲望の奈落に落ちた人間が、さまざまな姿で快楽を追求しようとする場面が繰り広げられている。右側は、そうした人間たちが迎えることになる最後の場面、すなわち地獄の様子だ。三連画は主に聖堂の祭壇画として制作されたが、この《快楽の園》はどこの教会が注文したものなのかわかっておらず、内容を見ても、扇情的で祭壇画にはふさわしくないように思われる。そのためこの絵は、作者ヒエロニムス・ボスが所属していたと推測される異端宗教団体、「自由精神兄弟会」が説いていた「性的混交を通じてアダム以前の純粋さに立ち返ろう」という主張を描いたものとも見られている。したがって、中央の絵に描かれている彼らの秘めやかで性的な意識に対して、これに否定的な態度を示す既存の教会勢力の最後の姿が、右側の絵の地獄に落ちている群衆として描かれている、との解釈も可能である。

◎地獄の場面の中で、まるで動物か人間の胃腸のような形の物体の奥側に、これらすべてを黙然と見守っている1人の男の顔が見えるが、これは画家自身であると推測される。

072
TUE
国際ゴシック絵画

シモーネ・マルティーニ《受胎告知》、パネルにテンペラ、184㎝×168㎝、1333年頃、ウフィツィ美術館、フィレンツェ

　国際ゴシック絵画は、優雅な線で描き出された細長い人体、あまりにも細密でかえって現実感を失ってしまうほどの精巧な描写、華やかで多様な色彩による装飾性などを特徴とする。ルネサンスにさしかかる時期、商業で富を蓄積した新興資本家たちは、定型を重視する中世美術▶051の表現よりも、写実主義的絵画がよいと考える先進的な美的感覚をもっていた。その一方で王室や貴族たちは、華麗で洗練された装飾的な絵に魅力を感じていた。このような権力者らの美意識の傾向は、ヨーロッパならばどの国でも同様だった。そのため、こうした傾向に合わせたこの美術形式には、「国際」という呼称がつけられている。この絵のパネルのような先端がとがった尖頭アーチは、中世末期の芸術におけるゴシック様式について説明する際、華やかな光と色のステンドグラスなどとともに、いつも引き合いに出されるものだ。

　シモーネ・マルティーニ（1284〜1344年）は、国際ゴシック様式を好んで駆使した画家である。天使の羽や人物の衣服、花、花瓶、家具などは驚くほど細密だが、人物は立体感がなく極端にやせた姿で、現実の存在ではなく、霊的な存在に近い。背景が光を表す金色であることも含め、描かれている内容が人間の世界ではなく、神の言葉の中に存在していることを強調する効果をもっている。

073
WED

サンドロ・ボッティチェッリ

サンドロ・ボッティチェッリ《東方三博士の礼拝》、パネルにテンペラ、111㎝×134㎝、1475年頃、ウフィツィ美術館、フィレンツェ

　サンドロ・ボッティチェッリ（1445～1510年）は、主に神話や宗教を主題とした絵を描いた。しばらくローマで制作していたこともあるが、フィレンツェでメディチ家の支援を受けながら活動した時期が長い。彼は、メディチ家が設立したアカデミーで当時の人文学者たちと交流し、中世の間に忘れられていた古代ギリシャの文物を、絵画によって〈再誕生（ルネサンス）〉させた。

　ロレンツォ・イル・マニフィコ（「偉大なる者ロレンツォ」の意）が亡くなってメディチ家の勢力が弱体化すると、ドミニコ修道会の修道士サヴォナローラ（1452～1498年）がフィレンツェを統治する神権政治となった。この時期には、ボッティチェッリもサヴォナローラに熱心に仕え、宗教画にも没頭した。

　この絵は、その時期にメディチ家所有銀行の支店長のガスパーレ・デル・ラーマが注文したものである。題名こそ《東方三博士の礼拝》といかにも宗教画らしいが、礼拝している三博士[189]を含む主な登場人物は皆、メディチ家のメンバーやその側近である。注文主は、サンタ・マリア・ノヴェッラ聖堂内部の一角を占める自分の個人礼拝堂にこの絵を掲げた。ここに描かれている権力者たちの庇護を受けていることを宣伝しようとしたのだ。ボッティチェッリは、絵の右端にひそかに自身の姿を描き入れ、絵の外側のわれわれに視線を投げかけている（右の拡大図）。空色の服を着てボッティチェッリのほうを指差している人物が、絵を注文したガスパーレ・デル・ラーマ（左の拡大図）だ。

074
THU

カメラの視線で描いた絵

エドガー・ドガ《フェルナンド・サーカスのララ嬢》、キャンバスに油彩、
117cm×77cm、1879年、ナショナル・ギャラリー、ロンドン

ドガ[031]は、屋外の風景画を極端に嫌った。自然の中で光の色や形の変化をとらえて絵を描いていた印象派[289]の画家たちは、ドガの態度にしばしば憤りをあらわにした。ドガは、見方によっては伝統的な技法に忠実な画家に近く、デッサンの重要性を強調する立場であった。

印象派の画家たちは、デッサンをするどころか、筆で大ざっぱにスケッチするだけで、ぽつぽつと途切れた線で対象の印象をとらえて描いたので、未完成の絵のようだと揶揄[やゆ]されることさえあった。ドガとは大きな違いがあったのである。

他方でドガは、伝統を重んじる画家のように特別なエピソードに重きを置くのではなく、同時代の姿を淡々と描いたという点も特徴的である。彼は主に、人工の照明を頼りにしたキャバレーや劇場、ステージで働く人々の姿を描いた[053]。この《フェルナンド・サーカスのララ嬢》は、客席のどこかに座ってカメラで撮影したような構図である。これは、当時普及し始めたばかりのカメラにドガが傾倒していたことを証明している。

075
FRI

寄進状の真実

ラファエッロ、ジャンフランチェスコ・ペンニ《コンスタンティヌスの寄進状》、フレスコ、1520～1524年、
ヴァチカン宮殿「コンスタンティヌスの間」、ヴァチカン

　コンスタンティヌス帝▶068は、ローマ帝国の首都をビザンティウムに遷[うつ]した。その一方で、「教皇がキリスト教世界全体を管掌する」ことに加えて、「自分が支配している世界の西側地域を、教皇シルウェステル1世 (在位314～335年) に捧げる」という内容をもつ寄進状を送った。この絵の左側の天蓋の下で皇帝がひざまずき、ローマ帝国を象徴する黄金の彫像を教皇に献上している。カトリック教会は、この「コンスタンティヌスの寄進状」を根拠として、教皇の西ローマ帝国統治権を主張してきた。ただし、この寄進状は捏造されたものであることが15世紀の人文主義者ロレンツォ・ヴァッラによって明らかにされた。しかし教会はその事実を長らく隠蔽し、17世紀に入ってようやく認めた。

　ヴァチカン宮殿2階には、ラファエッロ (1483～1520年) とその弟子たちが描いた絵で装飾されているために「ラファエッロの間」と呼ばれている4つの区画があるが、この絵はそのうちの1つにある。とくにこの部屋は、コンスタンティヌス帝の業績を描いた絵で埋め尽くされているため、「コンスタンティヌスの間」とも呼ばれる。

◎「コンスタンティヌスの間」を埋めている絵は、下絵を描いたところでラファエッロが急死したため、弟子たちによって完成された。絵の中のシルウェステル1世の姿は、絵の制作が進められていた当時の教皇クレメンス7世をモデルとして描かれた。

076
SAT

私は誰で、誰のものなのか

ラヴィニア・フォンターナ《アントニエッタ・ゴンザレスの肖像》、
キャンバスに油彩、57cm×46cm、1583年頃、ブロワ城、ブロワ（フランス）

全身が毛で覆われたこの少女の父、ペドロ・ゴンザレスは、現在スペイン領となっているカナリア諸島のテネリフェ島で生まれた。

先天性多毛症の患者であったペドロは、10歳頃からフランス国王アンリ2世（在位1547〜1559年）の宮廷で働いた。昔の宮廷では、病気の後遺症や遺伝的な原因などでほかの人々とは異なる外見的特徴をもった人々を雇い、宮廷内の人々の見せ物とすることがしばしばあった。

ペドロは、比較的収入に恵まれていた上に宮廷内で育ったため、音楽や美術、文学、ラテン語などに通じていた。20歳前後でオランダの美しい女性と結婚した彼は、『美女と野獣』のモデルともされたが、彼らの間に生まれた7人の子どものうち4人は、遺伝によって父と同じ病気に悩まされることとなった。しかしアンリ2世にとってみれば、この特別な外見に生まれた子どもたちは自らの宮廷からヨーロッパのほかの王室や貴族に贈ることが可能な〈プレゼント〉であり、臣下であるペドロは最初から父としての権利を放棄させられたも同然であった。

この病気をもって生まれた娘アントニエッタ・ゴンザレスは、当時オランダの摂政王后でありパルマ公爵夫人でもあったマルグレーテの宮廷に幼くして送られ、ラヴィニア・フォンターナ（1552〜1614年）▶290によって絵に描かれた。絵の中の少女は、自分が誰であり、誰に所有されているのかを記録した書類を持って立っている。少女はほほ笑んでいるが、彼女が経験したであろうことを思い起こすと、一緒にほほ笑むことはとうていできない。

077

パリスの選択

ペーテル・パウル・ルーベンス《パリスの審判》、パネルに油彩、145㎝×194㎝、1636年頃、ナショナル・ギャラリー、ロンドン

　不和の女神エリスは、招かれてもいないのにオリンポスの神々が催す祝祭に姿を現し、テーブルの上に金のリンゴを放り投げた。そのリンゴには「最も美しい女神」と書かれてあった。オリンポスにはたちまち不和が充満した。女神たちはリンゴを得ようと互いにいがみ合い、他方で男神たちも、誰にリンゴをプレゼントしても騒ぎのもとになるので困り果てた。混乱はさらに人間にまで飛び火した。ゼウス（ユピテル）がヘルメス（メルクリウス）に命じて、そのリンゴを地上のトロイアの王子パリスに渡すと同時に、3人の女神の前に立たせたのである。

　画面右側で翼のついた帽子をかぶっているのがヘルメス、杖を持っているのがパリスだ。3人の女神の左側は戦争の女神アテナ（ミネルヴァ）で、その背後にメドゥーサの頭が描かれた盾が見える。真ん中の女神はアフロディテ（ヴィーナス）だ。右側の女神はヘラ（ユノ）で、アルゴスの目玉で羽を飾ったクジャク▶056,112を伴っている。パリスがリンゴを渡した相手は、アフロディテだった。美しい女性と愛し合うことができる、と約束したからだ。ところがアフロディテのいう「美しい女性」とは、皮肉にもスパルタの王妃ヘレネーだった。スパルタとトロイアの戦争▶105は、こうして始まった。神々と人間のこの大騒動の最終勝者は、不和を呼び起こしたエリスだった。

078

MON

ピエタの像

ミケランジェロ・ブオナローティ《ピエタの像》、大理石、高さ174cm、1499年、
サン・ピエトロ大聖堂、ヴァチカン

　ピエタとは「哀れみ」という意味で、美術においては、死んでしまったイエスを抱いて悲しむ聖母マリアの図像をいう。この作品はミケランジェロ▶052が24歳のときに完成させたもので、フィレンツェ出身の青二才でしかなかった彼を、ヴァチカンで一躍スター彫刻家へとのし上がらせた作品だ。

　息を引き取ったイエスは垂れ下がった腕さえ優雅で、そんな彼を膝に乗せて座っているマリアは、悲しみに包まれながらも気品を失ってはいない。しかし、マリアは非常に若く、死んだイエスよりも年下に見える。おそらくダンテ『神曲』の「母なる処女［をとめ］、わが子の女［むすめ］[14]」という表現を、ミケランジェロがひそかに借用したものと思われる。マリアの顔があまりにも若すぎて納得しがたいという人々に、ミケランジェロは、「貞淑で純潔な女性は決して老いることはない」と言い返したりもした。この作品の美しさに魅せられた19世紀の画家ダヴィッド▶094は、フランス革命▶271の混乱の中で暗殺された仲間を描いた《マラーの死》▶085を残し、その腕をこの《ピエタの像》のイエスの腕そっくりに描いた。

◎この作品が傑作だという噂で見物人が殺到すると、ミケランジェロはその群衆の中にまぎれ込み、どのように評価されているのかを立ち聞きした。そして「こんな立派な彫刻をつくったのは、クリストーフォロ・ソラーリ（ミラノ出身の彫刻家）だ」という言葉を耳にした。大いにプライドを傷つけられたミケランジェロは、その晩、マリアの肩から垂れている帯の上に、夜通しで自分の名前を彫りつけたという[15]。

14　『神曲』天国篇第33歌、p.447。
15　『芸術家列伝』第3巻、p.55。

079

TUE

初期ルネサンスⅡ

アンドレア・マンテーニャ《聖セバスティアヌス》、キャンバスにテンペラ、255cm×140cm、1480年、ルーブル美術館、パリ

　ローマ帝国におけるキリスト教の迫害が最も厳しかったディオクレティアヌス帝の時代、皇帝の近衛兵であったセバスティアヌス(?~287年頃)は、キリスト教信者であることが発覚して死刑に処された。その処刑方法は、柱に縛りつけられて矢で射られるというものであった。幸いにも、ある信仰心の深い女性が、倒れていたセバスティアヌスに懸命の手当てをしたことから、彼は命拾いをした。ところが、不屈の意志で再び皇帝の前に現れ、キリスト教を広めようとしていたところを、棍[こん]棒で殴られて死んでしまった。

　聖セバスティアヌスは、服を脱いであらわになった身体に矢が突き刺さっている姿で主に描かれてきた。神中心から脱し、世俗化によって〈人間中心〉となったルネサンス期には、服を脱いだ身体、つまりヌードを描く機会が多くなった。とはいうものの、人々はいまだに神の怒りにおびえていた時代だった。そこで画家たちは、ヌードで表現したほうがよい、あるいはヌードでなければ描けないアダムやイヴ、矢を受ける聖セバスティアヌスなどを描くことによって、裸体を見たがるパトロンたちのご機嫌をとった。それに加え、アンドレア・マンテーニャ(1431頃~1506年) ▶004はこの作品で、古代ギリシャ・ローマに対する愛情を誇示するかのように、古代の遺跡を背景として描いた。

◎絵の下部には、仕事を終えて家に帰ろうとする2人の兵士の上半身が見えている。まるで窓の外を通りかかった人のような感じを受ける。ルネサンス以後、絵画はこのように窓を通して外界を見ているような視角で描かれた。

080
WED

画家

ベルト・モリゾ

エドゥアール・マネ《すみれの花束をつけたベルト・モリゾ》、
キャンバスに油彩、55cm×40cm、1872年、オルセー美術館、パリ

　ベルト・モリゾ（1841～1895年）は、1864～1874年の10年間でじつに6回もサロン展▶226に入選するほど、アカデミズムの中で認められた画家だった。

　富裕な家に出自を持つ彼女は、絵を趣味として描き始めた。彼女の先生はモリゾ姉妹をルーブル美術館に連れて行き、巨匠の作品を模写させる形で指導した。そのとき、たまたまルーブルに立ち寄ったマネが、絵を描いていたモリゾに出会ったのである。この偶然の出会いは、彼女を先進的な美術家との交流に導いた。

　モリゾはマネの弟と結婚したが、ちまたの噂では、彼女が本当に愛していたのはマネで、2人の間にはある種のスキャンダルがあったのだろう、という。モリゾは、当代最高の風景画家コロー▶337をマネから紹介された。そして彼女は、自然の中に出かけて直接光を見て描く方法を研究し、光と色の関係をしっかりと理解して表現する印象派の画風へと変わっていった。モリゾは、第1回（1874年）から第8回（1886年）までの印象派展に、娘を産んだ1879年のただ1回だけを除いてもれなく参加した。

◎美術史家ゴンブリッチが『美術の物語』で紹介した第1回印象派展に関する雑誌記事では、モリゾのことも言及されている。「女性ひとりを含む5、6人の頭のおかしい連中が集まって、自分たちの作品を展示している。人びとは絵を見て大笑いしていた[16]」。この「女性ひとり」が、ベルト・モリゾである。

16　『美術の物語』p.519。

081

THU

クロワゾニスム

エミール・ベルナール《草地のブルターニュの女たち》、
キャンバスに油彩、74cm×93cm、1888年、オルセー美術館、パリ

フィンセント・ファン・ゴッホ《草地のブルターニュの女たち──模写》、
紙に水彩、47.5cm×62cm、1888年、ミラノ現代美術館、ミラノ

　批評家エドゥアール・デュジャルダンが名づけたとされる「クロワゾニスム」とは、輪郭線を黒く濃く描いた後に、その内側を明暗などもなく平板に塗る技法をいう。中世のステンドグラスを見ると、色面を分かつ太い輪郭線があるが、これを「クロワゾン（フランス語で区切り、間仕切りの意）」と呼ぶ。

　印象主義（印象派）以後の時代に活動した画家の1人、ゴーギャン▶129が編み出したクロワゾニスムは、それまでの絵で当然とされてきた遠近法や明暗法などから完全に自由である。立体感がすっかり失われ、自然の色は捨て去られ、リアルさも喪失したこの技法の絵は、中世のステンドグラスのように、平面的で装飾的な感じが強い。

　上側の絵は、ゴーギャンに熱心に付き従ったエミール・ベルナール（1868～1941年）が描いたものである。ゴーギャンが自分の絵と交換で手に入れたこのベルナールの絵をゴッホに見せたところ、ゴッホは弟のテオにこれを紹介するために、水彩でさっと模写した。それが下側の絵である。

082

FRI

フン族の西進

ラファエッロ《大教皇レオとアッティラの会談》、フレスコ、下端の長さ750㎝、1514年、ヴァチカン宮殿ヘリオドロスの間、ヴァチカン

　ローマ帝国が2つに分裂し、西ローマ帝国は異民族の侵入に悩まされることとなった。とくに、アジア系の騎馬遊牧民であったフン族は、「残酷」だとしてヨーロッパ社会で強く恐れられ、西進する彼らから逃れるためにゲルマン族は南下を続け（ゲルマン人の大移動）、その影響でイタリア半島は混乱状態に陥った。フン族は、アッティラ（在位433～453年）の支配のもとでついにローマにまで進撃してきた。このため、西ローマ帝国の皇帝ヴァレンティニアヌス3世（在位425～455年）は教皇レオ1世を遣わし、フン族の首長アッティラと会見して交渉を行わせた。

　この絵の左側にはレオ1世とその従者らが、右側には黒馬に乗ったアッティラとフン族の兵士らが一堂に会している。教皇の頭上には、天国の鍵を持っている聖ペトロと、自分を斬首する際に使われた剣を持っている聖パウロが見える。ラファエッロ▶107は、当時自分が仕えていた教皇レオ10世▶363をモデルとしてレオ1世の顔を描いた。

◎9世紀のある聖職者が語るところによると、会談の最中、アッティラの目にのみ、剣を手にした司祭服姿の大柄の男が見えたため、恐ろしくなった彼はレオ1世との協議書に署名したという。

083
SAT

絵として復活した恋人

ジェームズ・ティソ《ガーデンベンチ》、キャンバスに油彩、99.1cm×142.3cm、1882年、個人所蔵

　キャスリーン・ニュートン（1854～1882年）という美しい女性がいた。彼女は、インドで勤務する軍医ニュートンと結婚することになった。イギリスから船出した彼女は、その船の中で船長とつかの間の恋に落ちた。インドに到着した彼女は、予定どおりに結婚したものの、船での出来事を夫に告白し、離婚訴訟を起こされることとなった。船長は、彼女がイギリスに戻る費用をすべて肩代わりしてプロポーズしたが、ニュートンはそれを受け入れず、離婚の判決が出たその日に、船長の子どもを産んだ。

　その後、姉の家で暮らしていた彼女は、近所に住んでいたティソ（1836～1902年）と偶然出会い、愛し合うようになった。フランス出身のティソはその頃、イギリスに渡って画家生活を送っていた。ティソの家で同棲を始めてまもなく、ニュートンは誰が父親なのかわからない子どもを産んだという。結核に冒されたニュートンが、痛みを忘れるためにアヘンを大量服用し、結局28歳で亡くなるまで、彼らは6年の歳月を共にした。ティソは、4日間も彼女の棺をそばで見守ったのち、5日目にロンドンを後にした。ティソは、心霊術師を探し回ってニュートンの霊を呼び戻そうとしたのだ。それほど、彼女を恋い慕っていた。

◎この絵は、ティソがニュートンの死後に彼女を偲んで描いたもので、彼は生涯この絵を売らずに大切にした。右側で背もたれに顔を埋めているのはニュートンの姉の子どもで、ニュートンのそばにいる2人は彼女が産んだ子どもだ。

084

SUN

黄金の雨を浴びるダナエ

ティツィアーノ・ヴェチェッリオ《ダナエ》、キャンバスに油彩、129.8cm×181.2cm、1553年、プラド美術館、マドリード

　ティツィアーノ（1490〜1576年）[220]は、スペインのフェリペ2世（在位1556〜1598年）の注文を受けて、神話に登場する神々の愛の物語を描いた。アルゴスの王アクリシオスは、娘が産んだ孫によって殺されるだろうという神託を受け、娘のダナエを塔に閉じ込めてしまった。しかしゼウスは、黄金の雨に変身してダナエの身体に降り注ぐように襲いかかり、結局は妊娠させた。ダナエが産んだ子どもがペルセウスだ。ペルセウスは、たまたま参加することになったやり投げ競技で、よりにもよって母の父アクリシオスに命中させてしまった。アクリシオスが避けようとしていた不幸は、こうして現実のものになったのである。

　ダナエは、ベッドの上に斜めに横たわり、召使いの女性は、突然降り注いできた黄金の雨をエプロンで受けている。よく見ると、黄金の雨は金貨である。だからこの雨を避ける理由などなく、受け取って大事にしまっておこうというわけだ。神話についての知識がなければ、女郎屋の主人が金を受け取って、女性に性を提供させようとしているようにも見える。ティツィアーノは、いつ、どのような場面でも王に従順な庶民としてダナエを描いた。そして、金貨で象徴される豊かさを庶民への恵みとして施すフェリペ2世を、ゼウスとして描写した。

085

MON

マラーの死

ジャック=ルイ・ダヴィッド《マラーの死》、キャンバスに油彩、
165cm×128cm、1793年、ベルギー王立美術館、ブリュッセル

フランス革命▶271で初め主導権を握った急進派、ジャコバン党のジャン=ポール・マラー（1743〜1793年）は、皮膚病のため、いつも浴槽に半身をひたして執務していた。彼の業務の大部分は、ジャコバン党の理想に合致しない反動勢力の人名リストを作成し、ギロチン送りにすることだった。

ところが1793年7月、穏健派であるジロンド党のシャルロット・コルデーという若い女性が、マラーにとって執務室同然であった浴室に入ってきた。シャルロットは、消し去るべきジロンド党員の名前をマラーに伝え、彼の警戒心を解いた上で、用意していたナイフであっという間に彼を刺し殺した。シャルロットはその場で捕まり、数日後、死刑に処された。

ジャコバン党は、熱心な党員でマラーの友人でもあった画家ダヴィッド▶094に、マラーのための絵を注文した。ダヴィッドは、片腕をだらりと垂らしたまま死んでいくマラーの姿を、あたかも《ピエタの像》▶078の場面のように描いた。絵の中のマラーは、シャルロットが渡した紙を持っており、そこには「マラー様、私の生活は悲惨で、あなたの慈悲をお受けする権利があります」と書かれている。絵の右側には、マラーが普段テーブルのように使っていた小さな木箱がある。「マラーへ、ダヴィッドより」という文字が見える。

◎この作品は、ダヴィッドの弟子によって何度か複製されたが、現在ルーブル美術館にある作品には、テーブルにマラーとダヴィッドの名前ではなく、「賄賂を拒んだら、私を殺した」という文言が書かれている。ジャコバン党が自分たちの清廉さを誇示する意図によるものだ。

086

TUE

フランドル・ルネサンスと
風景画

ヨアヒム・パティニール《ステュクス川を渡るカロン》、パネルに油彩、64㎝×103㎝、1520〜1524年、プラド美術館、マドリード

　ルネサンス時代にもそれ以後も、フィレンツェやローマなど、古代ギリシャ・ローマの文化に傾倒した地域では、歴史画▶319を好む傾向が強かった。神話や宗教的内容、道徳的あるいは英雄的なエピソードがなければ、よい絵とは考えられなかったからである。歴史画では人物や事件が主人公となり、風景は主人公を引き立たせる付帯設備にすぎなかった。だが、今日のオランダ北部からベルギー西部にまたがるフランドル地域の画家たちは、風景をエピソードの背後に押しやることはしなかった。アルプス以北のヨーロッパで最初の風景画家であるヨアヒム・パティニール（1480頃〜1524年）のこの絵は、ギリシャ神話の内容を扱っているため厳密な意味での風景画とはいえないが、エピソードよりも風景に比重が置かれている。この絵は、空を飛ぶ鳥のように高い位置から見下ろした、ある風光明媚な場所を描いている。

　これは実在する場所ではないものの、見るからに爽快で胸がときめくような自然の美しさを十分に感じることができる。画面左側は天使たちが遊び回る楽園で、レテの川が流れている。この川の水を飲むと、この世のあらゆることを忘れてしまうというので、「忘却の川」とも呼ばれる。中央は、地下の世界に向かうステュクス川だ。カロンの船が、死者の霊魂を載せて運んでいる。右側は、炎が燃え上がっている。地獄である。建物の前にいる頭が3つある犬は、地獄の門を守るケルベロスだ。

087

WED

パルミジャニーノ

パルミジャニーノ《凸面鏡の自画像》、パネルに油彩、直径24.4cm、1523〜1524年、ウィーン美術史博物館、ウィーン

　イタリアのパルマで生まれたパルミジャニーノ (1503〜1540年) は、叔父をはじめとする何人かから絵を学んだ。パルミジャニーノは、人為的に長く伸ばした印象の強い人体を、それにもかかわらず優雅な線で描いて独特の雰囲気を出した画家である。すでにパルマでは宗教画をはじめとする肖像画で名声を得ていた彼は、ヴァチカンへの入城を夢見てこの自画像を描いた。

　凸面鏡を見て描いたために周縁部はひずんでおり、近くに置かれた手が巨大に映る様子を、彼はおもしろがって描いている。彼は絵をよりリアルなものにするために、木を球状に削ったのち、それを半分に切って凸面鏡のようにつくったものを画板として描いた。

　20歳当時の姿を描いたこの異色の自画像は、教皇クレメンス7世への献上品として贈られた。それによってパルミジャニーノは、1524年以後、ローマとヴァチカンで教皇の支援を受けながら活動できるようになった。しかし、3年ほど経って神聖ローマ帝国のカール5世 (在位1519〜1556年) ▶[201] がローマを略奪すると、彼はボローニャに逃れた。その後、故郷の村に戻ったが、注文を受けた絵を期限どおりに完成させられず逮捕されてしまうほど錬金術にのめり込んで、ほとんど廃人のような生活を送った。そして37歳で熱病にかかり、生涯を終えたのである。

088
THU

リトグラフ（石版画）

アンリ・ド・トゥールーズ＝ロートレック
《ムーラン・ルージュのラ・グーリュ》、リトグラフ、170cm×119cm、
1891年、インディアナポリス美術館、
インディアナポリス（アメリカ・インディアナ州）

リトグラフ（石版画）は、彫刻刀で彫り出すのではなく、平らな石板の表面に絵を描いて押しつける版画技法で、水と油がはじき合う性質に着目したものである。18世紀末のドイツで発明されて以後、この技法は進化を続けた。19世紀には複数の版を用いた多彩な色刷りが始まり、画家の力量次第でさまざまな質感の描写も可能となった。

ロートレック（1864～1901年）[101]はリトグラフによって、パリの歓楽街の劇場型キャバレーやカフェなどの広告ポスターを制作した。このポスターは、1891年に当時のパリで最も人気があったキャバレー、ムーラン・ルージュの依頼を受けて制作したものである。

絵の中央には、客から差し出された酒を大量に飲んで太ってしまったことから「ラ・グーリュ（大食い）」というあだ名で呼ばれた女性ダンサーが描かれている。その手前には、身体が軟らかすぎるので骨がないのではないかとまで言われた男性ダンサー「骨なしヴァランタン」を、暗いシルエットで描いている。奥に見える真っ黒いシルエットは客たちで、ここに来れば匿名で存分に楽しめる、という気持ちになる。黄色いガス灯をあちらこちらに配し、深夜になっても大丈夫、という点も強調されている。

◎このポスターは、複数の版を使用してつくられたので、ロートレックはムーラン・ルージュの要求に応じて文字を入れ換え、別の内容で制作することもできた。したがって、同じ図案でも下部に文字が入っているポスターや、その箇所が空きスペースになっているポスターがある。

089
FRI

東ローマ帝国の発展

作者不詳《ユスティニアヌス帝と廷臣たち》、モザイク、547年頃、サン・ヴィターレ聖堂、ラヴェンナ（イタリア）

　コンスタンティヌス帝が首都をコンスタンティノープル（ビザンティウム）に遷［う
つ］して以後[075]、ローマ帝国は東と西に分裂を始めた。テオドシウス1世（在位379〜
395年）が亡くなった395年には、その跡を継いだ彼の2人の息子によって、帝国は東
西に二分された。西ローマ帝国は476年にゲルマン民族の侵略によって滅亡したが、
東ローマ帝国は、1453年にオスマン帝国のスルタン、メフメト2世（在位1444〜1446年、
1451〜1481年）によって滅ぼされるまで、1000年以上存続した。ただし実際には、「西ロ
ーマ帝国」「東ローマ帝国」という名称は今日便宜上つけられたものにすぎず、彼ら
はそれぞれ自分たちこそ真にローマ帝国の系譜を受け継いでいると考えていた。

　東ローマ帝国は、首都コンスタンティノープルの昔の名前にちなみ、ビザンツ帝
国とも呼ばれる。6世紀のユスティニアヌス帝（在位527〜565年）の時代、東ローマ帝国
は、ゲルマン民族に奪われた西ローマ帝国の領土の大部分を取り戻すほど、勢力を
拡大させた。同帝と従者を描いたこのモザイク画[137]では、真ん中の皇帝は、キリス
ト教の聖人にのみ許された後光さえ帯びている。皇帝が右足で臣下の足を軽く踏み
つけて立っているのも、彼の権力を強調するものだ。従者の数も12使徒に合わせた
12名で、皇帝をイエスであるかのように描いている。

090

SAT

引き裂かれたまま
売りに出された肖像画

ウジェーヌ・ドラクロワ《ジョルジュ・サンドの肖像》、
キャンバスに油彩、81㎝×56㎝、1838年、
オードロップゴー美術館、コペンハーゲン

ウジェーヌ・ドラクロワ《ショパン肖像画》、
キャンバスに油彩、45.5㎝×38㎝、1838年、
ルーブル美術館、パリ

　「画家になっていなければ、音楽家になったはず」と語っていたドラクロワ（1798〜1863年）▶²⁹⁹は、作家ジョルジュ・サンド（1804〜1876年）の紹介で音楽家ショパン（1810〜1849年）と出会い、熱烈な支持者かつ友人となった。右側の絵に描かれた28歳の若きショパンの顔は蒼白でやつれており、病人のようでどこか不安そうに見える。この絵は、もともとジョルジュ・サンドとの2人肖像画として制作された。ショパンがピアノを演奏し、奥に座ったサンドがそれに耳を傾ける様子を描いたものだった。

　永遠と思われたショパンとサンドの愛は、9年ほどで終わった。自分が産んだ子どもをショパンが誘惑したと考えたサンドが、ショパンに別れを告げたという説もあるが、実情はわからない。ショパンは別離の後遺症に悩まされつつ肺結核を悪化させ、1849年に39歳でこの世を後にした。ドラクロワは、この2人の肖像画にとりかかっていたが完成させられず、アトリエに置いたまま1863年に亡くなった。ドラクロワの死後、彼のアトリエでこの作品を見つけ出した人たちが、絵を2つに切り分けた。

◎2人肖像画が2つに切り分けられたのは、1枚の絵として売るよりも2枚に分けたほうが経済的利益が大きいだろうという所有者の判断による。現実の世界では終わりを迎えた2人の愛は、絵の中だけでも永遠に続くと思われたが、こうしてあっけなく終わることとなった。

091

SUN

慢心、クモとなる

ディエゴ・ベラスケス《アラクネの寓話》、キャンバスに油彩、220㎝×289㎝、1657年頃、プラド美術館、マドリード

　オウィディウスの『変身物語』によると[17]、リディアに住んでいた少女アラクネは、アテナ（ミネルヴァ）よりも機[はた]織りがうまいと自慢していた。戦争の女神でありながら、機織りでもナンバー1を自負していたアテナは、アラクネと腕比べをすることになった。人間の分際でアテナよりも機織りが上手だったアラクネは、姿をクモに変えられ、生涯を糸と共にすることとなった。この絵のいちばん奥は、腕比べの直後の様子を描いており、アラクネが完成させたタペストリーが見える。アラクネは、ゼウス（ユピテル）が雄牛に姿を変えてエウロペという女性をさらう場面の絵を編み上げている。ゼウスの娘であるアテナは、父親の不道徳を目にし、内心おだやかでなかっただろう。タペストリーのすぐ手前で、アテナは鎧兜を身につけて座っている。

　前景の左側には老婆に変装して糸車を回すアテナがおり、右側ではアラクネが糸を紡いでいる。力強く回る糸車の動きを描き出すことができた画家は、当時ならベラスケス（1599〜1660年）▶276だけだろう。機織りで神と腕比べをしたアラクネのエピソードは、神業の絵を描くと評判だったベラスケス自身のエピソードでもあった。

17　『変身物語』巻6（上巻、pp.221-228）。

092
MON

スケートする牧師

ヘンリー・レイバーンもしくはアンリ=ピエール・ダンルー
《ドゥッディングストン湖でスケートをするロバート・ウォルカー師》、
キャンバスに油彩、76.2cm×63.5cm、1795年頃、
スコットランド国立美術館、エディンバラ（イギリス・スコットランド）

どの国にも、その国を代表する絵と画家があるものだ。オランダがレンブラントの《夜警》[170]で、イタリアがミケランジェロの《ダヴィデ像》でみやげ物をつくるとすれば、スコットランドはこの絵だ。

主人公は、ロバート・ウォルカー牧師。彼は、エディンバラの上流層のクラブで、スケートをはじめとするさまざまなスポーツを楽しんだ。若くして教会の要職につき、著書も出してはいるが、これといって大きな業績を残しているわけではない。

1914年に娘の子どもが偶然この絵を見つけ、ただ同然で売り払ったものを、1949年にスコットランド国立美術館が購入したことで、この牧師も、そして絵を描いたレイバーン（1756〜1823年）も注目を集めた。謹厳であるべき牧師がユーモラスなポーズをとっているこの絵は、たちまち世間で噂になった。学者の中には、この絵の様式がレイバーンとはかけ離れているとして、アンリ=ピエール・ダンルー（1753〜1809年）の作品だと主張する者もいる。現在、美術館ではこの絵についての解説に、レイバーンの作品であるとした上で、「レイバーンのほかの肖像画とは大きく異なっている」と付け加えている。ともあれ、レイバーンにしてもダンルーにしても、この絵だからこそ有名になったといえよう。だが何にもまして、スコットランドを代表するマスコットになるなどとは、牧師自身が想像もできなかったことだろう。

◎寒波が押し寄せた1780年代の冬、スコットランドの湖はかちこちに凍り、スケート人口が急増していた。当時のスケートクラブでは、片方の脚を持ち上げたまま円を描いて滑る動作を試験として、それに合格した人だけを受け入れていた。牧師はその試験を受けているところのようだ。

093

TUE

フランドル美術

ハンス・メムリンク《ポルティナーリ祭壇画》、パネルに油彩、各45cm×34cm、1487年、中央パネル：ベルリン美術館絵画館、ベルリン、左右パネル：ウフィツィ美術館、フィレンツェ

　古代ギリシャ美術のような理想的な美しさを追求するイタリアとは異なり、フランドルの画家たちは、現実性のある表現を重視し、髪の毛のひとすじに至るまで描写する精巧な写実主義を追求した。

　ハンス・メムリンク（1430～1494年）は、今日のオランダ北部からベルギー西部にまたがるフランドル地域のブリュッセルやブルッヘなどで活動した。彼は聖堂の大型祭壇画も制作したが、より多くの力を小さな祭壇画に注いだ。折りたたみできる小型の祭壇画▶286,312は、貴族や大商人たちが自身の家や個人礼拝堂に保管しておくのに向いており、旅行時に携帯するにも適していたため人気を集めた。メムリンクは、肖像画でも小さいものを制作して名声を博したが、その際の人物の背景は、主に風景画であった。

　3面からなる《ポルティナーリ祭壇画》は、主人公と彼の守護聖人、そして聖母子をともに描き、事実上の個人肖像画としたものである。右側に描かれた主人公は、フランドルで銀行業をしていたポルティナーリ家のベネデット・ポルティナーリであり、左側の聖人は彼と名を同じくする聖ベネディクトゥスである。聖ベネディクトゥスは、修道士を叱るときに用いる杖をシンボルとして持っている。登場人物の奥には、美しい自然の風景が広がっている。

094
WED

ジャック=ルイ・ダヴィッド

ジャック=ルイ・ダヴィッド《自画像》、キャンバスに油彩、81cm×64cm、
1794年、ルーブル美術館、パリ

享楽的で奢侈［しゃし］的な雰囲気で人気を博したロココ美術▶184, 198 は、続いて登場した新古典主義にその座を譲った。新古典主義の美術は、理性と論理を土台とし、個人の私的な感情よりも、より大きな公益に貢献することのできる道徳的で規範的な生き方を啓蒙しようとした。

フランス新古典主義美術▶205, 268 を主導したジャック=ルイ・ダヴィッド（1748〜1825年）は、完璧なデッサンにより、自然らしさと同時に理想的な美しさをも特徴とする人体描写を行い、ギリシャやローマの古典を土台として、市民の模範となる内容を描いた。1774年にフランス美術アカデミーで「ローマ賞」を受賞し、イタリア留学を勝ち取ったダヴィッドが、巨匠たちの絵の世界を十分に研究した成果がこの絵には表れている。

ダヴィッドは、1789年にフランス革命が起こった直後、急進的改革を進めたジャコバン党の党員として活動した。彼は指導者ロベスピエール（1758〜1794年）と非常に親しかったことから、芸術長官の地位にまでのぼりつめた。しかし、過度の恐怖政治で信望を失ったロベスピエールがギロチンで処刑されると、ダヴィッドもしばらく監禁された。その後、ナポレオンが皇帝となったことに伴って宮廷画家に任命されたが、ナポレオンも失脚し、1816年にフランスから追放されたのち、ブリュッセルで亡くなった。

◎イタリアへの美術留学という途方もない副賞を伴ったフランス美術アカデミーの「ローマ賞」は、それだけに競争も熾烈だった。ダヴィッドは3回連続で「ローマ賞」に落選し、自殺を図ったほどだったが、ついに受賞者となることができた。

095

THU

ヴァニタス

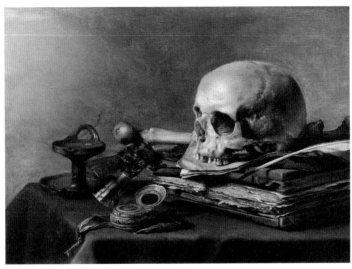

ピーテル・クラース《ヴァニタス》、キャンバスに油彩、39.5cm×56cm、1630年、マウリッツハイス美術館、ハーグ（オランダ）

　食器類や花、本、その他の物品を描くことは、かつては絵の勉強のための練習程度に考えられていたが、次第に独立したジャンルとなり、「静物画」▶032という名称を得るに至った。静物画は、それ自体では動かない事物を描くものであり、絵画の序列の上では、歴史的・宗教的な内容を教訓とともに描いた歴史画や、富裕層の肖像画などに比べると、低い地位に属していた。しかし、絵を購入する大衆にとっては最も理解しやすい内容であり、壁に掛けておくにも便利で、ほかの形式に比べて小さく価格も手頃であったため、静物画は大いに人気を集めた。

　食卓のそばに掛けておく果物の絵、居間に掛けておく華やかな花の絵などは、大衆の生活に彩りと潤いを与えた。しかし、静物画は常に楽しく明るいものとばかりは限らなかった。なかには、骸骨、火の消えたロウソク、空になったコップなど、死んで消えていくもの、満たされていても空になっていくものを描いて、人生のはかなさを想起させる画家もいた。こうした絵は「ヴァニタス静物画」（ヴァニタスは空虚の意）と呼ばれ、オランダで大いに流行したのち、まもなくアルプス以南の国々にも広がっていった。絵の中にある本の山も、じつはヴァニタスの延長で、あらゆる知識が空虚なものであることを物語っている。

096

FRI

シャルルマーニュの戴冠

ラファエッロと弟子たち
《シャルルマーニュの戴冠》、フレスコ、
下端の長さ670㎝、1516～1517年、
ヴァチカン宮殿「ボルゴの火災の間」、
ヴァチカン

　799年、教皇レオ3世 (在位795～816年) が姦通罪で投獄された。前教皇ハドリアヌス1世の甥 [おい] が、教会の高位聖職者たちと共謀して反乱を起こし、ありもしない罪を着せたのである。レオ3世は、当時西ヨーロッパ地域を支配していたシャルルマーニュ (カール1世、在位768～814年) に助け求め、危機からの脱出に成功した。以後、レオ3世はシャルルマーニュを「西ローマ帝国の皇帝」と称し、帝冠を授与した。

　ラファエッロは、800年に行われたこの「カールの戴冠」を、自分が生きている時代の姿として演出した。背景は、再建を控えたサン・ピエトロ大聖堂だ。絵の右側では、レオ3世が皇帝に冠を授与している。レオ3世の顔は、ラファエッロが仕えていた教皇レオ10世▶363をモデルとしている。一方、シャルルマーニュは当時のフランス国王フランソワ1世に似ている。

　1516年、レオ10世はフランス国内の高位聖職者候補指名権をフランス国王に譲渡する協約に署名した。聖職者の任命は、どの国であっても教皇が権限をもっていたため、教皇にとっては屈辱的な事件だということができる。レオ3世が帝冠を授与している姿をラファエッロがあえて描いたのは、宗教上の権威は世俗の権力よりも上位にあるという教皇レオ10世の考えを代弁するためであった。すなわち、ラファエッロと同時代の世俗の王フランソワ1世が、神の意を受けて生きる聖職者の任命権をもつようになったのは間違っている、ということを意味した絵なのである。

097
SAT

悲しみのゴッホの恋人

フィンセント・ファン・ゴッホ《悲しみ》、紙にペンとインク、44cm×27cm、1882年、ニュー・アート・ギャラリー、ウォルソール（イギリス）

ゴッホ▶003は、ハーグで出会った性売業の女性、シーン（1850〜1904年）と恋に落ちた。シーンは、すでに5歳の娘がおり、さらに別の子どもを妊娠している身であった。この絵は、そのように捨てられることが日常となっていたシーンの悲しみを描いている。ゴッホが女性の身体をこのように完全なヌードで描いたのは、この絵が最初で最後である。

しょっちゅう憂鬱［ゆううつ］になったりいら立ちがこみ上げたりして、自分に激しく共感してくれる人を必要としていたゴッホは、シーンと出会い、彼女が家庭という垣根の中をうまくやりくりしてくれることに大いに満足していた。しかし、アルコール中毒に梅毒と満身創痍［い］である上に、子どもまでいる彼女との同棲には、ゴッホの親族たちは皆、家の恥さらしだとかんかんになって怒った。

いつも兄の味方をしていた弟のテオまでが反対したため、結局2人は、2年間の短い恋愛生活の末に別れることとなった。ゴッホは、彼女をモデルとして60点以上の作品を残した。この絵の下部にはSorrow（悲しみ）という文字とともに、「この地上に、どうして1人の女性が孤独なまま見捨てられているのだろうか？」という文が書かれている。シーンは、ゴッホと別れた後、裁縫師の仕事をしていたが、1904年に川に身を投げて生涯を終えたという。

098
SUN

ガラテイア

ラファエッロ《ガラテイアの勝利》、フレスコ、295cm×225cm、1511年、
ファルネジーナ荘、ローマ

一つ目の巨人ポリュペモスは、海の妖精ガラテイアを愛していたが、ガラテイアは彼を拒んだ。この絵は、ガラテイアがポリュペモスを避けて逃げ出している場面である。彼女は海の妖精らしく、2頭のイルカが引っ張る貝の船に乗っている。

絵の左上隅には、矢筒を持ったエロス（クピド）の姿が見える。空には、エロスに命令されたと思われる3人の天使が矢でねらいをつけており、そのおかげで鑑賞者の視線は自然とガラテイアに向かうことになる。左右の2人の天使は互いに反対方向に身体を向けて、対称をなしている。絵のてっぺんにいる天使の身体もやはり、いちばん下の天使とは反対の方向を向いている。絵の左端に見えるホラ貝は、海の神ポセイドンと人間の間に生まれたトリトンを象徴する持物［じもつ］▶305である。そのすぐ下に見える馬は、ポセイドンが海の神であり馬の神でもあることを想起させる。

その下で、上半身は人間、下半身は魚のトリトンが、海の妖精ネレイデスを力いっぱい抱き寄せている。右側には、半人半馬のケンタウロスをはじめとする半人半獣の怪物たちを登場させており、絵の左右が均衡をなすように描かれている。この壁画は、シエナ出身の銀行家アゴスティーノ・キージ（1466～1520年）のローマの邸宅、ファルネジーナ荘を装飾するために描かれたものである。

099
MON

チョコレートを運ぶ娘

ジャン=エティエンヌ・リオタール《チョコレートを運ぶ娘》、
紙にパステル、82.3cm×53cm、1744〜1745年、
ドレスデン国立古典絵画館、ドレスデン（ドイツ）

　召使いのように見える1人の少女が、1杯の水とチョコレートがなみなみと入った
コップが載った盆を捧げ持っている。当時の人々は、濃いホットチョコレートを1杯
飲んだ後、水で口直しをしたのである。ホットチョコレートは、貴族など社会の上流
層でなければ飲むことのできない高価な飲料で、催淫剤の成分があるとして爆発的
な人気を博した。この絵の少女は、身体を完全に横に向けて立っている。明るい光が
絵全体を包み込んでいるかのように、影はほとんど見えない。この美しい光の始点
となる窓は、彼女が持つ水のコップに反射して見えている。白いエプロンのしわは、
さわやかな朝日の光を受けるカーテンを連想させ、淡い無彩色の床と壁は、けばけ
ばしく目を刺激することのない静かな雰囲気を生み出している。
　リオタール（1702〜1789年）は、スイスのジュネーヴ出身の画家かつ画商としてヨー
ロッパ各地を転々とし、貴族の肖像画を主にパステルで描いた。長くイスタンブル
に滞在し、モデルをトルコ風に改めて描き、評判となった。

◎19世紀に設立されたオランダのチョコレート会社は、この絵にならい、看護師の身なりをした女性が、「ドロ
ステ」と書かれたコップにココアをたっぷり入れ、チョコレートの缶と一緒に持って立っている姿の商標を
つくって用い、世間の注目を集めた（右側の写真）。

100
TUE

盛期ルネサンス I

レオナルド・ダ・ヴィンチ《モナリザ》、木に油彩、77cm×53cm、1503年、
ルーブル美術館、パリ

《モナリザ》は、「リザ」という名前の女性を描いた絵だということがわかっている。イタリアでは「モナ」は貴婦人の呼称である。この絵のモデルとされるリザ・マリア・ゲラルディーニは、フィレンツェの富裕な商人フランチェスコ・デル・ジョコンドの妻と思われる人物で、「ラ・ジョコンド（ジョコンド氏の夫人）」とも呼ばれる。

だが、この絵はダ・ヴィンチの自画像、または彼の同性の恋人をモデルとしたという見解もある。完全な側面ではなく、身体をややひねった姿勢、頭の向こう側を消失点とした絶妙な遠近法、下が広く上が狭まるピラミッド構図などは、当時としては驚くほど革新的な技法であった。

しかし何よりも特徴的なのは、この絵がダ・ヴィンチによって、初めて「スフマート」という技法を駆使して描かれたことである。スフマートとは「煙のような」という意味のイタリア語で、人物や物体の輪郭線をにじんだように自然にぼかして、よりリアルに見せる技法である。この技法は、同時代、さらにのちの時代の画家にも大きな影響を及ぼし、平面の絵にほとんど完璧な立体感をもたらした。眉が描かれていないが、この当時は額が広いほど美女だと考えられていたため剃り落としたとか、未完成でまだ描かれていないという意見もあるほか、復元の過程で消されたという推測も出されている。

◎1911年には、イタリアのこの偉大な遺産がフランスにあるという事実に憤慨したあるイタリア人が、この絵を盗み出す騒動も起こった。しかし、あまりにも有名な作品なので、買おうと言う者がいなかったのか、《モナリザ》は売りに出されることもなく2年後に犯人の家で発見され、取り戻された。

101
WED

画家

アンリ・ド・トゥールーズ＝ロートレック

アンリ・ド・トゥールーズ＝ロートレック《鏡の前の自画像》、
ボール紙に油彩、40cm×32cm、1883年、
トゥールーズ＝ロートレック美術館、アルビ（フランス）

アンリ・ド・トゥールーズ＝ロートレック（1864〜1901年）は、フランス・アルビのトゥールーズ伯爵家の出身である。貴族一家の近親婚による禍［わざわい］は、ロートレックの一家でも受け継がれており、彼は幼い頃からとても虚弱な体質だった。10代で太ももの骨を折る事故を経験してから成長が止まり、152cmほどの低い身長で、杖がなくては歩くのも難しい身体となった。

　両親がそんな彼の手に筆を握らせたところ、幸いにもすばらしい才能があった。父は、彼がパリで美術の勉強を続けていけるように、学費や生活費はもちろんアトリエまで準備してやった。

　パリの夜は、キャバレー、劇場、性売宿の明かりに満ちていた。ロートレックはそれらに出入りしながら、性売女性らとともに夜を過ごし、しばしば彼女らの生きざまを描いた。彼はまた、劇場とダンサーなどの出演者を宣伝するポスターをリトグラフ▶088で描き、大いに評判を呼んだが、これは商業美術の始まりだとみることもできる。

　ロートレックは梅毒とアルコールに侵されて乱れた生活を続けたが、みすぼらしい生活を厚化粧で覆い隠して生きている性売労働者の女性たちの温かい友人となった。彼は結局、アルコール中毒で健康を害して生涯を終えた。わずか37歳であった。

102

THU

ファム・ファタル

フェルナン・クノップフ《愛撫》、キャンバスに油彩、50.5cm×151cm、1896年、ベルギー王立美術館、ブリュッセル

　「ファム・ファタル」とはフランス語で「運命の女性」という意味で、「命」にかかわるほどの魅力で男性を誘惑する女性を指し、その力は男性を破滅に導くという含意がある。ファム・ファタルは19世紀に入ってしばしば絵の題材となり、敵の将軍を誘惑してその首を切る聖書のユディト▶057,255や、裏切った夫に復讐するために息子を殺したメデイアをはじめ、この絵のようにスフィンクスとして登場することさえもあった。女性の顔にライオンの胴体といういでたちのスフィンクスは、古代エジプトの都市テーベの城壁のてっぺんから旅人に「朝は4つ足、昼には2つ足、夕方には3つ足で歩く動物は何だ？」と謎をかけ、言い当てられなければつかまえて食べてしまうという怪物である。この謎を唯一解くことができたのは、「人間」だと答えたオイディプスである。赤んぼうのときには4つ足で這い、成長すると2本足で歩き、歳をとると杖をついて3本足で歩くようになるからだ。

　ベルギーの画家フェルナン・クノップフ（1858〜1921年）は、ヒョウの胴体をしたスフィンクスを、男性を積極的に誘惑する姿として描き出した。じっと目をつぶってオイディプスに頬をすりつけ、片方の手で彼の服をはだけさせているようにも見える彼女は、すぐにでもオイディプスをつかまえて飲み込んでしまいそうな妖婦ファム・ファタルだということになる。《愛撫》は、《スフィンクスまたは芸術》というタイトルで呼ばれることもある。このスフィンクスの愛撫が、クノップフにとっては芸術と同じものだったのだろう。あなたなしには生きられないが、一緒に生きる以上はいつでもあなたを苦痛のどん底に引きずり下ろしてやるから、というわけだ。

◎クノップフは、このスフィンクスだけでなく、作品に登場する女性のほとんどを、自分の妹をモデルとして描いた。実のきょうだいでありながら、2人は近親相姦的な関係を続けた。

103

FRI

シャルルマーニュ、神聖ローマ帝国の初代皇帝

アルブレヒト・デューラー《皇帝シャルルマーニュ》、
パネルに油彩とテンペラ、215cm×115cm、
1511～1513年、ゲルマン国立博物館、
ニュルンベルク（ドイツ）

　しばしばカトリックの首長の呼称とされる「教皇」は、初期キリスト教の時代から、ローマ、コンスタンティノープル、イェルサレム、アンティオキア、アレクサンドリアの5箇所に建てられた大教区の司教に対する尊称であった。ローマ帝国が東西に分裂し▶089、さらに西ローマ帝国が滅亡すると、ローマ教区と、それ以外の東ローマ帝国の領内にある教区とは、互いに対立する状況となった。ローマ教区では、ペトロが主に活動して殉教したのはローマであり、彼の遺骸が安置された地もローマであるということを根拠に、ローマの司教だけが特別に「教皇」と呼ばれるべきだと主張した。

　教皇レオ3世は、かつての西ローマ帝国の領域を再び統一したシャルルマーニュ（カール1世）をローマの真正な継承者と認め、800年に「神聖ローマ帝国」の初代皇帝に任命した▶096。シャルルマーニュは教皇から正統性を付与された一方で、ローマ教区は、自分たちをおびやかす東ローマ帝国の権威に挑むための強固な支持基盤を得た。これ以後、東ローマのコンスタンティノープル総大主教とローマの教皇は、ことあるごとに衝突し、互いに破門して1054年に完全に決別するに至った。絵の中のシャルルマーニュが手にしている剣と球はそれぞれ権力と世界を、頭上の鷲とユリはドイツとフランスを意味している。

◎シャルルマーニュが手に握っている丸い球は世界、または宇宙の象徴で、あらゆるものを支配する者という意味をもっている。とくに十字架を載せているのは神を意味していて、彼がそのような権威をもつようになったことを暗示している。

104

SAT

ターナー、自分の作品を買う

ウィリアム・ターナー《靄［もや］の中をさしのぼる太陽（魚を洗い、売っている漁師）》、キャンバスに油彩、
134cm×179.5cm、1807年頃、ナショナル・ギャラリー、ロンドン

　イギリスが誇る画家ウィリアム・ターナー（1775〜1851年）は、自らが所蔵していた
すべての作品を国に寄贈するという遺言状を作成した。ターナーは数千点にのぼる
彼の作品の中で、この絵と《カルタゴを建設するディド》だけは、美術館で展示する
際には必ず、17世紀の画家クロード・ロラン（1600〜1682年）の作品と並べておくこと
を遺書に残した。これは、ロランに対する敬意であると同時に、そのような巨匠に自
分も肩を並べることができたということを誇示するものである。

　じつは、この作品は、イギリスの詩人で美術収集家、ド・タブリー卿が1827年に出
した競売目録の中の1点であった。この作品を限りなく愛していたターナーは、競売
に自ら参加し、480ギニー、当時にして約2540ドルで落札した。今では約6万5000ド
ル（約900万円）ほどの価格がつけられているので、かなり安く買うことができたと考
えることもできるが、ターナー自身の作品の中で、当時としては最高の落札価格で
あった。

105

SUN

ラオコオン

エル・グレコ《ラオコオン》、キャンバスに油彩、137.5cm×172.5cm、1610〜1614年、ワシントン国立美術館、ワシントンD.C.

　トロイア戦争の最終局面で、ギリシャ軍が置き捨てていった木馬を見て、怪しげな気配を察したトロイアの司祭ラオコオンは、木馬を破壊するよう警告した。すると、ギリシャ軍を手助けした女神アテナ（ミネルヴァ）の神殿から2頭の巨大な蛇が這い出し、ラオコオンの息子たちに覆いかぶさった。ラオコオンは蛇を必死で追い払おうとしたが、自分自身も蛇に巻きつかれてしまった。結局、トロイア人たちは木馬の中に隠れていたギリシャの兵士によって攻め滅ぼされた。

　ギリシャ出身ながら、ヴェネツィアやローマを経てスペインで活動したエル・グレコ（1541〜1614年）▶149は、1506年に発掘されてヴァチカン宮殿に展示されたラオコオン像▶037に大きな感銘を受け、この作品を制作した。絵の中央遠景に木馬が見える。その正面にある城門はトレドのビサグラ門で、エル・グレコが住んでいたトレドをトロイアとして描いている。怪しげな色の空と雲、ねじれた四肢と細長い身体、不吉な雰囲気は、イタリアのマニエリスム美術▶116, 149の影響を示している。

◎エル・グレコは太陽の光が嫌いで、彼自身はその理由を、明るい光が自身の内面を隠してしまうためだと語っていた。エル・グレコは、昼間でもアトリエのカーテンを閉め、ロウソクの光を頼りに絵を描いた。

106
MON

晩鐘

ジャン=フランソワ・ミレー《晩鐘》、
キャンバスに油彩、55.5cm×66cm、
1857～1859年、オルセー美術館、パリ

　ミレー (1814～1875年) は、当時としては珍しく、貧しく疎外された人々、とくに農民たちを主人公とした絵を描き、「農民画家」と呼ばれた。パリのごたついた生活から離れ、郊外のバルビゾンで大自然の風景を描いた画家グループを「バルビゾン派」▶261 と呼ぶ。彼らは、目に映るままの自然を絵に描くという点において、演出された自然を描いていたそれまでの時代の画家との違いを打ち出していた。ミレーもバルビゾン派の1人だったが、その自然の中にはいつも人、とくに農夫を主人公として配置したという点が、また異なっている。

　この絵は、ずっとジャガイモを掘っていた夫婦が、遠く教会から聞こえてくる夕方の鐘の音を聞いて、1日の仕事を片づけ、祈っている姿だ。彼はこの絵について、次のように語っていた。「かつて私の祖母が畑仕事をしている時、鐘の音を聞くと、いつもどのようにしていたか考えながら描いた作品です。彼女は必ず私たちの仕事の手を止めさせて、敬虔 [けいけん] な仕草で帽子を手に、『哀れむべき死者たちのために』と唱えさせました[18]」と。ミレーは貧しい農夫たちを前面に押し出したが、この絵でもそうであるように、農夫たちの日常をあまりにも平穏で高潔に描写し、美化しすぎているとの批判も受けた。

18　『もっと知りたい　ミレー』p.38 (1865年のミレーの言葉)。

107

TUE

盛期ルネサンスⅡ

ラファエッロ《アテナイの学堂》、フレスコ、500cm×770cm、1508〜1511年、ヴァチカン宮殿「署名の間」、ヴァチカン

　ミケランジェロが教皇ユリウス2世（在位1503〜1513年）に招かれてシスティーナ礼拝堂の天井に絵を描いていたとき[114]、ラファエッロもまた、ヴァチカン宮殿「署名の間」の壁面を絵で埋めていた。この絵はそのうちの1つで、古代の哲学者や数学者、天文学者ら54名の人物を描き込んでいる。当時行われていたサン・ピエトロ大聖堂の再建築の図面をもとにして構成した背景は、正確に左右対称をなしている。

　真ん中の2人の男性は、プラトンとアリストテレスである。長いひげのプラトンは、ラファエッロが尊敬していたレオナルド・ダ・ヴィンチをモデルとした。その2人の両側に並ぶ人物も、ほどよく左右のバランスを保っている。やや上寄りの壁の左側はアポロン、右側はアテナである。やはり左右のバランスがよい。

　ラファエッロは、教皇庁で一緒に仕事をしながら、いつも自分に非難の言葉を浴びせかけるミケランジェロとは、仲が悪かった。しかし、ミケランジェロが未完成の状態で《天地創造》の一部を公開した日、ラファエッロは作品を見て感動のあまり、すでに完成していたこの作品をあわてて修正した。下部で頬杖をついて考えに耽［ふけ］っている哲学者ヘラクレイトスを、ミケランジェロの姿で描き込んだのである。

◎絵の右端の白い服を着た男性のすぐ後ろで、黒いベレー帽をかぶって観者のほうを凝視しているのが、ラファエッロ自身である。

108
WED

レオナルド・ダ・ヴィンチ

レオナルド・ダ・ヴィンチ《自画像》、デッサン、33.3cm×21.3cm、
1510〜1513年（推定）、トリノ王立美術館、トリノ（イタリア）

レオナルド・ダ・ヴィンチ（1452〜1519年）は外見に恵まれ、ずば抜けたファッション感覚があっただけでなく、言行ともに非常に知的な教養人だったという。ただ残念ながら、彼が残した自画像は、この1点のみである。

ダ・ヴィンチが自画像を描いたのはミラノを離れてローマに移った時期だ、という記録を根拠に推測すると、この絵は、60歳前後の1510〜1513年に描かれたものと思われる。しかし、60歳にしてはずいぶんと老けて見える。

ダ・ヴィンチ研究者として主に彼の贋［がん］作を探し出している美術史家ハンス・オストは、この自画像がじつは19世紀に描かれた贋作だと主張している。その根拠としていくつかの点を指摘する。まず、ほかの画家がダ・ヴィンチを見て描いた肖像画とはまったく容貌が異なっている。また、ダ・ヴィンチが線を引くときの特徴的なやり方が見られない。そして、この絵が1845年以後、誰の手を経て今日に至っているのか、詳しい内実が公開されていない、という。ラファエッロの《アテナイの学堂》▶107 の中にダ・ヴィンチをモデルとして描いたプラトンの姿があるが、ハンス・オストによれば、ダ・ヴィンチの模作を多く描いていた画家がそのプラトンの姿を見てこの絵を制作し、「ダ・ヴィンチの自画像だ」と偽って、1845年にサルデーニャ王国のカルロ公爵に10年償還の分割払いで売ったのだというのである。

109

THU

点描法

ポール・シニャック
《七色に彩られた尺度と角度、
色調と色相のリズミカルな背景の
フェリックス・フェネオンの肖像》、
キャンバスに油彩、73.5cm×92.5cm、
1890年、ニューヨーク近代美術館、
ニューヨーク

　「新印象主義（ポスト印象主義）」は、19世紀後半、印象派[289]以後に登場したさまざまな美術様式の1つである。スーラ（1859〜1891年）[169]やシニャック（1863〜1935年）は、印象派の絵がそうであったように、パレットでは可能な限り色を混ぜず、キャンバスの上に色を並べて配置する方法をとった。しかも彼らは、印象派の画家のようにぽつぽつと途切れるような不規則にも見える線を用いるのではなく、小さな点を密に打つ方法を取り入れた。たとえば、赤と青の絵の具をパレットやキャンバスの上で混ぜたりせず、赤い点と青い点にしてぎっしりと並べていけば、はるかに彩度の高い、つまり明るく軽快な紫色が見えるようになる、というやり方だ。

　逆にいうと、点描法で描いた絵の画面は微細な点に分割され、色彩も純粋な原色に分割される。このことから、彼らは自分たちの絵を、「分割主義（ディヴィジョニスム）」と呼んだ。この絵は、シニャックらを印象派とは区別して「新印象主義」と呼んだ評論家、フェリックス・フェネオン（1861〜1944年）をモデルとした肖像画である。新印象主義（ポスト印象主義）は、一瞬の詩的な感覚の表現を重視する印象派がとらえられなかった、対象のもつ形態の重要性を改めて強調した。

◎スーラとシニャックは、ともに点描法を多用した画家である。スーラがすきまなくぎっしりと点を打つ手法であったのに対し、シニャックは、点と点の間に少し空白をとった。

110
FRI

宗教裁判

ペドロ・ベルゲーテ《異端者を裁くグスマンの聖ドミニコ》、パネルに油彩、154㎝×92㎝、1493～1499年、プラド美術館、マドリード

12世紀以後、教皇ルキウス3世（在位1181～1185年）は、異端宗派を処断するために宗教裁判を始めた。宗教裁判はとくにスペインで厳しく行われ、スペインを1000年以上も支配してきたイスラーム勢力を追放するために、とりわけ残忍きわまりないやり方で進められた。たとえば旧教（カトリック）の信奉者であったスペイン国王フェリペ2世（在位1556～1598年）は、新教（プロテスタント）の信徒が多いオランダなどの国々を支配する過程で、人々の間で湧き上がる不満を抑えつけ、新教徒を懲らしめるための手段として、宗教裁判を積極的に利用した。

このように、宗教裁判はヨーロッパ全域で、政敵排除のための方便として、あるいは残酷な見せ物に大衆の関心を向けさせて強烈な恐怖心を植えつけるために悪用された。この絵は、13世紀、ドミニコ修道会の創始者であるスペイン出身の聖ドミニクス（ドミンゴ・デ・グスマン）が、異端とされたアルビ派を火刑に処している場面である。ドミニクスは、自分たちの修道会の伝統的な服装である白い服に黒いマントを巻いている。彼は、生涯を純潔に生きたという意味で、手にユリを持っている。絵の左側には、やはりドミニコ会修道士の服を着用した男性が、異端者を引き連れている。右側は火刑式の場面だ。

スペインでは、イサベル2世の時代の1834年になって、ようやく宗教裁判が公式に禁止された。

111
SAT

ミラボー橋の下を
セーヌが流れるように

アンリ・ルソー《詩人に霊感を与えるミューズ》、キャンバスに油彩、
146cm×97cm、1909年、バーゼル美術館、バーゼル（スイス）

美術教育を受けていないアンリ・ルソー（1844〜1910年）▶136の独特な絵の世界を理解できたのは、詩人アポリネール（1880〜1918年）や画家仲間のピカソ（1881〜1973年）▶355ぐらいであった。この絵は、恋人同士のアポリネールと画家マリー・ローランサン（1883〜1956年）のために描かれたものだ。アポリネールは、ルソーの苦しい暮らしを少しでも援助しようと、この絵を快く購入した。

絵の中のアポリネールは羽ペンと紙を手に持っており、ローランサンは女神のように2本の指を立てて、祝福の姿勢をとっている。だが、永遠と思われた彼らの恋は、のちにアポリネールがパリを流れるセーヌ川の橋にちなんで歌った詩「ミラボー橋」に書いたように[19]、川の水のように流れ去ってしまった。

別離の後、ローランサンはドイツの貴族と結婚し、第一次世界大戦の最中にドイツ人の身分となったため、祖国フランスへの入国が許されず、スペインなどを巡って暮らした。アポリネールは大戦で出征して負傷し、スペイン風邪にかかって亡くなった。それから10年後、離婚したローランサンは、1929年になってようやくパリに戻った。アポリネールの詩が歌っているとおり、流れた時間も過ぎ去った恋も戻ってこないミラボー橋の下で、ローランサンは、青春時代の輝かしく美しい時間を思い起こしただろう。

19 「ミラボー橋」（『アポリネール詩集』pp.22-24）。

112

SUN

ユピテルとイオ

コレッジョ《ユピテルとイオ》、キャンバスに油彩、
163.5cm×70.5cm、1531〜1532年、
ウィーン美術史博物館、ウィーン

オウィディウスの『変身物語』による
と[20]、川の神イナコスとメリアの間に生ま
れた娘のイオは、ヘラ（ユノ）に仕える司
祭でもあった。ある日ゼウス（ユピテル）
は、妻のヘラからは見えないように、黒
雲であたり一面を包み隠したのち、イオ
の純潔を奪った。彼はその後で、イオを
雌牛に変身させてしまった。ヘラの疑い
から逃れるためである。しかし、ゼウス
の浮気を探し当てることにかけては達人
だったヘラは、その雌牛を自分への贈り
物としてもらいたいと頼んだ。ゼウスと
しては、断る理由がなかった。

ヘラは、もしや夫が雌牛に近づくので
はないかと恐れ、100個の目をもつアル
ゴスに命じて監視させた。ところがゼウ
スはヘルメス（メルクリウス）を遣わして、
けだるい笛の音でアルゴスを眠らせ、ほ
どなくイオを脱出させた。ヘラはその後、
アルゴスの目玉を取り出して大事に飼っ
ていたクジャクの羽の飾りにした▶056,077。

コレッジョ（1489頃〜1534年）が描いた黒
雲は、触ると手が濡れそうなほどリアル
な質感を誇っている。その暗がりにまぎ
れて、ちらりと顔を出しているゼウスが
イオに口づけをしている。男性画家によ
る多くの絵がそうであるように、イオは、
被害者であるにもかかわらず、むしろそ
の状況を楽しんでいるかのように描かれている。

20　『変身物語』巻1（上巻、pp.38-46）。

113

MON

ゆりかご

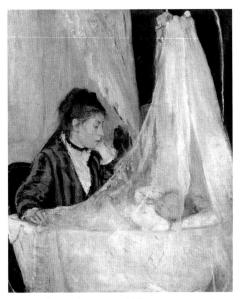

ベルト・モリゾ《ゆりかご》、キャンバスに油彩、56cm×46cm、1872年、オルセー美術館、パリ

ベルト・モリゾ▶080 は、印象派▶289 の画家のほとんどがそうであったように、自然の風景や同時代の人々の様子を観察して絵に描いた。とくに、家族の日常を好んで画面に取り上げた。この時代の女性にとって、社会の人々と自由に交流し、モデルとして描くことには、大きな制約があったからである。

　この絵の主人公は、ベルト・モリゾの姉エドマ・モリゾで、ゆりかごの中で眠る自分の子どもブランシュをじっと見つめている。モリゾ姉妹は、ともに美術を学び、サロン展▶226 にもともに絵を出品するほどであった。しかし、1869年、エドマはマネの友人である海軍将校のアドルフ・ポンティヨンと結婚し、当時の多くの女性がそうだったように、芸術家としての人生をあきらめざるを得なかった。

　絵の中のエドマの表情は、さまざまに解釈することが可能だ。愛する子どものためならどんなことでも投げ出そうとする母性、という見方ももちろんできる。しかし、画家への夢をあきらめた後のわびしさを子どもを見つめることによって慰めようとしている、という解釈もできる。斜線を描いて垂れ下がっているカーテンの合間にはっきりと描かれたエドマの姿と、かすかに描かれた子どもが、絶妙の対比をなしている。白い布地を彩る光がさまざまな色の饗宴を演じているが、決して派手さはない。この作品は、ベルト・モリゾが唯一の女性として参加した第1回印象派展の出品作のうちの1点である。

114
TUE

盛期ルネサンスⅢ

ミケランジェロ・ブオナローティ《天地創造》、フレスコ、1341cm×4023cm、1508〜1512年、システィーナ礼拝堂天井、ヴァチカン

　ミケランジェロ▶052は、教皇ユリウス2世の命を受けて、縦横がおよそ13m×40mという大きさの天井に絵を描いた。作業には約4年という時間がかかったが、実際には驚くべき早さだった。経費支払いの問題で14ヶ月間も作業が中断した上に、ミケランジェロにはフレスコ画▶207を描いた経験がほとんどなく、ラファエッロのような当時のほかの画家と異なって助手の作業補助も少なかった。こうした事情を考え合わせると、ミケランジェロの制作スピードはほとんど神業に近い。

　彼は、自分でつくった高さ18mの足場に登り、広い天井に300人をゆうに上回る数の人物を描いた。遠くから見ると建築物の一部のようにも見える間仕切りも、すべて彼が描き入れたものだ。中央には『創世記』の9つの場面が、両側の正方形に区切られた空間には神話や聖書の中の人物を扱った10の場面が描かれている。三角形のスパンドレルとそれを支えている半円形の空間にも、イエスの祖先や預言書の内容が描かれている。スパンドレルの上側にはブロンズ色のヌード像が、また中央の『創世記』の場面には教皇ユリウス2世の家門の象徴である樫の実で飾られた青年のヌード像が描かれている。

◎画面の上の端に見える預言者はエレミヤで、あごを手で支えて長靴を履いている（右の拡大図）。ミケランジェロは、ラファエッロが《アテナイの学堂》▶107で自分をモデルにヘラクレイトスを描いたのを見て、ぶつくさと文句を言いながらも内心は満足していたようで、ここにそのまま取り入れているのである。

115
WED

アルブレヒト・デューラー

アルブレヒト・デューラー《傷痕のある自画像》、紙に水彩画、ペン、インクで描いたデッサン、10.8cm×11.8cm、1509〜1511年、ブレーメン美術館、ブレーメン（ドイツ）

アルブレヒト・デューラー《自画像》、パネルに油彩、67cm×49cm、1500年、アルテ・ピナコテーク美術館、ミュンヘン（ドイツ）

「この黄色い点のあるところ、私が指差しているところ、そこが痛い」という文言とともに描かれたアルブレヒト・デューラー（1471〜1528年）の自画像デッサンは、あたかもイエスが復活し、自分の左の脇腹にできた傷痕を指差している姿のようにも見える。ただし、イエスの傷痕は右の脇腹にあった▶294, 308。

1500年、満29歳のデューラーが描いた自画像を見ると、実際、自分をイエスと同一視するような妄想がいくぶんあったように思われる。中世のイコン画▶039の伝統では、完全に正面向きとなるのはイエスまたは神を描くときのみであったため、ほとんどの画家は、肖像画、ましてや自画像をこのような姿勢で描くことはなかった。服の衿を持つ彼の手のポーズも、やはり祝福をもたらすイエスを連想させる。彼は、世界を創造した神のように、創造者としての芸術家であることを自負していた。

ドイツ・ニュルンベルクに生まれた彼は、美術家がイタリアでは人文学者に劣らず尊敬されているのに比べて、故郷の村では、単に手先が器用な技術者程度にしかみなされず、その時代遅れの感覚に不満を覚えた。彼は、ドイツの画家としては初めてイタリアに留学し、故郷の村に戻ってからは、途方もない名声を極めることとなった。

◎デューラーは、油彩の作品よりもはるかに安価な版画作品を大量に生産・販売して莫大な富を築き、ニュルンベルクの市議会議員まで務めた。

116
THU

マニエリスム

パルミジャニーノ《長い首の聖母》、パネルに油彩、315cm×219cm、1534〜1539年、ウフィツィ美術館、フィレンツェ

ルネサンスの全盛期が終わった16世紀前半から、17世紀のバロック時代に入るまでを、「後期ルネサンス期」と呼ぶ。この時代は、前の時代の巨匠たちの作業の「やり方＝manner」をなぞっただけだ、という否定的な評価の観点から、「マニエリスム」の時代（マンネリズムmannerismと同一語源）と呼ばれてきた。

しかし、この時期こそ、画家たちが自分だけの主観的で独創的な「やり方」を探し出した時期であった。彼らは、レオナルド・ダ・ヴィンチ、ミケランジェロ、そしてラファエッロのような巨匠たちの「やり方」にならいながらも、形態や色を変形させ、歪曲・誇張し、斜線を用いたり複雑で破格的な構図で画面を構成したりしつつ、刺激的な色彩の上に多義的で含みのある表情の人物を登場させた。

イタリアのマニエリスムを先導したパルミジャニーノ▶087のこの《長い首の聖母》は、首はもちろん、身体全体もあまりに長く見える。画面の左側には誰を描いたものか判然としない人物が詰め込まれている一方で、右側は1人の聖者が巻紙を持って立っているだけで、がらんと空いている印象を受ける。この絵は未完成で、右側の柱は上下の大きさが合っておらず、背景の彩色も十分に仕上げられていない状態だ。長い首の聖母は、乳首の輪郭まであらわで、妙に官能的である。やはり子どもにしては身体が長いイエスは、マリアの膝の上から今にも転げ落ちそうで落ち着かない。

117

FRI

十字軍戦争

ウジェーヌ・ドラクロワ《十字軍のコンスタンティノープル入城》、キャンバスに油彩、410cm×498cm、1840年、ルーブル美術館、パリ

　キリスト教勢力をおびやかしていたイスラーム勢力、セルジューク朝のトルコ系民族の集団が、キリスト教最高の聖地であるイェルサレムを占拠した。これを脅威と感じた西ローマの教皇ウルバヌス2世（在位1088〜1099年）は、ビザンツ帝国の皇帝に助けを求め、ともにイスラーム勢力をしりぞけようと提案し、十字軍戦争の勃発を導いた。200年間続いた長い戦争は、最初こそ宗教上の大義名分があったものの、結局のところ根本的な動機は、地中海の貿易圏や領土を確保しようという世俗的な欲望にすぎないことが露見していった。

　第4回十字軍戦争を戦うためにヴェネツィアに集結したフランスの騎士たちは、想定を外れて、同じキリスト教国家であるビザンツ帝国の首都、コンスタンティノープルを侵略した。ビザンツ帝国のアレクシオス（4世）王子が、皇帝の座を簒奪［さんだつ］した叔父を懲らしめて王権を取り戻すことができれば厚く謝礼を施す、と要請したからである。十字軍は王子の願いをかなえたが、王子が約束の謝礼を支払うことが難しくなったとたん、十字軍は暴徒となって都市を焼き払い、容赦なく略奪した。非理性と狂気が乱舞したこの侵略の場面を、ドラクロワ▶299は、彩度の低い色づかいで表現している。

フランシスコ・デ・ゴヤ《裸のマハ》、キャンバスに油彩、97㎝×190㎝、1799〜1800年、プラド美術館、マドリード

　ヌードの女性がこんなにも挑発的なポーズで鑑賞者をじっと直視している絵は、ゴヤ（1746〜1828年）▶007, 278, 292 の《裸のマハ》以前にはほとんどなかった。しかも、絵の主人公は神話の中の8頭身の美女ではなく、そのあたりにいそうなマハだという点も、衝撃的だった。「マハ」とは、ファッション感覚の優れたおしゃれな女性の呼称で、男性は「マホ」と呼ばれる。もとはスペイン南部のアンダルシア地方に住んでいたロマたち（いわゆる「ジプシー」）を指す言葉だったが、次第に「財産がなくても華麗に着飾って歩く遊び人たち」を意味するようになり、彼らのファッションが貴族の間でも流行するにつれて、「おしゃれな人々」という意味へと拡張されていった。

　大理石に肌の色をつけただけのような古典的な美しさのヌード画とは異なり、ちょっと体毛まで描き加えられているこの大胆なヌード画は、カルロス3世の時代の宰相、マヌエル・ゴドイ（1767〜1851年）のヌード画コレクションに含まれていたものである。ゴドイは、王に代わって国政の実権を握り、ついには王妃の心までも掌握した宰相として知られている。《裸のマハ》は、数年後に制作された《着衣のマハ》とペアになっており、19世紀のある文献によれば、《裸のマハ》の上に《着衣のマハ》が重ねて掛けられていたという。

　この絵は、誰がモデルなのかについてのさまざまな風聞と推測を呼んでいることでも有名だ。まず候補に挙がっているのは、一時ゴヤと交際していたアルバ公爵夫

スキャンダル

「マハ」とは誰なのか

フランシスコ・デ・ゴヤ《着衣のマハ》、キャンバスに油彩、97cm×190cm、1800～1803年、プラド美術館、マドリード

人である。公爵夫人はしょっちゅうゴヤの家に出入りし、夫には「ゴヤが自分の姿を描いているのだ」と言いつくろっていた。たしかにゴヤは、彼女をモデルとした絵を描いてはいる。しかし、こんなにも開けっぴろげの全身ヌード画であったとは、夫は知るよしもなかった。しばらくして何も知らない公爵が、「今まで描いていた絵を見せてほしい」と頼んだため、あわてたゴヤが急いで描いた絵が《着衣のマハ》だ、というのである。だがこの説は、少し信憑性に乏しい。その決定的な理由は、絵を見せてほしいと頼んだはずのアルバ公爵が、1796年、つまり絵が描かれてもいない時点で、すでに亡くなっているという点である。

　絵のモデルについてのもう1つの推測は、宰相ゴドイの隠れた恋人ペピータ・トゥドーだろう、というものだ。ゴドイと王妃マリア・ルイサは世間の誰もが知る内縁関係だった。しかしゴドイは王妃の命令でスペイン・ブルボン家のマリア・テレサと結婚し、彼女の死後ペピータと再婚したからだ。そのほかにも、絵のモデルがアルバ公爵夫人なのは確かで、彼女はゴヤだけでなくゴドイとも内縁関係にあったのだという推測まで出されている。しかし、政治権力の関係から見れば、ゴドイとアルバ公爵は、互いに不倶戴天の政敵であった。

◎さまざまな噂に悩まされたアルバ公爵家の子孫たちは、公爵夫人の墓までも掘り返したが、そのとき検屍官が、この絵はアルバ公爵夫人に似ているという意見を出したせいで、改めて嵐が吹き荒れることになった。

119

SUN

ユピテルとテティス

ジャン・オーギュスト・ドミニク・アングル《ユピテルとテティス》、
キャンバスに油彩、327cm×260cm、1811年、グラネ美術館、
エクサンプロヴァンス（フランス）

ゼウス（ユピテル）とポセイドン（ネプトゥヌス）の2人の神は、海の女神テティスの愛を巡って競い合った。しかし2人は、「テティスから生まれる息子は父親よりも強くなるだろう」という神託を聞いて、テティスを人間と結婚させた。そこで生まれた子どもが、トロイア戦争の英雄アキレスだ。

この絵は、テティスがユピテルのもとを訪れ、トロイア戦争に参加した息子が戦死しないようにしてほしい、と頼み込んでいる様子を描いている[21]。絵の左側で笏［しゃく］を持ってちらっと顔を出している女性は、ヘラ（ユノ）だ。大きく描かれたユピテルは、堂々とした威厳のある姿で正面を向いている。ユピテルの左手側には、彼を象徴する鷲が「今度は何を願い出ておるのだ」とでも言うように、テティスをにらみつけている。

テティスは、遠近法を知らない画家が描いたかのように、むやみに小さく描かれている。美しくやわらかな身体つきが魅惑的ではあるが、よく見ると背中が長すぎる。アングル（1780〜1867年）は女性のヌードを、ギリシャの古典彫刻のように、リアルでありながらも理想的に美化して描いた。ただし、客観的な美しさというよりは、彼自身が美しいと考える主観的な観点に基づく人体描写である▶[179]。この作品は、アングルがフランス美術アカデミーの奨学生に選ばれ、ローマに留学したのち、最終課題として制作したものである。

21　『イリアス』第1歌488〜530（上巻、pp.34-36）。

120

MON

オランピア

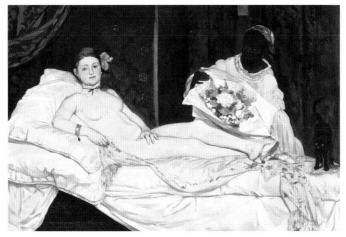

エドゥアール・マネ《オランピア》、キャンバスに油彩、130.5cm×190cm、1863年、オルセー美術館、パリ

　「オランピア」というのは、当時、歓楽街の性売女性の間で流行した芸名である。召使いの黒人女性が花を手渡しているのは、客が来たことを意味している。オランピアの足元で尻尾をすっと立てている猫が、このベッドでまもなく起こることを予言しているかのようだ。当時の人々は、サロン展▶226で性売女性が客を迎えている場面まで見るようになった、と激怒した。ティツィアーノの《ウルビーノのヴィーナス》▶128やゴヤの《裸のマハ》▶118などの名画を参考にして描いたのだと、マネがどんなに弁解をしても、騒動は収まらなかった。

　絵のモデルは、《草上の昼食》▶275の中の人物と同じくヴィクトリーヌ・ムーランである。完璧に理想化された身体つきで描かれる女神たちとはまったく異なり、あまりにも現実的な身体表現だという点も、人々を当惑させた。加えて、相手をまっすぐに見つめる目つきにも、絵を見る鑑賞者への配慮はまったくない。身体の輪郭線ばかりが目につき、自然でやわらかな量感を表現できていないとして、マネの絵の腕前を非難する声も少なくなかった。しかしマネは、対象に明るい光が当たると、細かなところはむしろ目に入らなくなる事実を、自らの目で把握し、表現しただけだ。

◎観客たちがこの絵をステッキなどで傷つけようとしたため、サロン展の主催者側は、それらが届かない高い壁面にこの絵を移動させざるを得なくなった。

121
TUE

ドイツ地域のルネサンス

ルーカス・クラーナハ（父）《アダムとイヴ》、パネルに油彩、
各172cm×63cm、167cm×61cm、1528年、ウフィツィ美術館、フィレンツェ

あからさまに人のヌードを描くことができるだけでなく、宗教的な教訓という大義名分も満たすことができるアダムとイヴのエピソードは、ヌードを描かせたいパトロンも、描きたい画家も虜［とりこ］にしてしまう、人気テーマであった。

古代ギリシャの美学の影響を残すイタリアの美術が、人体をできる限り自然に描写しながらも理想化して表現しようとしたとすると、オランダやドイツなどアルプス以北の地域の画家たちは、現実的でありかつ平凡でもある身体描写を行った。

クラーナハ（1472〜1553年）▶178が描いたやせ気味のイヴは、リンゴを一方の手のひらに載せている。リンゴには、彼女がかじりついた跡がはっきりと見える。イヴは、一方の足を前に軽く踏み出して曲線を強調するコントラポスト▶030の姿勢をとっている。彼女は理想的に美化された身体表現ではなく、むしろ露骨で官能的である。

アダムは、一方の手で頭をかきながら、両脚もきまり悪そうな姿勢をとっている。罪を犯したはずのアダムの純真さを強調したもので、人類の原罪は女性から始まった、という昔の考え方をそのままなぞった表現だ。

122

WED

メアリ・ビール

メアリ・ビール《夫と息子との自画像》、
キャンバスに油彩、63.5cm×76.2cm、
1663〜1664年、ジェフリー博物館、ロンドン

　メアリ・ビール（1633〜1699年）は、イングランド東部のサフォーク出身で、アマチュア画家であった父親から絵を学んだ。メアリは、織物商人でありアマチュア画家でもあったチャールズ・ビールに出会い、彼の熱烈な求愛を受けて、18歳で結婚した。夫チャールズは公務員になったが、まもなく失職した。その頃から夫は、多才な妻メアリが画家生活に没頭できるよう協力を続けた。チャールズの協力は徹底しており、誰がメアリのもとを訪問してどんな話を交わし、どんな絵の注文を受けて、どれくらいの値段でどのように描いたのかに至るまで、あらゆる事柄の記録を30冊以上のノートに残している。

　この絵はメアリの家族肖像画だが、妻の従順さが強調された当時の一般的な家族肖像画とは、違った感じを受ける。絵の中の彼女は自分自身を手で指し示しており、このような絵を描くことができるのはこの私だ、と誇示するような姿だ。夫は子どもの手をとり、肩を抱いていて、育児は妻ではなく夫の役割だと示しているようにも読み取れる。この子どもは、メアリとチャールズの間の2人目の子どもで、長子のバルトロメオが死んで1年後に生まれ、兄から受け継いだ名前をつけられている。

123

THU

木版画

アルブレヒト・デューラー《四人の騎士『ヨハネの黙示録』)》、木版画、
39.4cm×28.1cm、1498年、大英博物館、ロンドン

　木版画の制作は、まず木を平ら
に削って整え、そこに下絵を描く
ことから始まる。続いて、余白を
すべて彫刻刀などで削り落とし、
線として残す部分を彫り出した上
で、絵の具をつけて紙に押しつけ
る。家庭でよく見る木製の判子と
同様と考えればよい。基本的に木
地を彫刻刀で彫り出さなければな
らないので、太めの直線が多く、
重厚で素朴な印象を与える表現に
なる。

　木版画は、15世紀初めに大流行
した。これはデューラー▶115の成
功によるところが大きい。パネル
やキャンバスに油彩やテンペラな
どで描いた絵は、それなりの上流
層でなければ所有できない高価な
芸術品であった。しかし、数十枚、
数百枚と刷り出すことができる版
画は、相対的に安価なので、その
需要は大衆の間で爆発的に増大した。デューラーは、15世紀が終わろうとする1498
年頃、世紀末の定番メニューといえる終末論のせいで民心がざわついていた時期に、
『ヨハネの黙示録』の内容を15枚の木版画として制作し、本をつくった。この絵は、
そのうちの1点である。4人の騎士は『ヨハネの黙示録』第6章第1節から第8節で紹
介されている。彼らは疫病や戦争、飢饉や死によって世界を滅ぼす者たちであり、そ
の象徴として弓、剣、秤［はかり］、三叉の鉾［ほこ］を持っている。

◎中央左下寄りにいる、がりがりにやせ細って三叉の鉾を持った騎士（一般的には鎌を持つことが多い）は、死
　を象徴している。彼が乗っている馬の下には、竜が力いっぱいに口を広げ、その中に教皇が飲み込まれていく
　姿が見える。デューラーもやはり、教皇の腐敗には批判的な立場であった。

124

FRI

ペストの大流行

ティツィアーノ・ヴェチェッリオ《聖マルコの即位》、キャンバスに油彩、230cm×149cm、1510年、サンタ・マリア・デッラ・サルーテ聖堂、ヴェネツィア

「黒死病（ペスト）」と呼ばれたこの致命的な伝染病は、14世紀のヨーロッパの人口を30〜60％も減少させた。農業人口の減少によって封建制度の崩壊が加速したほか、ユダヤ人たちが病気をうつすのだといったフェイクニュースまで登場し、人種差別が激化したりもした。

不安にとらわれた人々が教会に詰めかけ、奇跡に対する渇望を募らせる中で、治癒の聖者を称えるための聖堂の建築とイメージの制作が急速に広がっていった。

この絵は16世紀にペスト退散を祈念して制作されたもので、現在はサンタ・マリア・デッラ・サルーテ聖堂に掲げられている。絵の中央は、ヴェネツィアの守護聖人、マルコである。下の左側は、赤色の服を着た聖コスマスと金色の服を着た聖ダミアヌスで、この2人は双子の外科医師である。右側の半裸の聖人は聖セバスティアヌス[079]で、矢を射られる刑罰を受けた。彼の身体の傷痕は、黒死病でできる斑点を思い起こさせる。その奥はペストやその他の伝染病を追い払う聖ロクスで、ティツィアーノ[220]が自分の顔をモデルとして描いたという説がある。

125
SAT

ヨハネか、マグダラのマリアか

レオナルド・ダ・ヴィンチ《最後の晩餐》、フレスコ、460cm×880cm、1498年、サンタ・マリア・デッレ・グラツィエ聖堂、ミラノ

　聖書で最もドラマティックな「最後の晩餐」の場面は、主に修道院内部の食堂の壁面などに描かれた。ダ・ヴィンチのこの有名な絵も、ミラノのある聖堂の修道院食堂に描かれたもので、ひどく損傷していたが近年に復元修理が行われた。ダ・ヴィンチは、調和と秩序、均衡を愛したルネサンスの画家らしく、中央のイエスを中心として両側に各3名の2グループずつを配置し、室内空間も厳格に左右対称とした。イエスの背後には窓を置き、後光を描かなくてもイエスの存在に視線が集中するようにした。イエスの右手側には、逆三角形の空間を隔てて愛弟子のヨハネが座っている。その隣にはペテロが寄り添っている。

　アメリカの小説家ダン・ブラウンは小説『ダ・ヴィンチ・コード』で、美しい外見のヨハネを「マグダラのマリア」▶252 として設定し、彼女がイエスとの間に子どもまでつくったという仮説を展開した。実際、多くの画家が「最後の晩餐」の場面で、イエスの胸元に身をすり寄せる美形の人物としてヨハネを描いている。これは、『ヨハネによる福音書』(13章21節、20章2節など)において、「イエスの愛しておられた者」という表現が見えることによる。想像力豊かな画家たちは、〈愛されるヨハネ〉を同性愛のコードと解釈し、女性的イメージを帯びた美しいヨハネを描いた。

◎小説『ダ・ヴィンチ・コード』の作中で、この絵は、「マグダラのマリア」の存在を知ったペテロが、ナイフで彼女を脅す場面として説明されている。しかし、ペテロは単に肉をスライスするためにナイフを持っているだけかもしれない。あるいは、最後の晩餐が終わった後にイエスが兵士に連行されるとき、ペテロが火のように怒ってローマ兵の耳を切り落としてしまうが、そのことを暗示するしかけとも見ることができる。

126
SUN

水浴のディアナ

フランソワ・ブーシェ《水浴のディアナ》、
キャンバスに油彩、56cm×73cm、1742年、
ルーブル美術館、パリ

　ゼウス（ユピテル）は、妻のヘラ（ユノ）に内緒でレト（ラトナ）と密会していた。レトが双子を妊娠したことを知ったヘラは、天罰を下してどの場所でも子どもを産めないようにした。するとポセイドン（ネプトゥヌス）は海の中に島を湧き上がらせ、その場所でレトに子どもを産ませた。この子どもが、月の女神アルテミス（ディアナ）と太陽の神アポロン（アポロ）である。アルテミスは、若くして処女として生きることを決心した。彼女は生涯男性を遠ざけ、人里離れた場所で狩りをして過ごしたため、「狩猟の女神」であり「処女の女神」ともされた。

　絶対君主として知られる国王ルイ14世（在位1643〜1715年）▶236死後のフランスでは、貴族の力が再び強まっていく中で、官能的で享楽的な美術が発達していった▶184, 198。この絵もまた、神話の一場面だという触れ書きこそ立派だが、結局は裸体を見たいという欲望の対象として、水浴の後に身体を乾かしている2人の女性を描いているにすぎない。アルテミスは、自分に付き従うニンフ（山川草木や町などの精を擬人化した女神）たちにも男性とはいかなる接触もしてはならないと命じていた。このことは、彼女らの間に同性愛が存在したという想像も生んだ。この絵から独特の雰囲気が感じられるのも、そうした理由からだ。

　アルテミスが頭につけている三日月型の装身具は、彼女が「月の女神」であることを想起させる。また、右側にある獲物や左側にある矢筒は、「狩猟の女神」であることを想起させる。左側にはアルテミスに忠実に従う狩猟犬もいる。

127
MON

洗礼者ヨハネ

レオナルド・ダ・ヴィンチ《洗礼者ヨハネ》、パネルに油彩、69cm×57cm、1513〜1516年、ルーブル美術館、パリ

フィレンツェで成長したレオナルド・ダ・ヴィンチは、主にミラノで活動し、生涯の最後はフランスで過ごした。彼のミラノ滞在時代、公国の指導者ルドヴィーコ・イル・モーロ▶064 は、ダ・ヴィンチにブドウ畑を与えた。ダ・ヴィンチはその畑を耕していた小作農の息子、ジャコモ・カプロッティ（1480〜1524年）にすっかりのめり込んでしまった。

美しくてしなやかで、やわらかな外見のジャコモは、さらさらと揺れる金色の縮れ髪で、ダ・ヴィンチの心を惹[ひ]きつけた。ジャコモは10歳のときからダ・ヴィンチの画室で絵を学び、40歳を越えて師匠が亡くなった後、ようやくダ・ヴィンチのもとを離れた。盗癖があり、乱暴沙汰が常であったため、師匠であり恋人でもあったダ・ヴィンチは、彼を「サライ（小悪魔）」というあだ名で呼んだ。この絵の主人公は、サライをモデルとして描いた洗礼者ヨハネで、『マタイによる福音書』3章4節に記されたとおりにラクダの毛皮の服を着て、洗礼者にふさわしく木の十字架を持っている。荒野を駆けずり回って説教し、過酷で苦難の多い人生を送った洗礼者ヨハネが、どうしてこんなにも美しく優しく、魅惑的な微笑で鑑賞者を誘惑することができるのか。モデルに対する画家の深い愛情に起因すると考えれば、その疑問は氷解する。新プラトン主義（古代ギリシャのプラトンの哲学に立脚しつつ、神秘主義的思想も取り入れた一派）の思想に強く影響された多くのルネサンスの美術家たちは、〈立派で偽りのない者は、その姿かたちも美しい〉という考え方を、作品の中でも好んで展開したのである。

◎ダ・ヴィンチはフランスに旅立つ際、この作品と《モナリザ》▶100、《聖アンナと聖母子》▶196 をともに持参した。これらの作品が、イタリアではなくフランスのルーブル美術館に所蔵されている理由である。

128

TUE

ヴェネツィア・ルネサンス

ティツィアーノ・ヴェチェッリオ《ウルビーノのヴィーナス》、キャンバスに油彩、119cm×165cm、1538年、ウフィツィ美術館、フィレンツェ

　イタリア貴族の邸宅の寝室に見える場所で、1人の女性がこちらを眺めている。少なくとも19世紀まで、まるで何かの言い訳のように「ヴィーナス」と名づけられたヌードの女性たちは、それとなく顔を背けたり、自分の視線を手で隠したりするのが一般的であった。しかしティツィアーノ▶220が描いたヴィーナスは、絵の前に立つ鑑賞者に挑発的な視線を投げかけ、裸体を見たがっている鑑賞者に戸惑いを覚えさせる。

　ティツィアーノは、ヴェネツィア出身の画家たちがそうであったように、光とそれによる色の変化を緻密にとらえることに優れており、絵に手を触れたくなるほどリアルな質感の処理にも長けていた。敷いているシーツや枕などは、やわらかさの感じまでそのまま伝わってくるようだ。彼女が身体を動かせば、しわの寄るシーツから音さえ聞こえてきそうで、視覚だけでなく触覚や聴覚も刺激される。魅惑的なヴィーナスの肌合いも、細かなトーンで色を変化させていて、やわらかさがそのまま指先に伝わってくるかのようである。この絵は、イタリア・ウルビーノの公爵であるグイドバルド・デッラ・ローヴェレの結婚を記念して制作されたものだ。

◎背景の右側で1人の召使いの女性が引っかき回しているチェストは、当時流行していた婚礼用の家具だ。窓辺にはミルテ（銀梅花）の植木鉢が見える。この木はヴィーナスを象徴するものだ。横たわっている女性が手にしているバラの花も、やはりヴィーナスを、すなわち愛を意味している。

129
WED

ポール・ゴーギャン

ポール・ゴーギャン《黄色いキリストのある自画像》、キャンバスに油彩、38cm×46cm、1890〜1891年、オルセー美術館、パリ

　フランス革命▶271以後、共和派の新聞『ナシオナル』の主筆として働いていたゴーギャンの父は、情勢が悪くなったため、家族を引き連れて南米に亡命することを決心し、ペルーへと旅立った。しかし父親がその船中で亡くなると、残る家族は異郷で5年間の過酷な生活を送ったのち、再びフランスに戻った。

　成人したゴーギャン(1848〜1903年)は、パリの証券取引所で働き、デンマーク出身の妻と結婚して5人の子どもをもち、平凡な会社員人生を送るかのように思われた。ところが34歳になった年、彼は、趣味として習っていた絵を職業とすることにした。経済恐慌で失業したせいもあるが、美術に対する欲望を捨てることができなかったためでもある。以後の彼は、無責任なまでに家庭をほったらかしにした。妻が子どもを連れて実家のある母国に戻ってしまってからは、ゴーギャンはフランス西部のポン=タヴァンで、仲間たちと一種の芸術家共同体をつくって暮らした。また、西インド諸島のマルティニーク島に滞在したりもした。そしてゴッホのいたアルルなど、さまざまな場所を遍歴して、南太平洋のタヒチで亡くなった。

　ゴーギャンがあえて黄色のキリストを背景として自画像を描いたのは、自身を救済者と同一視する芸術的自負心によるものだろう。右側の奇妙な文様の壺は、欲望と感情に忠実な人間としての自身を描いたものと解釈できる。

130
THU

崇高

カスパル・ダーフィト・フリードリヒ《海辺の修道士》、キャンバスに油彩、110cm×172cm、1809〜1810年、
ベルリン国立美術館、ベルリン

　絵の4分の3以上を埋めているのは、空と海だ。その広々とした自然に、1人の修道士が向き合っている。絵を見る者はこの修道士と同様、圧倒的な自然を前にして畏[おそ]れを覚えると同時に、その中に吸い込まれてしまいそうな衝動も覚える。形容しがたく巨大な自然の力の前で、ますます無力でちっぽけな存在となったわれわれが感じるのは、悲しみや孤独にも連なる感情だ。人間という有限の存在は、この無限の自然の中では1つの点にすぎない。畏れを感じながらも、ただそれだけにはとどまらない不思議な憧憬を伴う複雑な感情は、美術では「崇高」と表現される。

　フリードリヒ (1774〜1840年) は、ドイツ北東部、バルト海沿岸のグライフスヴァルトという小さな港町で生まれた。彼は幼くして母と姉妹を病で亡くし、さらに弟まで事故で溺死して失ってしまった。そうした一連の事件は、彼を鬱[うつ]の性向に成長させていった。デンマークのコペンハーゲンで美術を学んだのち、ドイツのドレスデンに滞在して制作活動を行った。フリードリヒは風景画家ではあるが、自然そのものを見たままに描写するというよりは、この絵のようにこみ上げてくる感情を描写することに重きを置いた。

131

FRI

百年戦争

ジャン・フーケ《フランス王シャルル7世の肖像》、パネルに油彩、86cm×72cm、1444～1451年、ルーブル美術館、パリ

百年戦争は、1337～1453年の100年以上にわたり、フランスの王位継承問題を巡って、イギリスとフランスの間で行われた戦争である。イギリス・フランス両国の王家は、度重なる政略結婚によって同一家族に近い関係にあったため、王位継承問題はいっそう複雑な様相を帯びることとなった。

百年戦争の発端は、フランスのシャルル4世の死後、そのいとこであるフィリップ6世が、フランス王位の継承権を主張していたイギリス国王エドワード3世をしりぞけ、フランス国王となったことにあった。だが、同じような問題は、戦争の終盤にも繰り返された。

精神を病んでいたフランスのシャルル6世が亡くなったのち、その子のシャルル7世（1403～1461年）と、シャルル6世の娘婿でイギリス国王のヘンリ5世（1387～1422年）が、フランス王位継承候補者として対立することとなった。シャルル6世の王妃イザボーは、自分の娘の婿であるヘンリ5世が王位を継承すべきと主張し、シャルル7世の父がじつはシャルル6世ではない可能性まで示唆した。さらにフランス東部のブルゴーニュ公国もこの時点ではイギリスに味方をしたため、シャルル7世は四面楚歌の状態となった。

しかし、彗星のように現れたジャンヌ・ダルクが戦争を勝利に導き、シャルル7世が最終的にフランス王位についた。ところがシャルル7世は、自分を助けたジャンヌ・ダルクがイギリスに捕えられても自分自身の地位の安定を重視し、彼女の身柄を保護することもなく放置して、結果的に彼女は異端審問を受けて火刑に処された。そののち、シャルル7世はブルゴーニュと再び同盟を結び、パリやフランス北部のルーアンなどを回復した。そして1453年、百年戦争はようやく幕を下ろした。

132

SAT

1本の電話が変えた
ミュシャの人生

アルフォンス・ミュシャ（サラ・ベルナール出演）
《ジスモンダ——ポスター》、リトグラフ、
216cm×74.2cm、1894年、個人所蔵

サラ・ベルナール（1844〜1923年）は、富裕層を相手にする性売女性の私生児として生まれた。父親は最期まで自分の存在を明かさなかったが、学費や生活費などは送り続けていた。ベルナールの家庭では、彼女を修道女として育てようとしたが、歌唱力がずば抜けていたため、パリの音楽学校に入学することになった。そしてフランスの国立劇団であるコメディ・フランセーズで演劇の指導を受けた。彼女は、短期間のベルギーでの活動中、ある貴族の愛人となって息子を産んだが、家族の反対で結婚には至らず、パリに戻った。その後はしばらく放浪生活を送ったが、まもなく演劇で大成功し、瞬く間に有名人になった。

一方、1894年のクリスマスの翌日、同僚たちが休暇で誰もいない事務室にかかってきた1本の電話をとったと伝わるミュシャ（1860〜1939年）もまた、人生大逆転の逸話を残すことになった。電話の声の主はベルナールだ。彼女は電話に出たミュシャに、自分が出演する演劇『ジスモンダ』の劇場ポスターの制作を依頼したのだ。異国的ながらも洗練された細部の描写、そして華麗さが際立つアール・ヌーヴォー様式▶172のミュシャのポスターは、ベルナールの知名度とも相まって爆発的な反応を呼び起こした。

ミュシャは、ベルナールが出演する劇場の舞台装置や衣装の制作まで担当することになった。他方で、成功ひとすじであったベルナールには、ある日、突然の不幸が訪れた。南米での公演中に負傷した脚の傷が次第に悪化し、脚を切断するに至ったのである。それでも彼女は片脚でステージに立って演劇生活を続ける情熱を見せた。

133

SUN

もう１つのバベルの塔の時代

ピーテル・ブリューゲル（父）
《バベルの塔》、パネルに油彩、
114cm×155cm、1563年頃、
ウィーン美術史博物館、ウィーン

　ノアの子孫たちは、高い塔を築いて神のいる天に届こうとした。人間どものこうした度を越えた傲慢さに憤った神は、神罰を下し、彼らの言葉を互いに理解できないように混乱させた。その結果、人類は互いに言葉が通じなくなり、塔の建設は途中でやめにして、散り散りになってしまった。聖書[22]に紹介されているバベルの塔は、メソポタミアのシュメール人たち、そしてバビロニア人たちがつくった「ジッグラト」という重層建築物に言及したものと推測される。

　現在のオランダ北部からベルギー西部にまたがるフランドル地方で16世紀に活躍し、ジッグラトを一度も実見したことのないブリューゲル（1520頃〜1569年）▶142,164は、この絵を描く10年以上前、美術を学ぶためにしばらくローマに滞在していた。彼は、そこで目にした円形競技場・コロッセウムに、自分の想像を付け加えてこの絵を描いた。おごり高ぶった人間自身のあり方に対する自覚と反省が主題とされている。その一方で、ブリューゲルは、活版印刷の発展の恩恵を受け、各国で自国語に翻訳された聖書を読めるようになったという点では、希望と喜びの時代を生きていた。つまりブリューゲルは、言語の違いという罰を翻訳によって乗り越えて神の御言葉に到達しようとする、彼自身の生きたもう1つのバベルの塔の時代を描いた、ということになる。

22　『創世記』11章1〜9節。

134
MON

叫び

エドヴァルド・ムンク《叫び》、厚紙にテンペラとグリースペンシル、
91cm×73.5cm、1893年、オスロ国立美術館、オスロ

19世紀が終わる頃、画家たちの関心は、自分の〈目〉に映った世界を忠実に描く方向から、自分の〈心〉が読み取った世界を扱う方向へと、徐々に移っていった。すなわち、画家自身の主観的な情緒の状態、感情などが触れた世界を描くということだ。ムンク(1863〜1944年)は、この作品をスケッチや油彩で何点も描いているが、そのうちの1点には「狂人にしか描けない」という言葉が書かれていた。

5歳で母親を失ったムンクは、その後、肺病を病んでいた姉と、精神分裂の症状があった妹を相次いで失った。死と狂気は彼の意識の奥深くを占め、たびたび彼を苦しめた。彼は鬱[うつ]病、パニック障害、不眠症などに悩まされ、身体的にも健康ではなく、リウマチに苦しんだ。平凡であることができなかったムンクの人生によって、彼の絵もまた平凡ならざるものとなった。内面の苦痛が折り重ねられている彼の絵は、まさに彼の孤独と狂気そのものだ。ムンクはある夕暮れ時に散歩していて、空に「血のよう」な雲を目撃し、「自然をつらぬく叫びのようなもの」を聞いたという[23]。彼はすぐさまそれを絵に写した。したがって、この《叫び》は、恐怖と孤独に覆いつくされた画家自身の叫びでもあり得るが、それだけでなく、彼が実際に聞いたという「自然の叫び」、すなわち〈自然の悲鳴〉でもある。

◎ムンクは、何度も恋愛に失敗したのち、80歳の生涯を独身で過ごし、2万5000点を超える作品を制作した。大部分の絵は、不安定な線、息が詰まるような強烈な色彩で、死の恐怖と狂気を描き出している。

23 『MUNCH: A Retrospective』展図録、p.196。

135
TUE

フランスに移植された ルネサンス

ティツィアーノ・ヴェチェッリオ《フランソワ1世の肖像》、キャンバスに油彩、
109cm×89cm、1539年、ルーブル美術館、パリ

フランス国王フランソワ1世は、16世紀にイタリアを巡って神聖ローマ皇帝カール5世[201]と争った好戦的な人物である一方で、イタリア・ルネサンス芸術を受け入れてフランスの人文主義の復興に大きく貢献した王でもある。

とくに彼は、フランス中部のアンボワーズやパリ郊外のフォンテーヌブローなどに新たに王宮を築いて、イタリアの建築家や画家、彫刻家などを呼び入れ、先進地イタリアの芸術をフランスに移植した。こうした中で、レオナルド・ダ・ヴィンチも晩年をアンボワーズで過ごした。結果的に見ると、《モナリザ》[100]がダ・ヴィンチの母国イタリアではなく、ルーブル美術館

とフランスを代表する絵になったという点でも、フランソワ1世の役割は大きかったといえる。

そのフランソワ1世を描いたこの絵の作者ティツィアーノ[220]は、ヴェネツィアが生んだ巨匠で、もとより絵の実力はずば抜けていたので、当時の君主や貴族からの注文が絶えなかった。ティツィアーノが描いた肖像画をもっているかどうかによって、その人物の権勢の大きさがわかる、というほどであった。この絵は、ヴェネツィアの文人ピエトロ・アレティーノ（1492～1556年）[052]が注文したもので、彼はフランソワ1世とは親しい間柄だった。

◎ティツィアーノはこの作品を描く際、モデルのフランソワ1世を実際には見ないまま、彼の顔が刻み込まれたメダルを見て絵を描いた。メダルや銅銭などに君主や将軍の横顔（プロフィール）[354]を刻み込むことは、古代ローマ時代からの伝統であった。

136

WED

アンリ・ルソー

アンリ・ルソー《風景の中の自画像》、キャンバスに油彩、146cm×113cm、1890年、プラハ国立美術館、プラハ

アンリ・ルソー（1844〜1910年）は、貧しい配管工の息子に生まれた。40歳を過ぎてから絵を始めた彼は、平日はパリの税関で働いていて、絵を描くのは日曜日や時間のあるときに限られていたので、「日曜画家」と呼ばれることもある。

誰からも教わることなく、1人で純粋に趣味として描いたことで、彼は格式にしばられた絵から距離を置くことができた。しかし、まるで子どもの目で世界を見ているような童話的な雰囲気、雑誌の切り抜きを貼りつけたような特異でぎこちない形態描写と色彩感覚は、美術界の人々によって嘲笑の的とされた。

ルソーは、25歳で結婚して6人の子どもがいたが、5人の子どもに加えて妻にも先立たれる悲しみを経験し、先妻の死から10年後に再婚した夫人にまで先立たれてしまった。その後、ルソー自身も足にできた傷の手術を受け、ほどなくして生涯を終えた。詩人のアポリネール▶111と画家仲間のピカソ▶355は、生前から彼の絵の世界を認めていたが、ルソーの絵が広く知られるようになったのは、彼の死後のことだった。

万国旗が風になびいているが、どこか寂しそうに見える彼自身を描いた自画像の中のパレットには、先に亡くなった妻クレマンスと、再婚後に死別した妻ジョゼフィーヌの名前が並んで記されている。

137

THU

モザイク画

作者不詳《ガッラ・プラキディア霊廟》、モザイク、425年頃、
サン・ヴィターレ聖堂北側、ラヴェンナ (イタリア)

西ローマ帝国の皇帝コンスタンティウス3世 (在位421年) の王妃ガッラ・プラキディアは、夫が亡くなるやいなや、わずか5歳の息子の摂政となり、当時帝国の首都であったラヴェンナに多くの教会を建てた。

この絵は、その彼女の霊廟を装飾するモザイク画だ。描こうと思う場所に石灰で下塗りをし、下絵を描いた上に、準備しておいた小さい色石を貼りつける技法で、極度の忍耐力と熟練を必要とするものである。この技法は、すでに古代ギリシャ・ローマ時代でもかなり発達しており、壁や床などにモザイク画が描かれてきた。この絵では、天井が星で埋め尽くされた青い背景となり、その真ん中に十字架が光っている。四隅には、左上側から時計回りに、四大福音書記者であるマタイ、ルカ、マルコ、ヨハネを象徴する、翼のついた人間、雄牛、獅子、鷲が描かれている。

下側の絵は、天井の外側にある4つの半円形のルネットのうちの1つである。右側に立っているのは、火あぶりの刑に処された聖ウィンケンティウスである。中央の黄色い窓は、まるで本物の窓のように見えるが、黄色い大理石を薄く削いで貼りつけたものである。

◎ラヴェンナは、西ローマ帝国の最後の首都であった。帝国はゲルマン族の侵入に苦しめられ、首都をローマからこの地にまで移したが、結局、もちこたえられず476年に滅亡した。ラヴェンナはビザンツ帝国が拡張した6世紀、東側のコンスタンティノープルとともに、帝国の代表的な都市に成長した。フィレンツェから追放されたダンテは、1318年、この地で『神曲』を書き終え、数年後に亡くなった。

138
FRI

フィレンツェ公会議と
ルネサンス

ピエロ・デッラ・フランチェスカ《キリストの洗礼》、パネルにテンペラ、167cm×116cm、1448〜1450年、ナショナル・ギャラリー、ロンドン

ピエロ・デッラ・フランチェスカ（1420頃〜1492年）が活動していた当時、ローマを中心とする西側のカトリックと、ビザンツ帝国（東ローマ帝国）の正教会が反目し合っていた▶089,103。そこでフィレンツェのメディチ家がひと肌脱ぎ、東西教会の和解を議論する公会議をフィレンツェで開催することとして、東ローマ帝国からのすべての参加者の滞在費用まで負担した。この公会議は開催地を数回移して行われ、フィレンツェでの会期は1439〜1442年だった。しかし、1449年に最終的にローマで閉会されるまで、この会議で見るべき成果はなかった。とはいえ、ギリシャの土地を占有していた東ローマ帝国の卓越した古典や人文の知識がこれを機にフィレンツェに流入した。イタリア半島で「ルネサンス」という花が開いたのは、この公会議のおかげである。

　聖書によれば、イエスの洗礼が行われたのはヨルダン川の川辺だが、画家は、この絵の背景を15世紀のトスカーナ地方に設定した。洗礼を受けているイエスの頭上に聖霊の鳩が飛来しているが、一見、まわりの雲とそっくりである。イエスの身体の表現は、大理石や石膏でできた古代ギリシャの彫刻像を思い起こさせる。絵の左側、古代ギリシャ人の身なりをした3人の天使たちは、町内の見せ物を見にきたかのように集まっておしゃべりをしている。右奥で服を脱ぎかけている人の後方には、東ローマ帝国の身なりをした人々が見える。

◎1453年、東ローマ帝国がオスマン帝国によって滅ぼされると、東ローマ帝国の知識人たちは、以前自分たちを大歓迎してくれたメディチ家のあるフィレンツェに、こぞって押し寄せた。

139

SAT

「ジョコンド氏の夫人」はいずこ

レオナルド・ダ・ヴィンチ《アイルワースのモナリザ》、キャンバスに油彩、84.5cm×64.5cm、1505年頃、個人所蔵

イギリスの画商ヒュー・ブレイカーが1914年にある貴族の大邸宅で発見したこの作品は、彼のオフィスがあったロンドン西部のアイルワース地区にちなんで、《アイルワースのモナリザ》と呼ばれている。

《モナリザ》▶100がいつ誰を描いた作品なのかについては、大方のところ『芸術家列伝』の著者ジョルジョ・ヴァザーリの記録をよりどころとしている。それによると、レオナルド・ダ・ヴィンチは、1505年にフィレンツェの商人ジョコンドから、妻のリザ夫人すなわち「モナリザ」を描いてほしいという注文を受け、作業に着手したという[24]。

当時のリザは20代前半だったという点、また、その時期にダ・ヴィンチのアトリエを訪れたラファエッロがスケッチを残していて、モナリザの後方に2本のギリシャ式の柱があった[25]という点を考えると、ヴァザーリが言及している作品は、われわれがよく知っているルーブル美術館のもの▶100ではなく、この《アイルワースのモナリザ》だ、と考えざるを得ない。ダ・ヴィンチは、絵を描く際に指でこすりつける癖があり、ある研究によると、ルーブルの絵で見つかっている指紋が《アイルワースのモナリザ》にもあるという。

24 『芸術家列伝』第3巻、p.28（ただし「1505年」との記載はない）。
25 *Leonard Da Vinci*, p.390.

140

SUN

マリアの結婚

ラファエッロ《聖母の結婚》、キャンバスに油彩、174cm×121cm、1504年、
ブレラ美術館、ミラノ

マリアとヨセフの結婚のエピソードは、『ヤコブ原福音書』に詳細に記されている[26]。ユダヤ人の大祭司は、自分のところににわかに現れた天使の言葉に従い、妻のいない村の男たちに、独身であれ男やもめであれ、それぞれ杖を1本ずつ持って集まるよう命令した。主がしるしを示した者がマリアの夫になると天使が語ったためである。

知らせを聞いたヨセフは、「来いと言うんだから行くとするか」とでもいうような心持ちで、大祭司が呼び集めた人たちの間に加わった。すると意外にも、この貧しい大工のヨセフが杖を受け取ったとたん、鳩が飛び出す奇跡が起こった。これによって、ヨセフがマリアの夫となる人物であることがわかったユダヤの大祭司は、2人の結婚式をとりもった。

ヨセフは、自分はもう歳をとりすぎていると思っていたし、前妻との間の子どもも大きくなっていた。それにもかかわらず、ヨセフはマリアと結婚することになった。ルネサンスの巨匠ラファエッロは、黄色いマントを掛けた姿でヨセフを描いたが、彼は新郎だったので、過度に老いた姿で描くことは控えたようだ。ヨセフの手前では、1人の男が自分の杖を力いっぱいにへし折ろうとしている。「あいつがなれて、なぜ俺がなれないんだ？」と腹を立てている様子だ。

26　『ヤコブ原福音書』8章3節〜9章3節（『新訳聖書外典』pp.31-32）。

141
MON

接吻

グスタフ・クリムト《接吻》、キャンバスに油彩、
180cm×180cm、1907～1908年、
ベルヴェデーレ美術館、ウィーン

　崖っぷちで、コートか毛布のようなものを身体に巻きつけた男女が、熱く接吻を交わしている。彼らの顔はリアルに描写されている。しかしそのほかの部分は、ビザンツ時代のモザイク画▶137のように、華麗で装飾的でありながら遠近法や量感はまったく感じられず平面的だ。黒色や灰色など無彩色の四角形で装飾されているのは男性のみで、女性は赤や緑、青、紫など多彩な色を用いた丸い模様で装飾されている。金色の香水が蜜のようにしたたり落ちてきそうな、2人の甘い接吻だ。

　この絵もやはり、誰がモデルなのかについて、意見が紛々としている。まず名前が挙がるのはアデーレ・ブロッホ＝バウアー▶331だ。彼女はクリムト（1862～1918年）のパトロンの妻だったが、たびたびモデルを務め、クリムトと深い関係を結んだ仲だった。もう1人の候補者は、エミーリエ・フレーゲだ。クリムトの死後、彼女はクリムトとやりとりした手紙をすべて燃やしてしまったので、詳細な内実は知る術［すべ］がないが、精神的な愛情を分かち合う仲であったことが知られている。クリムトが死の床で最後に呼んだのは、エミーリエの名だった。

　この作品は、《恋人》というタイトルで世に出されたが、《接吻》とも呼ばれる。少し離れてこの絵を見ると、密着した男女の輪郭が男根の形をしていることがわかる。

142
TUE

フランドル・ルネサンスと
ジャンル画

ピーテル・ブリューゲル (父)《農民の婚宴》、パネルに油彩、114㎝×164㎝、1568年、ウィーン美術史博物館、ウィーン

　西欧の美術界では、神話や宗教、英雄を描いた絵は「歴史画」と呼ばれ、それ以外はすべて「ジャンル画」と呼ばれた。のちに肖像画▶221,347,354、風景画▶086,151,247、静物画▶032,095などの呼称が生まれたが、この絵のように平凡な日常の場面を描いた絵は、残念ながら名づけられることもなく、引き続き「ジャンル画」と呼ばれた。ピーテル・ブリューゲル (1520頃〜1569年)▶164は、そのような農民の姿を好んで描いた。

　この絵は、農家の結婚式の場面である。壁に掛かっている交差した麦の束は、婚姻のシンボルだ。新婦は、緑色の幕を背にして座っている。しかし新郎はどの人物なのか、確実にはわからない。2人の男が運んできた料理の皿をテーブルへと渡している赤い帽子の男、あるいは左側の酒を注いでいる青年あたりだろうと推測することはできる。しかし新婦の視線が画面のこちら側に向いていることからすると、絵を見ているわれわれのうちの誰かが、彼女の夫なのかもしれない。

　右端に、黒い服を着て剣を身につけ、修道士と話をしている男がいる。この男はブリューゲルと似ているので、ひそかに描き入れた自画像だと推測されている。

143
WED

ソフォニスバ・アングイッソラ

ソフォニスバ・アングイッソラ
《アングイッソラの肖像画を描く
ベルナルディーノ・カンピ》、キャンバスに油彩、
111㎝×109.5㎝、1559年、
シエナ国立絵画館、シエナ（イタリア）

　没落貴族の家に生まれたアングイッソラ（1532頃〜1625年）は、知性あふれる父親の
おかげで、幼い頃から美術をはじめとするさまざまな教育を受けた。とりわけ絵の
実力がずば抜けていた彼女は、ローマに招待されてミケランジェロ▶052に腕前を披
露する機会があった。不愛想さにかけては熊にも勝るミケランジェロが、アングイ
ッソラを激賞したという。アングイッソラは、スペイン王妃エリザベート・ド・ヴァ
ロワに美術教師として仕え、国王フェリペ2世の宮廷画家としても活動した。彼女を
寵愛した王は、シチリアの貴族との結婚をとりもつほどであった。

　アングイッソラは、しばしば一風変わった演出で自分の姿を描いた。この絵もそ
の一例である。絵を描いている男は彼女の師匠のベルナルディーノ・カンピで、描か
れている人物がアングイッソラだ。モデルは画家によって描かれるものだ、と考え
れば、モデルであるアングイッソラよりも画家である師匠のほうが一段上だろう。
しかし、その場面自体は画家であるアングイッソラによって描かれているのだから、
結局は、27歳の彼女が師匠に劣らぬ自負心をほのめかしていると見ることができる。

◎別の見方もできる。この種の肖像画では、パトロンがモデルとなり、画家はその求めに応じて絵を描くという
　関係になることが基本だ。そう考えた場合でも、モデルとしての彼女は、男性画家である師匠を見下ろす立場
　にいることになる。そう考えて見ると、彼女は師匠よりも大きく描かれており、服やアクセサリーも師匠より
　ずっと高級そうに見える。アングイッソラは93歳まで長生きし、裕福で、おそらく幸せな人生を送った。

144
THU

女性のヌード彫刻

プラクシテレス《クニドスのアプロディーテー》、
大理石でつくったローマ時代の複製品、高さ205cm、
紀元前350年頃、ヴァチカン美術館、ヴァチカン

ギリシャ人たちは、人間の身体における美しい比率を探し出した。しかし、その〈人間〉から女性は除外されていた。戦争がありふれた日常であったギリシャのポリス（都市国家）では、屈強な男性が当然のように称賛されていた。ギリシャの民主政に参加できる〈市民〉は、外国人、奴隷、女性を除いた男性であった。男性たちは、運動施設に集まって裸になって身体を鍛錬した。オリンピックもやはり男性だけが、「ヌード」という特権的な服を着て参加した。美術作品においても、ヌードになるのは男性だけの役目であった。

古代ギリシャで女性のヌードが芸術作品として登場するのは、紀元前4世紀以後のことだ。ローマの著述家プリニウスによれば[27]、プラクシテレスという当代最高の彫刻家が1体は服を着た姿、1体はヌード姿という2体のアフロディテ（ヴィーナス）像をつくり、一緒に売り立てに出したという。そして、選択権をもっていた都市国家コスの人々は服を着たヴィーナス像を選び、売れ残ったヌード像は、別の都市国家クニドスの人々が買った。しかし、コスが選ばなかったほうのヴィーナス像が爆発的な人気を呼び、それを見るためにクニドスに多数の訪問客が押し寄せた。ギリシャでは、先に神殿をつくり、その後に中に安置する神像をつくるのが一般的な手順だったが、クニドスの場合は、ヌードのヴィーナス像のために後からあわてて神殿をつくらざるを得なくなった。

◎ローマのある著述家が残した言葉によれば、ヴィーナスの彫刻像につけられた精液の痕跡が見ものとなっていたという。

27　『博物誌』第36巻20〜23節（『プリニウスの博物誌』第6巻、p.1456）。

145

FRI

アンギアーリの戦いと マキアヴェリ

ペーテル・パウル・ルーベンス《アンギアーリの戦い（レオナルド・ダ・ヴィンチ）の模写》、
紙にペン、筆、黒石、絵の具など、45.3cm×63.6cm、1603年、ルーブル美術館、パリ

　この絵は、レオナルド・ダ・ヴィンチが1504〜1505年頃に描きかけていたヴェッキオ宮殿の壁画の下絵を見て、100年以上後のルーベンスが模写した絵である。ダ・ヴィンチが未完成のまま残した絵は、1560年、ヴァザーリ▶035が別の絵を重ねて描いたため、失われた。ダ・ヴィンチが描いていたのは、フィレンツェ共和国が率いる同盟軍とミラノ公国軍の間で戦われた「アンギアーリの戦い」（1440年）の場面の絵である。ダ・ヴィンチはこのとき、約束した期限内に完成させられなかった別の作品▶015が裁判沙汰になり、その作品を仕上げるためにあわててミラノへと旅立った。

　戦いはフィレンツェの勝利に終わった。それから60年以上のち、マキアヴェリは『フィレンツェ史』で、傭兵を雇って戦争を起こすことがいかに愚かであるかを、アンギアーリの戦いを例にして述べた。この戦いの戦死者は1名のみ、それも誤って落馬して死んだ者にすぎないのに、戦いはずるずると引き延ばされ続けた。傭兵は「ただ雇い主から金が手に入る間だけ、戦うふり程度のことをしている[28]」と考えたマキアヴェリは、市民は平日はそれぞれの仕事につかせて休日に訓練を受けさせる形で、市民軍の養成をはかった。

28　『フィレンツェ史』第5巻33〜34（『マキァヴェッリ全集』第3巻、pp.265-266）。

146

SAT

ラファエッロの隠れた恋人

ラファエッロ《ラ・フォルナリーナ》、パネルに油彩、85cm×60cm、
1518〜1519年、バルベリーニ宮国立古典絵画館、ローマ

　ルネサンス最高の画家にして、37歳という若さで夭逝［ようせい］した理由が非常に多くの女性と関係をもっていたからだと記録されているラファエッロにも、純愛の恋人がいた。マルガリータ・ルティがその人である。「パン職人の娘」という意味の「ラ・フォルナリーナ」という別名でしばしば呼ばれる彼女は、ローマ市内のどこかにあったパン屋の娘だったようだ。彼女は、ラファエッロのモデルの仕事の傍らで、12年もの間、彼の非公式的な交際相手でもあった。

　成功者としてローマの社交界を牛耳っていたラファエッロは、教皇の寵愛を笠に着て枢機卿にまでなれそうだったからか、あるいは無駄に足枷［あしかせ］となる結婚よりも自由な恋愛を夢見ていたからか、長らく独身を守った。だが、言い寄ってくる女性に対して尻込みすることもなかった。一方で、ラ・フォルナリーナは、求愛する男性がどんなにたくさんいても拒絶し、ひたすらラファエッロへの貞節を守った。ラファエッロが絵として残した彼女の腕輪には、「ウルビーノのラファエッロ」と刻み込まれている。「この絵を描いたのはこの私、ラファエッロだ」という画家の署名であると同時に、〈この女は私のものだ〉という烙印でもある。

◎左手の薬指で奥まではめられることなくつけられている指輪は、捨てられこそしなかったが妻にもなれなかった、この女性の身の上に似ている。ラファエッロは亡くなる前に、彼女が生涯暮らしていくのに十分な遺産を残した。彼なりにすまないと思ってはいたようだ。

147

SUN

受胎告知 I

フラ・フィリッポ・リッピ《受胎告知》、パネルにテンペラ、
175cm×183cm、1440年頃、サン・ロレンツォ聖堂、フィレンツェ

フラ・フィリッポ・リッピ (1406頃〜1469年) ▶279は、まるで窓越しに外を見たときの風景のように絵をリアルに描き始めたルネサンスの画家らしく、「受胎告知」▶044,072,154という厳粛な出来事が起こっている空間を、遠近法を用いて実際の現場のように描写した。

柱で左右に区切られた画面の右側には、天使ガブリエルとマリアが一緒にいる[29]。ガブリエルはひざまずいてマリアにお辞儀しているが、受胎の知らせを聞いたマリアは、一方の手を持ち上げ、服の裾をなびかせてあわてている様子だ。ガブリエルはユリを手にしており、これは〈純潔〉を意味する。足元に置かれた透明な水の瓶も同様の意味合いで、聖母に〈傷がない〉ことを意味する。

絵の左側には、ガブリエルと一緒にやってきた2人の天使がそわそわと落ち着かない様子である。困ったような表情で画面のこちら側に視線を向けていて、そのことが鑑賞者に臨場感をもたらしている。その上には1羽の鳩が飛んできているが、これはまもなくマリアとともに男の子を産むことになる〈聖霊〉を意味している。鳩は、キリスト教の宗教画では、受胎告知やイエスの洗礼の場面でたびたび登場する。

◎この作品は、サン・ロレンツォ聖堂の再建の際に気前よく巨額の寄付をしたニコロ・マルテッリにちなんで、《マルテッリの受胎告知》の名でよく紹介される。

29　『ルカによる福音書』1章26〜38節。

148

MON

クラブのエースを持つ いかさま師

ジョルジュ・ド・ラ・トゥール《クラブのエースを持ついかさま師》、キャンバスに油彩、97.8cm×156.2cm、
1630〜1634年頃、キンベル美術館、フォートワース（アメリカ・テキサス州）

　17世紀フランスの「バロック美術」▶156は、アカデミー風▶226の荘厳な様式を主導し
たニコラ・プッサン（1594〜1665年）や、庶民的で現実感あふれる作品世界を展開した
ジョルジュ・ド・ラ・トゥール（1593〜1652年）などに代表される。フランス宮廷がもっ
ぱらアカデミー風を好んでいた当時、ラ・トゥールは、ヨーロッパ全域で流行してい
たカラヴァッジョ式の「テネブリズム」▶242によって、ジャンル画のほか、静かで素朴
な印象を与える宗教画を描き、大いに人気を博した。

　この絵には、賭博の席の緊迫感が描かれている。右側では、身なりから見ていかに
も裕福な育ちの青年が、自分の持ち札に夢中になっている。真ん中の女性は息をひ
そめ、自分の目くばせをさとられてしまわないかと張り詰めた様子だ。酒を注ぎな
がら横目を使っている女性は、おそらく3人の持ち札を見て、決めておいた合図をい
かさま師に伝える役割をしているのだろう。左側の男は、黒いベルトの下に差して
あったクラブのエースをこっそり取り出している。

　そう考えると、中央の女性の手つきも、意味ありげだ。「次はあなたの番よ」と言っ
ているようでもあり、あらかじめ示し合わせたジェスチャーのようでもある。青年
の前に積まれた金貨がごっそりとられてしまう瞬間が近づいている。

◎ルーブル美術館には、この絵とほぼ同一構図で、左端の人物がダイヤのエースを隠し持っている作品がある。

149
TUE

マニエリスム美術

エル・グレコ《オルガス伯の埋葬》、キャンバスに油彩、480cm×360cm、1586年、サント・トメ聖堂、トレド（スペイン）

エル・グレコは、ヴェネツィアの属国であったギリシャのクレタ出身である。イタリアに渡って、ヴェネツィアでティツィアーノ▶220らの絵に大きな影響を受けた。その後、ローマを経てスペインに進出したが、ドミニコス・テオトコプロスという長い本名よりも、簡単に「ギリシャ人」という意味で「エル・グレコ」と呼ばれることが多かった。

エル・グレコは、イタリアで伝授されたルネサンス後期のマニエリスム▶116の画風を、スペインに伝える役割を担った。細長く伸びた身体、あいまいな光、非現実的な背景などを特徴とする彼の絵は、ともかく個性が強く、一度見たら忘れられないほどである。この作品は、非常に信仰心が深く教会に巨額の寄付をしたオルガス伯爵が1312年に亡くなった際、聖ステファノと聖アウグスティヌスが天上から降りてきて手ずから埋葬したという伝説に基づいて、描かれたものである。

この絵の上部には、聖母マリアと洗礼者ヨハネがイエスに、オルガスを天国に送るよう頼んでいる姿が描かれている。また下部には、亡くなったオルガスの遺骸を抱える聖ステファノと聖アウグスティヌス、そして彼の死を悲しんで集まった人々が描かれている。この弔問客は皆、エル・グレコが暮らしていた当時のトレドの権勢家である。

◎左下で修道士の前に立っている小さな子どもは、エル・グレコの息子ホルヘ・マヌエルである。ポケットにあるハンカチには、出生年である1578という数字が記されている。オルガス伯爵の脚を抱えて立っている聖ステファノの頭の後方に、エル・グレコ自身の姿も描かれている。

150
WED

ヨハネス・フェルメール

ヨハネス・フェルメール《取り持ち女》、キャンバスに油彩、143cm×130cm、1656年、ドレスデン国立古典絵画館、ドレスデン（ドイツ）

ヨハネス・フェルメール《絵画芸術》、キャンバスに油彩、120cm×100cm、1666～1668年、ウィーン美術史博物館、ウィーン

　デルフトに生まれ、生涯その地で活動したヨハネス・フェルメール（1632～1675年）は、新教徒の家の出身であったが、結婚と同時にカトリックに改宗した。17世紀のオランダは、新教国家とはいえ、宗教的自由が保障されていた。フェルメールは、妻の母が経営していた食堂兼旅館のいちばん広い場所にアトリエをかまえ、オランダ中産階級の質素な室内風景を多く描いた。フェルメールの絵はおおむねどれも静謐［せいひつ］で、ミュートされた動画を見ているように感じる。しかし上側の作品は、彼が描いたことが明らかな37点の作品のうちで、最も騒がしい雰囲気のものだ。

　赤い服の騎兵将校は、黄色い服を着た女性を弄［もてあそ］び、小銭を差し出している。鮮やかな2色の対比が、鑑賞者の視線をおのずとこの2人に集中させている。その2人を見ながら、おそらく自分への割り前を勘定している客引きの老婆の表情は、絶妙にキャスティングされた俳優の完璧な演技を見ているようだ。左側でグラスを持って画面のこちら側に視線を送っている男性は、おそらくフェルメール自身と推測される。彼が描いた下側の作品、《絵画芸術》の中で、彼自身と思われる画家がこれと同じ服を着ていることから導かれた仮説だ。

151

THU

風景画

ニコラ・プッサン《四季・秋:カナンの葡萄、又は約束の地》、キャンバスに油彩、118cm×160cm、1660〜1664年、ルーブル美術館、パリ

　プッサンは、風景画を描く際にありのままの自然を描いたのではなかった。まず木や岩などの模型をつくり、それを配置して満足のいく構図をつくった上で描いた。さらに、絵の中から神話や聖書などのエピソードを読み取れるようにした。この作品は、リシュリュー公爵からの注文を受け、1660年から約4年間かけて、中風による手の震えを抑えながら描いた《四季》の連作の1つ、《秋》である。

　「カナンの葡萄、又は約束の地」というタイトルは、『民数記』13章23節の「彼らは一房のぶどうの付いた枝を切り取り、棒に下げ、二人で担いだ。また、ざくろやいちじくも取った」という一節にちなんでいる。神の命を受けたモーセは、カナンに向かう前に、これから暮らすことになる土地がどのようなところか偵察させ、その地で穫れる果物を持ってこさせたのである。中央の2人の男は、モーセに命じられたとおり、果物、とくに夏に実るブドウを穫って木の棒にぶら下げ、せっせと持ち運んでいる。収穫したブドウでつくるワインは、イエスの血を想起させるものだ。彼らの向こうには、はしごにのぼってイチジクの実を穫っている者がおり、また右側やや遠くには、籠にいっぱいのザクロを頭の上に載せて運ぶ者が見える。

◎プッサンは四季の連作を、朝・昼・夕・夜の時間帯に分けて描写した。この秋の絵は夕方の時間帯で、空の色が濃くなり、影が長く伸びていることがわかる。

152

FRI

15世紀、
ブルゴーニュの宰相ロラン

ヤン・ファン・エイク《宰相ロランの聖母》、パネルに油彩、66cm×62cm、
1435年、ルーブル美術館、パリ

　1419年、イギリスとフランスが百年戦争▶131の真っ最中であった時代に、現在のフランス東部にあたるブルゴーニュ公国では、その勇ましさから「無畏公」と呼ばれたジャンが、フランス王族の手によって殺害される事件が起こった。

　ブルゴーニュは自国の立場を守るため、このことをきっかけに、フランスではなくイギリスと同盟を結んだ。両国の同盟を積極的に主導したのが、この絵の左側に座っている宰相ニコラ・ロラン（1376〜1462年）である。生まれは貴族の血筋ではなかったが、用意周到に事業を進める手腕によって莫大な富を手にし、ずば抜けた処世術でブルゴーニュの新しい指導者フィリップ3世（在位1419〜1467年）の最側近となり、宰相の地位にまでのぼりつめた。

　ロランは、イギリスとの同盟を堅持すべく、当時フランスのために活躍していたジャンヌ・ダルクを生け捕りにし、イギリス軍に売り飛ばして巨額の報奨金を受け取った。ヤン・ファン・エイクが描いた宰相ロランは、この世の権勢を一手に握り、神とも張り合うほどの勢いで聖母子と対面している。金のためなら自分の命でさえ売ってしまいかねないロランの性分をヤン・ファン・エイクも察したのか、ロランの手には大きな財布が描き入れられていたことが、後年のX線分析によって明らかになった。その後、1435年にブルゴーニュ公国はロランの主導のもとにアラスの和約を結び、政治的路線を180度転換して、イギリスではなくフランスと同盟した。

153
SAT

イギリス政府が
流出を阻止した国宝

ウィリアム・ターナー《青のリギ山》、紙にペンと褐色インク、水彩、無彩色顔料、白チョークなど、29.5㎝×45㎝、1842年、
テート・ギャラリー、ロンドン

　この絵はターナー▶104,247がスイス旅行の間に描いた作品で、ルツェルン湖から眺めたリギ山の姿である。印象派▶289の画家の出現を予言するように、彼は、太陽の光の変化に伴って大気や色が微妙に変わることをとらえ、絵に写した。一連のリギ山シリーズのうち、最も代表的な3点として、東の空が白む前の暗い景色を描いた《暗いリギ山》と、夕暮れ時の姿を描いた《赤のリギ山》、そしてこの《青のリギ山》を挙げることができる。

　なかでも《青のリギ山》は、早朝の光が差し込む瞬間をとらえたものだ。この絵は、1863年から2006年までの間に、クリスティーズのオークションに4回も登場している。最後の競売では、600万ポンド（約15億円）で落札され、イギリス国外に売られることになった。しかしイギリス政府は、作品の輸出を一時的に禁止したのち、この作品を国内に永久保存するための基金を募集した。イギリス人のターナーに対する愛情は熱く、わずか5週間で基金は絵の落札価格に迫った。その後、作品はイギリス政府の所有となり、現在はロンドンのテート・ギャラリーに収蔵・展示されている。

154

SUN

受胎告知 II

フラ・アンジェリコ《受胎告知》、フレスコ、176cm×148cm、
1440〜1442年、サン・マルコ修道院、フィレンツェ

　婚約はしたものの、まだ結婚してはいなかったマリアのもとに、ある日、天使ガブリエルが現れて知らせを伝えた。神の恩寵によって子どもをもつことになった、その名前はイエスとせよ、というのである[30]。この知らせを受けている場面は、西洋美術では「受胎告知」▶044, 072, 147 という名前で描かれている。

　この《受胎告知》を描いたのは、フラ・アンジェリコ（1387頃〜1455年）。「祝福を受けた天使修道士（ベアート・アンジェリコ）」という意味の名をもつこの画家は、聖職者でもあり、のちに修道院長の地位にまでのぼった。

　絵の左側の天使が神の意向を伝えると、右側のマリアは、天使よりも身を低め、胸の前に両手を重ねて服従の礼をとっている。マリアは祈禱書を手にしているが、このことは彼女の信仰心の深さを示すと同時に、普段から本を身近に置く知的な人物であることも強調している。

　興味深いことに、絵の左端には、額から血を流している男が見える。この男は、イエスの12人の弟子の1人である使徒ペトロと同じ名前で、13世紀に異端者と対決して鉈［なた］で切りつけられて殉教した殉教者ペトロである。彼は、この絵が掲げられているサン・マルコ修道院が属するドミニコ修道会から輩出した最初の殉教者である。

30　『ルカによる福音書』1章26〜38節。

155

MON

テュルプ博士の解剖学講義

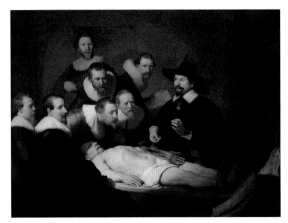

レンブラント・ファン・レイン《テュルプ博士の解剖学講義》、キャンバスに油彩、
169.5㎝×216.5㎝、1632年、マウリッツハイス美術館、ハーグ（オランダ）

　オランダのライデン大学では、1555年以後、毎年冬になると、入場料を払った観客を前にして遺骸を解剖する場面を実演した。そして、記念写真でも撮るように、画家に集団肖像画を依頼することが慣例となっていた。テュルプ博士が担当したこの〈解剖ショー〉を描くことになったのは、レンブラント▶157だった。レンブラントのこの絵は、黒い制服の上に白い顔がぽっかりと浮かんでいるようで、厳粛さを重んじるありきたりの卒業写真とは様子が違っている。画面のこちら側を気にしている人もいれば、解剖に見入っている人、説明に聞き入っている人もほどよく入り交じっていて、スナップ写真のような自由さが感じられる。この絵がきっかけとなり、レンブラントは人気絶頂のスター画家へと大躍進していった。

　絵の中の遺骸は、拉致と強盗の罪を犯して監獄に入った上に脱獄までしでかし、絞首刑に処された犯罪者である。この解剖ショーは、刑の執行によって彼が息を引き取ったその日に行われた。テュルプ博士は、外科医にとって最も重要なのは手だ、とばかりに、遺骸の手を解剖している。注意して見ると、遺骸のへそにRという字が描かれている。レンブラントが自分の名前の頭文字をひそかに記したものである。

◎当時、オランダでは解剖学が大いに人気を集め、解剖ショーがあるという知らせを聞くと、たくさんの人が見学のために集まった。当時のオランダ人たちは、教養人になるためには人間の身体の構造を知らなければならない、と考えていた。

156
TUE

バロック美術

カラヴァッジョ
《執筆する聖ヒエロニムス》、
キャンバスに油彩、112cm×157cm、
1605〜1606年、ボルゲーゼ美術館、
ローマ

　16世紀前半、ヴァチカンのサン・ピエトロ大聖堂の再建築に必要となる莫大な経費の調達のために、カトリック教会は免罪符（贖宥［しょくゆう］状）の販売に乗り出した。宗教改革▶180の中でそうした行いを非難された後も、カトリック教会は萎縮するどころか、離れていく信徒の心をより強力につかむため、反宗教改革の美術を主導した。聖堂の建築はいっそう華麗になり、彫刻は力強いものとなり、絵画では鑑賞者の視線を一瞬で釣り込む主題と技法が発展していった。こうした気運の中で展開した17世紀の美術を、のちの歴史家たちは「バロック」と呼んだ。

　バロックとは、ポルトガル語の「ゆがんだ真珠」という表現に由来し、ルネサンスを「真珠」に、バロックを「欠点のある真珠」にたとえた、いくぶん偏向的ともいえる用語である。ルネサンス美術が、静的でバランスのとれた調和と優雅な彩色を誇るとすれば、バロック美術は、力動的で刺激的、そして暴力的でさえある。イタリア・バロックの巨匠カラヴァッジョ▶066の作品は、光と闇を極端に対比させ、表情や姿勢も大げさで、あたかも演劇ステージでの俳優の熱演を見ているかのような印象を与える。この絵は、聖書をラテン語に翻訳した学者で、隠遁［いんとん］者でもあった聖ヒエロニムスを描いたものである。主人公と主要な事物にのみ光を当てて、背景は漆黒のように暗く仕上げる「テネブリズム」▶242の技法を駆使している。テネブリズムは、17世紀のバロック美術の最大の特徴となった。

◎絵の中に登場する骸骨は、「メメント・モリ（死を思え）」という警句を思い起こさせる。

157

WED

レンブラント・ファン・レイン

レンブラント・ファン・レイン《自画像 (63歳)》、キャンバスに油彩、
86cm×70.5cm、1669年、ナショナル・ギャラリー、ロンドン

レンブラント・ファン・レイン（1606〜1669年）が活躍したのは、商業や貿易で富を蓄積した富裕層が、こぞって絵の収集に乗り出した時代であった。オランダ中西部の都市ライデンで粉挽[ひ]きの家の息子に生まれた彼は、ライデン大学で法律を専攻したものの中退し、画家としての生活を始めた。その後のレンブラントは、とりわけ《テュルプ博士の解剖学講義》▶155で名声を博し、当代最高の人気画家の1人となった。加えて、莫大な持参金をもってきた妻サスキアのおかげで、名声だけでなく富までも一手につかむことができた。

しかしまもなく、借金をして高級住宅を買うなど、浪費で負債に苦しむこととなった。イギリスとの戦争に敗れたオランダの経済事情は急速に萎縮し、その影響で彼の家計も苦しくなっていった。母、子、そして妻までも次々と失う苦しみを経て、レンブラントは、ずきずきと痛む心を召使いのヘンドリッキエ・ストッフェルスに傾注した。まもなく子どもも生まれたが、すぐに正式な結婚はしなかった。レンブラントが再婚することとなった場合、遺産は一文も与えないというサスキアの遺言のためだ。厳格なカルヴァン派の国にあって、レンブラントのこうした私生活のありさまは、絵の注文にも負の影響を及ぼした。老年に至った彼は、誰の助けも受けられない場所で寂しく生涯を終えた。この絵は、彼がこの世を離れたその年に描かれた自画像である。

◎レンブラントは、ヘールチェ・ディルクスという乳母とすでに4年以上の愛人関係があったにもかかわらず、新たに家政婦に迎えたストッフェルスとの恋に落ちた。ディルクスは結婚詐欺による姦淫[かんいん]でレンブラントを告訴したが、レンブラントはディルクスを精神病者に仕立てあげた。当時のオランダの裁判所は、結局レンブラントに味方した。レンブラントがディルクスの兄を買収し、彼女に不利な証言をさせたためだ。

158

THU

カメラ・オブスキュラ

ヨハネス・フェルメール《牛乳を注ぐ女》、キャンバスに油彩、46cm×41cm、1658～1660年、アムステルダム国立美術館、アムステルダム

あまりの静けさに、牛乳がとくとくと流れ落ちる音だけが聞こえてくるような1枚だ。何かと騒々しく、ときには残虐な表現まで用いて鑑賞者の感情を左右しようとするような、同時期のイタリアなどアルプス南側のバロック美術とは、この絵は大きく異なっている。

平穏で温かみがあり、静かな気持ちと澄んだまなざしを引き出してくれるフェルメール▶008, 150の絵は、おおむね左側に置かれた窓を通して差し込んでくる光と、赤色、黄色、青色程度の単純な色づかい、そして手で触れそうなほどリアルな質感の描写を特徴とする。

何よりもフェルメールの絵では、見たままを誇張なく冷静に写した、写真のような写実主義の表現が圧巻である。これは彼が「カメラ・オブスキュラ」の技法を用いたおかげである。カメラ・オブスキュラとは、「暗い部屋」つまり暗室を意味する。暗室に穴を空けて光が入ってくるようにすると、風景あるいはそこにいるモデルなど、暗室の外の対象が、暗室内の壁面に上下逆さの像を結ぶ。そこで、画家はその結んでいる像のままに輪郭線を引き、下絵を描くのである。時代が下ると、暗室は1つの小さな箱に変わり、その箱が今日のカメラの前身へとつながっていった。

◎フェルメールは、家が破産した衝撃から立ち直ることができず、43歳の比較的若い年齢で、11人の子どもを妻に委ねて息を引き取った。彼が残した絵の点数は正確にはわからないが、現在までに明らかになっているのは37点である。高い人気の一方で残された絵は少なく、贋［がん］作が多い画家でもある。

159
FRI

バラ戦争と悲しみの王子たち

ポール・ドラロッシュ
《ロンドン塔の若き王と王子》、
キャンバスに油彩、181cm×215cm、
1831年、ルーブル美術館、パリ

　イギリス国王ヘンリ6世は、精神病を患って国政を担当する能力を失い、エドワード4世(在位1461～1470年、1474～1483年)に王位を奪われてロンドン塔に監禁されたのち、殺害された。エドワード4世は白バラの紋章を用いるヨーク家で、ヘンリ6世は赤バラの紋章のランカスター家であった。両家はともに私兵を動員し、王位を巡る長い戦争に突入した。バラの紋章を用いる両家の戦いなので、「バラ戦争」と呼ばれる。エドワード4世が亡くなると、エドワード5世が13歳という幼さで王位についた。しかし、この不運の王は、王位についてわずか2ヶ月で叔父のリチャードによって廃位され、弟のヨーク公とともにロンドン塔に監禁されたのち、何者かが送った刺客によって寝具で窒息させられ、亡くなった。

　ポール・ドラロッシュ(1797～1856年)は、13歳と10歳という2人の幼い子どもが、王位に目のくらんだ大人たちによって監禁され、恐怖に震えている様子を描いている。小さな子犬1匹が入口のほうを向いていることから見て、彼らを暗殺しようと何者かが近寄っていることがわかる。

　エドワード5世の廃位後、叔父のリチャードがリチャード3世(在位1483～1485年)という名前で王位についたが、結局は彼もヘンリ7世の刃に倒れた。ランカスター家を母方とするヘンリ7世は、ヨーク家の王女と結婚し、両家の戦争を終息させてテューダー家の時代を創始した。バラ戦争はこれによってようやく終わった。

160

SAT

アニェス・ソレルの死

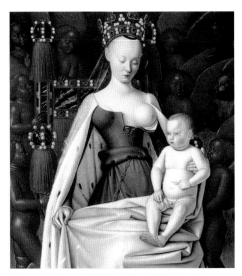

ジャン・フーケ《ムランの聖母子像》、パネルに油彩、93cm×85cm、
1452〜1458年、アントウェルペン王立美術館、
アントウェルペン（オランダ）

片方の胸をはだけて赤子のイエスを抱いている聖母マリアは、マネキンのようにぎこちない。にもかかわらず、不思議な官能美を発散している。背景には幼児姿の天使たちが赤と青で描かれていて、装飾的な印象を与える。これは昼と夜を意味しているようだ。

マリアの王冠や椅子の装飾はたいへん几帳面に描かれ、真珠や瞳に映り込んだものまでわかるほどである。絵の中の聖母マリアのモデルは、フランス国王シャルル7世の愛人、アニェス・ソレル（1422〜1450年）だ。

シャルル7世は百年戦争を勝利に導きながらも、彼自身の王位継承を支援したジャンヌ・ダルクを敵軍に渡して死に至らせた非情な人物▶131だった一方で、ソレルに注いだ愛情はとどまるところを知らなかった。王はソレルにロシュ城を与え、爵位と領土まで下賜した。しかし、いかに王の遊びとはいえ、こんなにも公然と愛人の存在を認めて衆人の目にさらけ出すことは、当時としては希有だった。

ソレルは、シャルル7世との間の4人目の娘を産んでまもなく、赤痢のために亡くなった。ちまたでは、ソレルと歳が近いシャルル7世の息子、ルイ11世が、彼女を毒殺したという噂もあった。この絵は、ソレルが亡くなって2年後、財務長官エティエンヌ・シュヴァリエが注文し、彼女のことが忘れられない王にプレゼントしたものだ。

161
SUN

アンナとヨアキムの接吻

ジョット・ディ・ボンドーネ
《金門での出会い》、フレスコ、
200cm×185cm、1304〜1306年、
スクロヴェーニ礼拝堂、
パドヴァ（イタリア）

　キリスト教の宗教画には、興味深い接吻の場面が2つある。その1つは「ユダの接吻」
▶273である。そしてもう1つの有名な接吻が、聖母マリアの父母であるこのヨアキム
とアンナのものだ。『ヤコブ原福音書』によると、彼らは信心深い生活を送っていた
が、長い間不妊であった。ユダヤ人たちは、子どもを産むことのできない人は神の祝
福を受けることはできないとしたため、2人は、聖所での儀式に捧げ物をしようとし
て拒絶された。絶望に陥ったヨアキムは、妻にも知らせず荒野に旅立ち、断食して祈
りを捧げた[31]。残されたアンナも泣きながら嘆きの祈りを捧げたところ、アンナの前
に天使が現れ、イェルサレムの黄金の門のところに行って夫を迎えなさい、と告げ
た[32]。

　この絵は、お告げを聞いたアンナが黄金の門に駆けて行き、夫の無事を喜んで接
吻している場面である。マリアを敬うカトリックでは、マリアの母アンナも原罪な
くしてマリアを懐胎したととらえている。マリアはこの接吻の結果として生まれた
のだ、という説まである。そうだとすると、これほど強烈な接吻は、またとない。

31　『ヤコブ原福音書』1章2節〜2章1節（『新訳聖書外典』pp.23-24）。
32　『黄金伝説』125、聖母マリアお誕生（第3巻、p.395）。

162
MON

夜のカフェテラス

フィンセント・ファン・ゴッホ《夜のカフェテラス》、キャンバスに油彩、
80.7cm×65.3cm、1888年、クレラー・ミュラー美術館、オッテルロー（オランダ）

フィンセント・ファン・ゴッホ▶003は、弟のテオと一緒に住んでいたパリを離れてアルルに来てからは、南フランスの太陽の光に似ている黄色にいっそう愛着を感じるようになった。黄色は、太陽が沈んだ夜のカフェのガス灯や、星の光を描くときの色として、白とともに用いられた。

ゴッホはこの絵について、「これは黒のない夜の絵だ。美しい青と紫と緑しか」ないと言い、「絶対に描きたい」という星空を描くのは「とてつもなく楽しい」、と記している[33]。黄色、それとくっきり対比される濃い青、そして雪のように降ってきそうなほど大きく描かれた星がぎっしり並んでいる。

だがこの絵は、単に夜の風景を描いただけにとどまらず、宗教画でもあるという見方もある。テラスの中央に立っている白い服装の男がイエス、カフェに座っている人たちが弟子で、なかでも左側の戸の外に出ようとしているのが、イエスを裏切ったユダだという。そう考えてみると、立っているイエスの背後に描かれている窓枠が十字になっているという点も、偶然だとばかりはいえなくなってくる。ゴッホの父親は牧師で、ゴッホ自身も大学の神学部に進学しようとして失敗した経験があり、炭鉱街に入って伝道活動をした経歴がある。こうしたことも、その見方を後押しするものではあるが、あくまでも推測にすぎない。

33　ゴッホから妹のウィレミーン・ファン・ゴッホに送った手紙。書簡番号678、1888年9月9日・14日（『ファン・ゴッホの手紙』II、pp.316-317）。

163

TUE

スペイン・バロックと
聖者崇拝の思想

　バロック時代、カトリック国家では反宗教改革の旗印のもと、信仰心をより固く
するような美術作品が奨励された。伝統的にカトリック国家であったスペインでは、
信仰の神秘を強調するために、どの国よりも「聖母子崇拝」が奨励された。したがっ
て美術でも、とりわけ聖母マリアや聖人たちの生涯を扱った絵が多く描かれた。フ
ランシスコ・デ・スルバラン（1598〜1664年）は、主にスペインのセビリャで活動した。
暗い背景にスポットライトのような強烈な光を駆使する「テネブリズム」▶242 は、17
世紀のスペインの画家の間で人気があった。十字架に逆さ吊りにされているのは、
イエスの12人の弟子の1人、聖ペトロである。彼はカトリックの初代教皇となったが、
ローマ帝国のネロ帝の時代に十字架に逆さにはりつけられて殉教した▶301。おそらく
その名前をとって自らの名前をつけたペトロ・ノラスコは、ある日、聖ペトロが殉教
する場面を幻視したという。今では誰も信じないようなこうした〈奇跡〉がかつては
しょっちゅう報告され、さほど疑われることもなく、その〈奇跡〉が絵に描かれた。

◎スルバランは、「スペインのカラヴァッジョ」というニックネームをつけられるほど、カラヴァッジョの画風を
　完璧に自らのものとして消化した。

164
WED

ピーテル・ブリューゲル（父）

ピーテル・ブリューゲル（父）《画家と芸術愛好家》、ペンとインク、25cm×21.6cm、1565年、アルベルティーナ美術館、ウィーン

　ピーテル・ブリューゲル（父）(1520頃〜1569年) は、ブリューゲルという村で生まれた
ともいわれる。アントウェルペンの画家組合に登録し、イタリアやフランスなどで
勉強したが、それらの地の美術からは影響を受けず、独創的な絵を描いた。とくに小
市民のささやかな日常を取り上げた「ジャンル画」▶142 を得意とした。歴史画、宗教画
にも優れていたが、農民たちの生活を愛情のこもった目で観察し、直截［ちょくせつ］
的に描写して「農民ブリューゲル」とも呼ばれた。同じ名前をもつ長子ピーテル・ブ
リューゲル（子）と、その弟ヤン・ブリューゲル（父）▶032 も画家である。
　この作品は、ピーテル自身と推測される画家が、背後にいる買い手を意識して絵
を描いている場面だ。聖堂の祭壇画や大邸宅の壁画の注文を受けて装飾的に描いて
いた旧教圏の画家とは異なり、新教国家で活動していたブリューゲルのような画家
は、まず自分が気に入る絵を描き、それを画商に売ったり、自分で市場に出て売った
りする形で生計を維持していた。したがって、注文主との契約で取り決めた主題の
中で最善を尽くす旧教圏の画家と比べて、いつ誰が買ってくれるかもわからない絵
を描く新教圏の画家は、はるかに不安な状態で制作しなければならなかった。

165

THU

短縮法

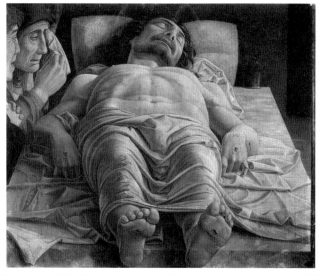

アンドレア・マンテーニャ《死せるキリスト》、キャンバスにテンペラ、68cm×81cm、1475〜1478年、ブレラ美術館、ミラノ

　アンドレア・マンテーニャは、この絵を「遠近法で描いたイエス」と紹介している。足から頭に至る空間感覚をリアルに表現するために、マンテーニャは、身体の長さを短く縮めて描いた。これは「短縮法」と呼ばれる技法で、遠近法の一種と見ることができる。写真を見慣れている現代人の目には、こうした表現は目新しいものではない。しかし、当時この絵の前に立った人は、死んだイエスの足元に自分が立っているような錯覚を抱いただろう。固い大理石の台の上に横たわるイエスの身体の表現は、なかなかリアルである。マンテーニャは身体の構造について、解剖学的な見地からもよく理解できていたことがわかる。

　イエスの手と足には生々しく釘の痕があり、見る者の胸を突く。身体を覆う布は、大理石の台の上で波打っている。左側の隅には、イエスの死を悲しむ聖母マリアとヨハネが見える。完璧な美男美女として描くのではなく、身近な人のようにしわのある肌を描いたリアルさがあり、いっそう感情移入させられる。

◎完璧だと思えるこの絵にも、画家の意図によって歪曲されたところがある。それは足の大きさだ。比率から見れば、イエスの足はもっと大きくなければならない。マンテーニャは、足を大きくすると身体の一部が隠れてしまうため、イエスの足を子どもの足のように縮小して、身体が見えるようにした。

166
FRI

スペインの国土回復運動と
新大陸の〈発見〉

ウジェーヌ・ドラクロワ《新世界より戻ったクリストファー・コロンブス》、キャンバスに油彩、
90.4cm×118.3cm、1839年、トレド美術館、トレド（アメリカ・オハイオ州）

　イベリア半島は、711年以後、北アフリカから侵入したイスラーム教徒の支配を受けていた。イスラームの勢力が弱まったとき、半島中北部地域に建てられたレオン、カスティリャ、ナヴァラ、アラゴン、カタルーニャなどのキリスト教王国は、連合して「国土回復運動（レコンキスタ）」を展開した。

　カスティリャでは、厳しい試練を経たのち王位についた王女のイサベル1世（在位1474〜1504年）が、アラゴンの王子フェルナンド2世（スペイン国王としてはフェルナンド5世）と政略結婚し、1492年、イベリア半島からイスラーム勢力を完全に追放した。

　またイサベルは、あらゆる反対を顧みず、コロンブスを支援し、彼の新大陸〈発見〉に大きな役割を果たした。周知のように、コロンブスはアメリカをインドだと固く信じ、アメリカ先住民をインド人、すなわち〈インディアン〉だと信じていたのではあるが、彼の〈発見〉によって大航海時代が本格的に幕を開けたことは事実である。この絵は、新大陸〈発見〉の航海から帰還したコロンブスが、盛大な歓迎を受けながら、イサベル1世とフェルナンド5世に報告する場面を描いたものである。

◎イサベル1世とフェルナンド5世の間に生まれたフアナは、神聖ローマ帝国のハプスブルク家出身の「端麗公フェリペ」と結婚した。その2人の間に生まれた子どもが、有名なカール5世▶201だ。カール5世は、神聖ローマ帝国とスペインの君主を兼任して統治を行った。

167
SAT

バルコニーに隠れた子ども

エドゥアール・マネ《バルコニー》、キャンバスに油彩、170cm×124.5cm、1868～1869年、オルセー美術館、パリ

マネ[120,275] は、自分のピアノの先生だったシュザンヌ・レーンホフ（1829～1906年）と結婚した。シュザンヌにはすでに1人の息子がいたが、不思議なことにいつも弟として紹介していた。また、マネとシュザンヌの2人は、結婚のかなり前から同棲していたが、このことは、経済的に頼りにしていた父親をはじめ、誰にも知られないよう内密にしていた。マネは、シュザンヌと正式に結婚しながらも、彼女が産んだ子どもを自分の戸籍には載せなかった。

そのため、シュザンヌはマネの父親の愛人で、子どもは結果的にマネの異母弟だと語る人もいた。マネとシュザンヌの間には子どもはいなかった。マネが梅毒によって子どもをもつことができなかったためだ。記録の上では、子どもの名前はレオン・コエラ＝レーンホフで、母親はシュザンヌ・レーンホフだが、「コエラ」はマネ夫妻がつくり上げた架空の姓である。マネは、レオンをモデルとして絵を何点か描いており、この絵の中にもレオンの姿を見ることができる。絵を見ると、バルコニーの最前列で手すりに軽く身体をもたせかけている女性は、画家のベルト・モリゾ[080,113] である。マネの弟の妻であり、マネと秘密の恋仲にあったことが知られている。右側の傘を持った女性は妻の友人で、その奥に立っている男性は、マネの友人の風景画家アントワーヌ・ギュメだ。レオンは、画面の左側で遠くかすかに描かれ、自分の存在自体を表に出さず隠しているかのようだ。

168

SUN

エリサベト訪問

ヤーコポ・ダ・ポントルモ《エリサベト訪問》、パネルに油彩、202cm×156cm、1528〜1529年、サン・ミケーレ聖堂、カルミニャーノ（イタリア）

　天使が現れて、驚くことこの上ない受胎の事実をマリアに伝えたとき▶147,154、彼女は大いに驚き、「どうしてそんなことがあり得るのか」と尋ねた。

　この当然の疑問に、天使は「あなたの親類のエリサベトも、歳をとっているが、男の子を身ごもっている。子どもを産むことができない女性だと言われていたのに、もう6ヶ月になっている。神にできないことは何一つない」と答えた[34]。

　お告げを聞いたマリアは、急いでいとこのエリサベトを訪ねたのだが、画家たちはこのことを《エリサベト訪問》という題名でたびたび描いている。優雅で気品のある色や線、調和のとれた秩序や比率といった技巧が絶頂に達した盛期ルネサンスとは異なり、16世紀中盤以後になると、大胆な色づかいをし、身体を長く引き伸ばしたように描く画家が多く登場した。ポントルモ（1494〜1557年）も、このような「マニエリスム」▶116の画家の1人である。

　マリアとエリサベトは互いに見合って言葉を交わしているが、後ろに立つ女性たちと同様に無表情である。身体はゆがめられ、頭に比べて胴体が長く、色もやはりふつうの雰囲気とは異なっている。そのため、喜ばしい訪問とは感じられず、ホラー映画の前兆シーンのようだ。

34　『ルカによる福音書』1章36〜37節。

169

MON

グランド・ジャット島の
日曜日の午後

ジョルジュ゠ピエール・スーラ《グランド・ジャット島の日曜日の午後》、キャンバスに油彩、
207.5cm×308cm、1884〜1886年、シカゴ美術館、シカゴ（アメリカ・イリノイ州）

　絵の具をパレットで混ぜると、色が濁ってしまう。このことを避けるため、微小な
点を細かに並べて打ち、絵を見る人の目には色が混ざって見えるようにする技法を、
「点描法」▶109という。この技法の大家スーラは、1886年、8回目にして最終回となっ
た印象派展にこの作品を出品した。グランド・ジャットとは「大きな杯」という意味
で、パリの北西にあるこの島の姿が杯に似ていることからつけられた名前である。
ここには週末ともなれば、パリの中産層から労働者までのさまざまな人々が休息の
ために集まり、足の踏み場もないほどの人込みでごった返した。

　この絵の左下、身体を斜めに横たえて川を眺めている人は、身なりからして労働
者である。その横に座っている帽子をかぶった男女は、中産層と思われる。絵の右側
には、お尻がぽんと飛び出た女性が立っているが、このように補整下着を着てお尻
がふくらんで見えるようにするのが、当時の流行であった。この女性はペットの猿
をつないだ紐を持っている。絵画において、猿はしばしば〈淫乱さ〉を象徴するので、
彼女は性売業の女性だろうと推測できる。単純化された形態はまるで古代エジプト
のブロック彫刻（方形彫像）のようであり、「日曜日の午後」でにぎわっているにもかか
わらず、静寂さが際立っている。

◎中央に、日傘を差している女性と子どもが見える。子どもの奥のほうで背を向けているおもちゃの兵隊のよう
　な2人の男性は、警官だ。グランド・ジャットには家族連れも多く訪れたが、性売業者も多く行き交った。そこ
　で万一いかがわしいことが起こった場合に対処するため、警官がパトロールしていたのである。

170

TUE

オランダ・バロック、光で物語る

レンブラント・ファン・レイン《夜警》、キャンバスに油彩、379.5cm×453.5cm、1642年、アムステルダム国立美術館、アムステルダム

この作品は、アムステルダムの市民隊の建物に記念として掲げる集団肖像画として、フランス・バニング・コック隊長とその隊員が注文したものである。彼らは完成した作品を見て、絵が想定よりも大きかったので、迷わず左側を切り落とす暴挙に出た。そのため、現在伝わっているこの絵は、もとの絵とは異なっている。

この絵は、年月が経つにつれて次第に暗く変色し、さらに絵の損傷を防ごうとして塗られたニスが黒く変色したことで、画面全体がいっそう暗くなってしまった。このために、暗い夜の情景だと勘違いした18世紀の人々が、この市民隊を夜間巡察隊、すなわち「夜警」と考えて、絵のタイトルもそのようにつけたのであった。集団肖像画といえば、同じ服を着て整列して座り、一糸乱れず正面を向いているのがいわば定番のスタイルだった。レンブラントはそれとは異なり、現場に到着したばかりの人々のざわついた雰囲気を、まるでスナップ写真を撮ったような演出で描いた。

絵の中には、描くことを最初から約束していた18人の市民隊員だけでなく、子ども、太鼓を叩く人など16人の架空の人物まで描き加えて、さらに活気を添えている。この作品でレンブラントは、オランダ・バロックの巨匠らしく、日光やかがり火など、いくつもの光を画面に取り入れた。したがって、ある人物は左側から、ある人物は右側から、ときには上からも光に照らされている様子が描かれている。そのため、全体として演劇の舞台に集まっている俳優のような雰囲気がある。

◎この絵は、集団肖像画でありながら硬直した姿ではなく自然な様子を描いて好評を博した。しかし実際に絵を注文した市民隊の人々は、自分たちの姿が影に隠れたり、目立たなかったりすることが不満に感じた。それだけが理由とも限らないだろうが、この絵以後、レンブラントが集団肖像画の注文を受けることはほとんどなくなった。

171
WED

アントニー・ヴァン・ダイク

アントニー・ヴァン・ダイク《ひまわりと肖像画》、キャンバスに油彩、60cm×73cm、1633年、個人所蔵

　アントウェルペン出身のアントニー・ヴァン・ダイク (1599~1641年) は、ペーテル・パウル・ルーベンス[199] の筆頭助手で、実力の面ではほとんど画家に近かった。ヴァン・ダイクはとくに肖像画に秀でていて、1620~1621年にイギリス国王ジェームズ1世のために働いたのち、イタリアのジェノヴァに向かった。ジェノヴァでは、貴族たちの肖像画を描いて生活した。その後、故郷の村に戻って活動していたヴァン・ダイクは、1632年にイギリス国王チャールズ1世 (在位1625~1649年) の宮廷画家として働くことになった。ヴァン・ダイクは肖像画を描く際、人物の手と顔だけをスケッチしたのち、そこに豪勢で華麗な装身具や服を描き加える演出を加えた。自己顕示欲の強い依頼人たちは、この演出に大いに感動した。

　この絵のヴァン・ダイクは、ひまわりの前に立ってこちら側の誰かを見つめている。額には汗がにじんでいるようで、のちに彼が過労死することになる運命をうかがわせる。また彼は、王室から贈られた黄金のチェーンを手に掛けている。この絵のように、光り輝く黄金色を誰よりもうまく描写することができたためだろう。もう一方の手で指差しているひまわりは、王冠に似た形をしており、王から受けている寵愛を意味しているのかもしれない。

172

THU

アール・ヌーヴォー様式

オーブリー・ヴィンセント・ビアズリー
《おまえの口に口づけしたよ、ヨカナーン──『サロメ』挿絵》、
紙にペン、22.8cm×12.7cm、1893年、ヴィクトリア＆アルバート博物館、
ロンドン

　1890年頃から第一次世界大戦前までの西ヨーロッパで流行した「アール・ヌーヴォー」は、「新しい美術」という意味の呼称である。フランスやベルギーなどでは「アール・ヌーヴォー」、イギリスやアメリカ、ロシアでは「モダン・スタイル」、ドイツでは「ユーゲントシュティル」、オーストリアでは「ゼツェッションシュティル（分離派）」▶331 と呼ばれる。

　あらゆるものが産業化・機械化・標準化していく社会の状況に対する反動という性格の上に、より新しく革命的な美術に対する渇望が加味された芸術上の動きであった。『ヴェネツィアの石』などの著作を残したイギリスの美術批評家ジョン・ラスキンは、すべての美術作品は、意図的であれ偶然であれ、自然の形態に似ていなければならないと主張した。機械的大量生産を拒否し、手工芸を復活させ、自然に題材をとったデザインを応用すること、建築・室内装飾・家具・布地・書籍の挿絵などを美しく実用的なものとすること、究極的にはすべての人が享受できるようにすることを含んだ主張である。

　この主張に大きく影響を受けたアール・ヌーヴォー・スタイルは、蔓〔つる〕のように曲がりくねった線、複雑な植物の文様など、装飾的な雰囲気をもつデザインが多数を占めた。ビアズリー（1872～1898年）が描いたオスカー・ワイルドの『サロメ』の挿絵を見ると、切られた首から流れる血が、植物の茎のようにつながっているのがわかる。

◎イタリアではアール・ヌーヴォーのことを、ロンドンのリバティ百貨店の名前にちなんで、「スティレ・リベルティ」と呼ぶ。

173
FRI
カンブレー同盟とユリウス2世

ラファエッロ《教皇ユリウス2世の肖像》、パネルに油彩、
108cm×80.7cm、1511〜1512年、ナショナル・ギャラリー、ロンドン

教皇ユリウス2世は、古代ローマの英雄ユリウス・カエサル（ジュリアス・シーザー）にちなんだ名を名乗ったことからもうかがえるように好戦的な人物で、カトリック教会の指導者というよりは世俗君主に近かった。

ルネサンス期、いくつもの都市国家に分裂していたイタリアは、しょっちゅうヨーロッパ各国間の軋轢［あつれき］関係のもとに置かれ、フランスや神聖ローマ帝国、スペインなどの外部勢力と戦略的同盟関係を結んだり、牽制したりしながら、熾烈な勢力争いを展開した。教皇領の首長である教皇もその点は同様で、イタリアのほかの世俗指導者と異なるところはなかった。ユリウス2世は、1508年、教皇領のイタリアにおける領土拡大のために、フランス・教皇領・スペイン・神聖ローマ帝国を会してカンブレー同盟を結び、ヴェネツィアを攻撃した。

しかしこの同盟に参加していた各国は、利害関係の変化に伴って、たびたび協力相手を入れ換えた。1510年、フランスがヴェネツィアへの攻勢を強めると、教皇は、イタリアの地でフランス勢力が拡大することを警戒し、ヴェネツィアと同盟を結んだ。教皇は、1511年5月にボローニャをフランスに占領され、その後も各地での戦いに敗れて多くの兵士を失った。その兵士の追悼のため、教皇は、再度戦って勝利するときまで、そして復讐が終わるときまでひげを伸ばすのだと宣言し、1511年6月から翌年3月までひげを伸ばし続けた。この絵はその様子を描いたものだ。ちなみに13世紀以後、教会は、聖職者がひげを伸ばすことを禁止していた。

174
SAT

ベアトリーチェの真実

グイド・レーニが描いたものをエリザベッタ・シラーニが模写
《ベアトリーチェ・チェンチの肖像》、キャンバスに油彩、64.5cm×49cm、
1650年、バルベリーニ宮国立古典絵画館、ローマ

まだ少女の雰囲気が残る美しい女性、ベアトリーチェ・チェンチ（1577～1599年）は、まもなく斧で首を斬られる予定だ。ベアトリーチェ自身も、また彼女と同居していた実の兄、継母、異母弟も皆、父親フランチェスコ・チェンチからの容赦ない暴力に苦しんでいた。とりわけ彼女は、14歳の頃から継続的に性的暴行まで受けていた。

我慢しきれなくなったベアトリーチェと家族は、1598年9月9日、2人の召使いとも協力してフランチェスコを殺害した上、彼は足を踏み外して死んだように偽装した。しかし、これが殺人事件であることを知った教皇庁が、関係者を容赦なく拷問したことで全貌が明らかになり、加担した者全員が死刑宣告を受けた。

この件の経緯を知るローマ人たちは皆、フランチェスコ殺害は正当防衛であったと主張した。ところが教皇クレメンス8世（在位1592～1605年）は、一家の財産をすべて教会に帰属させることに魅力を感じたのか、1599年9月11日、幼い弟を除く全員を公開処刑とした。刑場に集まった群衆はベアトリーチェの釈放を求めたが、教皇は頑として動かなかった。この絵は、囚人服を着て現場に引き出されていく途中、最後に群衆のほうに顔を向けたベアトリーチェの姿だ。ちょうど現場に居合わせた画家グイド・レーニ（1575～1642年）▶242がその姿をとらえて描いたものを、弟子であったエリザベッタ・シラーニ（1638～1665年）が模写したのがこの絵と考えられている。

175
SUN

イエスの誕生 I

ジョット・ディ・ボンドーネ《キリストの降誕》、
フレスコ、200cm×185cm、1304〜1306年、
スクロヴェーニ礼拝堂、パドヴァ（イタリア）

　イタリア・パドヴァのスクロヴェーニ礼拝堂の壁に描かれた、ジョット・ディ・ボンドーネの作品だ。右側では2人の羊飼いが敬拝していて、空では天使がイエスの誕生を祝福している。馬小屋の中で聖母マリアと産婆が生まれた子どもの世話をしている一方、父親であるヨセフ▶140,182,210 は、それに背を向けて愁いに満ちた表情で座っている。生まれた子どもがこれから経験することになるだろう運命について思いやり、悲しんでいるのである。ふつう、宗教画においてはヨセフはマリアに比べてずっと年上の姿に描かれる。ヨセフとの間の人間的な方法では、マリアは妊娠できないことを強調するしかけでもある。

　この絵でとりわけ目を引くのは、赤子のイエスの姿だ。自分の手で身体を傷つけないように、また体温を維持するために、子どもを服や布でぐるぐると包むことは一般的な行いである。だが、この絵の赤子は、まるで圧迫包帯でぎゅうぎゅうと巻きつけられたかのように見える。これは、葬儀の際に死者に着せる寿衣［じゅい］を想起させる。イエスは誕生したものの、まもなくこの世の罪の身代わりとなって死ぬことになるという将来を暗示している。

176
MON

耕作、ニヴェルネ地方にて

ローザ・ボヌール《耕作、ニヴェルネ地方にて》、キャンバスに油彩、134cm×260cm、1849年、オルセー美術館、パリ

　ローザ・ボヌール▶010 の父親は、自らの子どもの美術活動に協力的で、彼女やきょうだいが好きなだけ動物を描けるように、家の中にまで動物を引き入れていた。母親も、子どもにアルファベットを教えながら、その文字に関連する動物の絵を描かせた。そのおかげでローザは、早くから動物の絵に熟達し、自分に素質があるということも自覚できた。彼女がサロン展▶226 で一等賞の栄誉を得たのち注文されたこの絵は、広々とした景色の中、牛が列をなして畑を歩く様子を描いている。これは当時の絵としては非常に特異な主題だった。明るく澄んだ秋の日光を浴びる牛のリアルな姿を見れば、彼女が牛の身体の構造についてどんなにたくさん研究し、練習したのかが十分にうかがえる。

　フランス政府は、この絵を最初はリヨン美術館に送る計画であったが、人々の評判が高まったことで、首都のパリに置くことに決めた。屋外に直接赴いてカメラで撮影したような臨場感あふれる風景は、以後、印象派にも大きな影響を及ぼした。ローザの絵は、フランスだけでなく、とくにイギリスやアメリカでも高い人気を呼んだ。彼女の死後35年経って、アメリカ・メリーランド州には、世界で初めて、人間と動物を一緒に埋葬できるローザ・ボヌール記念公園が造成された。

177
TUE

新教国家の美術

ピーテル・ヤンス・サーンレダム《アセンデルフト大聖堂内部》、パネルに油彩、49.6cm×75cm、1649年、
アムステルダム国立美術館、アムステルダム

　今日のオランダ北部からベルギー西部にまたがるフランドル地域は、ハプスブルク家の支配下に置かれていた。ハプスブルク家は、ドイツ・オーストリアの地にあった神聖ローマ帝国や、スペインを治めていた王家である。新教（プロテスタント）が広まっていたフランドルの人々は、旧教（カトリック）を固く信奉するハプスブルク家の暴政に対して独立戦争を起こした。だが、南部ネーデルラントとベルギー地域にかけての10の州は、1579年にスペインに屈服した。一方、ホラント州などを中心とする北部ネーデルラントの7州は、80年以上にわたる戦争の末、1648年に独立した。

　独立した北部ネーデルラントの新教徒は、教会を華麗な建築にしたり、内部を高価な絵や聖像で装飾したりすることを拒んだ。ルターにより宗教改革が始まった最大のきっかけが教会の免罪符（贖宥［しょくゆう］状）販売であり、その目的がサン・ピエトロ大聖堂の再建築だったことを思い起こせば、当然の成り行きであった。

　北部ネーデルラント出身の画家ピーテル・ヤンス・サーンレダム（1597〜1665年）は、建築物の内部を多く描いた。イタリアなどのカトリックの聖堂とは異なり、内部にこれといった装飾類はなく、がらんと空いているような印象を受ける。

178
WED

ルーカス・クラーナハ（父）

ルーカス・クラーナハ（子）《ルーカス・クラーナハ（父）の肖像》、
パネルに油彩とテンペラ、64cm×49cm、1550年、ウフィツィ美術館、
フィレンツェ

画家ルーカス・クラーナハ（父）（1472〜1553年）は、彼自身よりも、彼が描いた宗教改革者マルティン・ルターの肖像画で有名である。ルターが聖書をドイツ語に翻訳すると、クラーナハはその聖書に117枚に及ぶ挿絵を描き、ドイツ語でさえ読むのに苦心していた大衆に対する啓蒙を行ったのである。しかも彼は、その聖書を自分が経営する印刷所から刊行した。

ルターがヴィッテンベルク大学の神学教授兼聖職者を務めていた頃、クラーナハは、同じくヴィッテンベルクで、選帝侯フリードリヒの宮廷にあって絵を描いていた。無名の画家だった父親から絵を学び、1508年に選帝侯の目にとまってヴィッテンベルク城に入ったのち、不動産と薬局の経営に優

れた手腕を発揮し、何年も経たないうちに市内で最も富裕な人物の1人となった。さらに彼は、市会議員を10年、市長を3年も務めた。クラーナハは宗教改革の支持者ではあったが、カトリックの熱心な信者からも絵の注文を受けるほど、その人柄は社交的だった。

クラーナハは、何かと話題になるルターの結婚式▶181 に喜んで証人として出席したほど、ルターと親しくしていた。またルターも、クラーナハに子どもが生まれると、ためらわず代父を引き受けた。この絵は、同じくルーカス・クラーナハを名乗った彼の息子が、77歳の父親を描いたものである。

179

THU

オダリスク

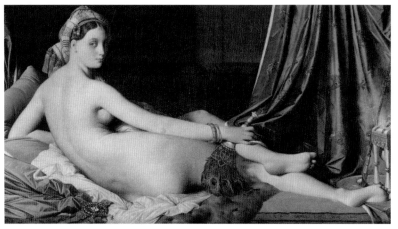

ジャン・オーギュスト・ドミニク・アングル《グランド・オダリスク》、キャンバスに油彩、91cm×162cm、1814年、ルーブル美術館、パリ

　オダリスクとは、オスマン帝国（トルコ）の帝室でスルタンの身辺の世話をし、主に性的満足のために仕えていた女性の奴隷である。異国的な事物に対する関心に加えて、東方の性文化をいくぶん見下してゆがんだ想像をふくらませていた西欧人たちにとって、オダリスクは、オリエンタリズム▶333 と呼ばれる彼らの趣向にぴったりとマッチする画題だった。

　絵の中の女性は、背中を見せて斜めに横たわり、鑑賞者をかすめるような視線を何気なく投げかけている。肌はなめらかで、すらりと伸びた身体は一瞬で視線を釘づけにする。しかしよく見ると、顔は古代ギリシャの彫刻像からもってきたかのように不自然で、顔と首のつながりがぎこちない上に、胸の表現もやはり人工的な印象を受ける。腰からお尻までのつながりも雑で、両脚の位置もぎこちない。長い首、細い腰を強調するために、画家が彼女の身体を恣意的にゆがめたせいである。

　もっともらしい言い訳の立つ神話中の女神を描いたわけでもなければ、道徳的・英雄的な教訓を加味したものでもないこの絵は、ただ異国的な女性のエロティシズムだけが強調されているにすぎない。

◎この絵は、1819年のサロン展▶226 に出品されたが、解剖学的にでたらめだという非難を受けた。これに対してアングルは、解剖学的な美しさのために描いたのではない、と応答した。

180

FRI

ヴォルムス帝国議会と マルティン・ルター

アントン・フォン・ヴェルナー《ヴォルムス帝国議会のマルティン・ルター》、キャンバスに油彩、66cm×125cm、1877年、
シュトゥットガルト市立美術館、シュトゥットガルト（ドイツ）

　歴史的事実の精密な描写が好まれていた帝政プロイセン時代、アントン・フォン・
ヴェルナー（1843〜1915年）は、16世紀に宗教改革を主張したマルティン・ルターが、ヴ
ォルムス帝国議会に参席した場面を壁画として描いた。神聖ローマ帝国の皇帝カー
ル5世 ▶201 は、皇帝に即位して初めて開いた帝国議会（ヴォルムス帝国議会）にルターを
召喚した。皇帝は議会で、自身も属するハプスブルク家の領土継承問題をはじめ、さ
まざまな事案を議論したが、最も大きな議題は、宗教改革によって騒ぎを起こした
ルターについてのものだった。

　皇帝はルターに対し、自分の思想が間違っていたことを明らかにして主張を取り
下げることを要求したが、ルターはこれを拒否した。その結果、皇帝はヴォルムス勅
令を発し、ルターと彼に従った者たちの公民権を剥奪した。この絵の中央には、アウ
グスチノ修道会の服装をしたルターが、右手を胸に当てて熱弁を振るっている姿が
見える。ルターは弁論を前にして高まる緊張をほぐすために、ビールを1リットル以
上も飲んだ状態だったという。絵の左側でキャノピー（天蓋）の下に座り、ルターの弁
論を聞いているのが皇帝カール5世だ。

◎ビール1リットルの威力とはどれほどすさまじかったものか、とどまるところを知らぬルターの弁舌に、多数
　の諸侯が大いに感動したという話が伝わっている。

181

SAT

神父と少女の結婚

ルーカス・クラーナハ（父）
《ルター夫妻の肖像》、パネルに油彩、
36.5cm×23cm、37cm×23cm、1529年、
聖アンナ教会、アウクスブルク（ドイツ）

　修道女カタリナ・ボラ（1499〜1552年）は、マルティン・ルターの思想に大いに感動し、11人の修道女とともに修道院からの脱出を図った。彼女はルターに助けを求めた。ルターは魚売りの馬車を利用し、ニシンの箱の下に修道女たちを隠して、ヴィッテンベルクまで移動した。脱出に成功した後、ルターは、3人の修道女を願いどおりに故郷に帰らせ、残る8人は仲人となって結婚させた。

　ボラもルターが紹介した男性と婚約したが、持参金の問題で男性側の家族が反対し、しかたなくルターのいる修道院に戻ってきた。修道院での生活を切り盛りしていたボラは、もはや私を引き受けてくれる人はあなたしかないと言って、ルターに結婚を申し入れた。ルターは、宗教改革を叫んではいたものの聖職者であり、当時の慣習に照らして、修道女と公に結婚することに対しては、あちこちから非難が集中した。

　この絵の作者クラーナハ▶178は、彼らの結婚の証人となって夫妻の肖像を描いた。ルター夫妻は3人の息子と3人の娘、合わせて6人の子どもをもった。ボラは農作業をし、魚や家畜の飼育まで行い、下宿屋を経営して、収入がはかばかしくないルターを陰で支えた。

182
SUN

イエスの誕生 II

ロベルト・カンピン《キリストの降誕》、パネルに油彩、87㎝×70㎝、1425年、ディジョン美術館、ディジョン（フランス）

『ヤコブ原福音書』[35]によれば、産婆はマリアがイエスを産んだ後に到着し、マリアが処女だということにすぐに気づいたという。

産婆はこの事実を友人のサロメに話したが、サロメはマリアが処女かどうか自分の指で確かめなければ信じられないと言った。そこでサロメがマリアの身体に指をつけると、その瞬間に麻痺したと記されている。

絵の中の聖母マリアは、金色の髪を長く垂らしてひざまずき、祈りを捧げる姿勢をとっている。ほとんど老人のように描かれたヨセフは、小さなロウソクを持っている。その奥に、イエスの誕生を祝うために集まった羊飼いたちの姿が見える。画面の右側の隅で背を向けている産婆は、「処女が息子を生んだ」という文字の書かれた巻紙を左手に持っている。産婆と向き合っている青いマントの女性がサロメで、すぐ脇に「私は手で触れた後に信じるだろう」という文字が書かれた巻紙がある。それに対する答えは、ヨセフの頭上の天使が持つ帯に描かれている。

「赤子に手を触れて赤子を抱け。そうすれば汝に平和と喜びがあるだろう」

35　『ヤコブ原福音書』19章3節〜20章3節（『新約聖書外典』pp.41-42）。

183
MON

アルルの夜のカフェにて

ポール・ゴーギャン
《アルルの夜のカフェにて》、
キャンバスに油彩、
73cm×92cm、1888年、
プーシキン美術館、モスクワ

　ゴッホ[003]は、画家共同体を構想してフランス南部のアルルに住みかを移した。ゴッホは、ともに行動する仲間として、まずゴーギャン[129]に目をつけた。印象派[289]の出現以後、パリの画壇には地殻変動が起こったが、いつのまにかその画風も陳腐に感じられるようになっていた。ゴッホの目には、ゴーギャンがこれからの時代を牽引する新鮮な画風のトップランナーに見えた。

　ゴッホは、ゴーギャンの歓心を買おうと手を尽くした。画商であったゴッホの弟テオがゴーギャンの絵を買い入れ、まだ売れてもいないうちにゴーギャンに代金を支払った上に、アルル行きの費用を含めて滞在に必要な生活費まで保障した。手厚い待遇に心が動いたゴーギャンは、アルルに行くことを選んだが、もともと冷淡な性格のゴーギャンは、せっかちで炎のような性格のゴッホとは、引き合わせてはならない存在であった。

　この絵は、ゴッホとゴーギャンがアルルでよく出入りしたなじみのカフェの店内の様子だ。カフェを経営するジヌー夫人の背後に、数人が集まって酒を飲み、談笑している。豊かなひげをはやした男は、ゴッホと親しい郵便配達人のルーランだ。絵の左側には、テーブルに伏せている男が見える。ゴーギャン自身である。ゴッホの友人たちに比べると、自分は高尚すぎて釣り合わない、とほのめかしているようだ。

184

TUE

ロココ美術 Ⅰ

フランソワ・ブーシェ
《ヴィーナスの勝利》、
キャンバスに油彩、
130cm×162cm、1740年、
スウェーデン国立美術館、
ストックホルム

　絶対王政のルイ14世▶²³⁶の時代が終わり、ルイ15世 (在位1715〜1774年) の時代になると、貴族の権力が強まった。ルイ14世時代に王の要請でヴェルサイユに集まっていた貴族たちはパリに戻り、自分たちの富と権力を誇示するため、邸宅を豪華に飾り、享楽的で退廃的ともいえる文化を繰り広げるようになった。

　この時代に流行した美術様式を、「ロココ」と呼ぶ。庭園の噴水や装飾用洞窟などを飾りつける際に用いられた小石や貝殻を「ロカイユ」と呼ぶが、ロココという呼称は、ここに由来する。家具や建具が花弁文様や貝殻などの装飾で埋め尽くされた室内に掛けられたロココ風の絵は、概して豪勢にパステルカラーで彩られ、恋愛事件や神話に由来する官能的で退廃的な主題が主流であった。

　この作品では、まるで青い寝具のように広がる海の上で、美しいヴィーナスが、自分の存在を歓迎するトリトンと赤子の天使たちに囲まれて、幸せそうにほほ笑んでいる。ヴィーナスのモデルは、画家の妻マリー・ブーシェだ。この当時フランスに来ていたスウェーデン大使カール・グスタフ・テッシンが、ブーシェの妻をモデルに絵を描いてほしいと要求し、ブーシェのほうもその頼みを聞き入れた。

◎自分の妻の裸体を見たいという赤の他人の要求を、ブーシェが文句も言わずに受け入れた理由は、芸術心に燃えてとか、生活費に窮してといったことではなかった。ロココ時代の退廃的な宮廷の気風が、貞節を厳格に守ることを求めなかったのである。

185

WED

ハンス・ホルバイン（子）

ハンス・ホルバイン（子）《自画像》、紙にパステル、32cm×18cm、1542～1543年、ウフィツィ美術館、フィレンツェ

ドイツ南部のアウクスブルクで活動していた父親のハンス・ホルバインから絵を学んだ、息子のハンス・ホルバイン（1497～1543年）は、スイスのバーゼルで活動した。そして、その地でエラスムスの『愚神礼讃』のために挿絵を描いたことが縁で、推薦状を得てロンドンに移住した。

宗教改革以後、新教国家では教会の華麗な装飾への反発が強まったが、他方でこのことは画家の生計をおびやかすことでもあった。ホルバインは新教勢力の強いバーゼルにしばらく戻っていたが、ヘンリ8世（在位1509～1547年）▶187に呼ばれて再びロンドンに渡り、宮廷首席画家を務めた。

ホルバインは、王家の人々や貴族・商人たちの姿を繊細に、かつ美しく描き出す肖像画に優れていた。6回も王妃を交替させ、そのうちの何人かは死刑にまで処した暴虐なヘンリ8世のもとで、ホルバインは、王妃候補者の肖像画を描く仕事も何度か引き受けた。ヘンリ8世の4番目の王妃候補となったクレーフェ公国の王女アン▶188も、王の命令によって描いた。王は、絵の中の彼女にひと目ほれ込み結婚話を進めたが、いざ本人がイギリスに到着すると、あまりにも彼女が美化して描かれていたことを悟り、「今すぐホルバインの首を切ってしまえ」と命じるほど激怒したという。この自画像は、ホルバインが晩年に描いたもので、彼が黒死病で亡くなったのち、後代の画家が金色の背景を塗り重ねた。

186

THU

ダダとメルツ

クルト・シュヴィッタース《メルツ30、42》、紙にコラージュ、
25.4cm×17.2cm、1930年、個人所蔵

第一次世界大戦中の1916年、中立国スイスのチューリヒで、戦乱を避けてこの地にやってきた芸術家たちが集まったグループ「ダダ」は、その名前の由来からして意外なものだ。分厚い辞書に気の向くままにナイフをはさんで開いたページから、「幼い子どもの揺れる木馬」を意味するダダという言葉をたまたま見つけ、それを名前としたのだ。彼らはあらゆる一般的な慣習や伝統を拒否し、既存の思考とその限界を軽々と飛び越えていった。

シュヴィッタース（1887～1948年）はドイツ出身のダダイストで、街なかからマッチ棒や鉄道の切符、紙切れ、新聞紙などを集めて、用意した画板にそれらを貼りつけた。芸術とはまるで関係なさそう

ながらくたを寄せ集め、美術家なら当然行うであろう、削ったり整えたりする手作業を通じた表現の営みさえ最小限にとどめながら制作したという点で、また、作品のもつ意味について何の説明も行わないという点でも、彼の制作は、一般に考えられている〈美術〉の定義を完全に否定するものだった。特別な構図を考えて貼りつけたわけではなく、ほとんど無意識的に貼りつけたことで偶然生まれた形象が、成果として提示されている。こうした点でも、一般的な常識を超越しているということができる。シュヴィッタースは、自身の作業を「メルツ」と呼んでいる。これは、あるとき道で見たKommerz-und Privatbank（商業銀行）と書かれた印刷物から、merzという文字だけを取り出して貼りつけたことにちなんでいる。ダダの命名と同様に、まさに意味のない名称だ。

187

FRI

イギリス国教会の創始

ハンス・ホルバイン (子)《ヘンリ8世の肖像》、パネルにテンペラ、89cm×75cm、1539〜1540年、バルベリーニ宮国立古典絵画館、ローマ

イギリスのヘンリ8世は、スペイン王女のキャサリンと結婚したものの息子をもうけることができず、その後、女官のアン・ブーリンと恋愛関係になると、キャサリンとの離婚を決心した。教皇を頂点とするカトリックでは、結婚は秘跡とされ、配偶者の死以外での結婚の解消は認められていない。こうした宗教的理由に加えて、カトリック国家であるスペイン王室と教皇庁の蜜月関係を維持するためもあって、教皇庁はヘンリ8世の離婚に反対した。するとヘンリ8世は、カトリックの監督権を廃止し、国王の命令がその国で最高の権威をもつことを定めた国王至上法を発表した。そして大司教クランマーの援助を受けて、1534年、イギリス国教会 (聖公会) を創始した。このことは、個人的な恋愛沙汰のために行われた反抗にすぎない、と小さくとらえることも可能ではあるが、より大きく、堕落した教会への反旗を掲げたプロテスタントの精神がイギリスに広がった結果だ、と解釈することもできる。

だがヘンリ8世は、ここまで大きな騒動を起こした末に結婚したアン・ブーリンを、息子を産めなかったという理由でしりぞけ、あれこれと口実をつけて処刑してしまった。そしてジェーン・シーモアと結婚し、息子のエドワード6世が生まれた。ヘンリ8世は全部で6回結婚し、そのうち2名の王妃を処刑するというすさまじい横暴ぶりだった。ハンス・ホルバインの絵の中のヘンリ8世は、150kgを超える巨体で、相手を瞬時に抑え込むようなオーラに満ちている。

188
SAT

6ヶ月間の王妃

ハンス・ホルバイン (子)《アンナ・フォン・クレーフェの肖像》、
キャンバスに油彩とテンペラ、65cm×48cm、1539年頃、
ルーヴル美術館、パリ

今日のドイツとオランダの国境近くにあったクレーフェ公国の王女として生まれたアン (1515〜1557年) は、フランス・スペイン・教皇庁のカトリック連合に対抗してプロテスタント勢力を糾合するという政治的な必要から、ヘンリ8世▶187と結婚することとなった。この当時ヘンリ8世は、最初の妻キャサリンと離婚し、2番目の妻アン・ブーリンを処刑したのち、ジェーン・シーモアと結婚して息子もいたが、ジェーンが病気で早世すると、自分に似合う結婚相手を探し始めていた。

トマス・クロムウェルの推薦でアンとの結婚を進めることとなったヘンリ8世は、宮廷画家ハンス・ホルバイン (子) ▶185をクレーフェに派遣し、王女の肖像画をありのままの姿に描いて送るように、と命じた。そして実際に結婚を決めたが、1540年1月、宮廷に到着した新婦の顔をひと目見た瞬間、ヘンリ8世は怒りに包まれた。肖像画を通して想像していた姿とはあまりにも違うと思ったためだ。

王はアンと離婚するまでの6ヶ月間、アンと寝床を共にすることを拒んだ一方で、アンの付き人であった10代の少女、キャサリン・ハワードとの熱愛にのめり込んだ。ハンス・ホルバインに対する王の信頼は崩れ去り、さらには能力の高さで信頼されていた最側近のトマス・クロムウェルまで、あれこれと難癖をつけられ、ヘンリ8世の離婚に伴って処刑されてしまった。

◎アンはわずか185日間の王妃であったが、怜悧 [れいり] だった彼女は、ほかの女性たちとは異なり、処刑されたり幽閉されたりすることはなく、離婚によってかえって自由を得た。ヘンリ8世はアンを妹のように思い、ケント地方の広い領地と手厚い年金を与え、不自由なく暮らせるように手だてを整えてやった。

189
SUN

東方三博士の礼拝

アルブレヒト・デューラー
《東方三博士の礼拝》、
パネルに油彩、100cm×114cm、1504年、
ウフィツィ美術館、フィレンツェ

　聖書には、遠く東方から、星の読み方を知っている3人の博士あるいは王たちが、大きな星の導きにより、イェルサレムを経てベツレヘムに至り、イエスの誕生を祝ったと記録されている。彼らは、黄金と乳香、そして防腐剤となる没薬［もつやく］を贈り物として捧げ、礼拝している[36]。

　立ちおくれたドイツ美術のレベルを数段階引き上げたと自他ともに認める天才画家デューラー▶115は、三博士を老年のヨーロッパ人、壮年のアジア人、青年のアフリカ人として描き分けた。これは、すべての世代のすべての人類がイエスを救世主として迎えなければならない、ということを強調するためのものだ。

　ヨーロッパを象徴する年老いた白人の王ガスパールは、ひざまずいて黄金を捧げている。その一方で、アジアの王メルキオールとアフリカの王バルタザールは並んで順番を待っている。デューラーは、メルキオールを自分の姿に描いて、署名の代わりとした。メルキオールは髪がゆるやかに長く垂れており、壮年となったイエスの姿を想起させる。

◎3人の王の贈り物のうち、黄金は〈イエスの王権〉を、乳香は〈信仰〉を、そして遺骸の腐敗防止に用いられる没薬は〈復活〉を象徴するものとみることができる。バルタザールは、没薬を入れた地球儀の形の容器を手にしており、その蓋には、のちにイエスの死によってつぐなわれる〈原罪〉を象徴する蛇の形象が見える。

36　『マタイによる福音書』2章1節〜11節。

190
MON

漁師の娘の縫製

アンナ・アンカー《漁師の娘の縫製》、キャンバスに油彩、59cm×48cm、1890年、ラナース美術館、ラナース（デンマーク）

19世紀後半、デンマークの小さな漁村スケーエン（スカーゲン）には、毎年夏になると画家が集まり、その地の漁民たちの姿を描いた。これらの画家を「スケーエン派」と呼ぶ。アンナ・アンカー（1859〜1935年）は、この一派の画家が多く過ごしたホテルを経営する父のおかげで、おのずと絵の制作に興味をもつようになった。

当時、デンマーク王立美術アカデミーは女学生が学ぶことを禁止していたため、アンナはコペンハーゲンにあるヴィルヘルム・キューンの美術学校で学び、さらにパリに渡って学業を続けた。アンナは、スケーエン派の画家、ミカエル・アンカー（1849〜1927年）と結婚し、娘を1人産んだ。

時代の雰囲気は保守的で、結婚して子どももいる女性が画家として活動することは容易ではなかった。にもかかわらずアンナは、家庭も自分の仕事も、どちらも途中で投げ出すことなくしっかりとやり遂げた。この絵は針仕事をする女性の姿を描いている。だが、ひょっとすると、黄色い壁に2つの四角形となって姿をとどめている暖かな北欧の光こそ、この絵で最も重要なものなのかもしれない。アンナは、家の室内、そしてその家で営まれるささやかな日常の場面を、暖かい光と明瞭な色で描いた。

◎デンマーク政府は、アンカー夫妻が住んでいた家を博物館に改築して公開した。1997年には、同国の1000クローネ紙幣に夫妻の肖像画を採用した。

191

TUE

グランド・ツアーとヴェドゥータ

カナル《ヴェネツィアのドゥカーレ宮殿の風景》、キャンバスに油彩、51cm×83cm、1755年頃、ウフィツィ美術館、フィレンツェ

　18世紀に入り、イタリアではポンペイやヘルクラネウムなどローマ時代の古代都市の発掘が進められた。それに伴って、ヨーロッパ大陸からは文化的に孤立していたイギリスを中心に、上流層の子弟の間で「グランド・ツアー」と呼ばれる大陸旅行が流行した。なかでも海の上に建設された都市ヴェネツィアは、最も人気の高い訪問先の1つであった。そうした事情から、この当時、自ら実際に見て回った都市、あるいは行く予定のある都市を描いた風景画を所有することが流行した。今日の観光絵はがきのような役割を担ったそれらの絵は、「ヴェドゥータ」と呼ばれる。実際の建築物や自然を、地形学的にも可能な限り正確に描写するのが特徴である。ヴェドゥータは、イタリア語で風景、展望などを意味する言葉だ。

　カナル（カナレット、1697〜1768年）はヴェネツィア最高のヴェドゥータ画家で、後年、自身の主要顧客であったイギリス人に付き従ってロンドンまで進出し、その地の風景も多く描いた。この絵の右側には、ヴェネツィア総督の官邸であり共和国の役所でもあるドゥカーレ宮殿が描かれ、左側にはマルチャーナ図書館、その後ろにカンパニーレと呼ばれる鐘塔が高くそびえている。近景にはゴンドラが行き交っていて、人々の身なりを除けば、今日の姿とほとんど変わるところがない。

192

WED

エゴン・シーレ

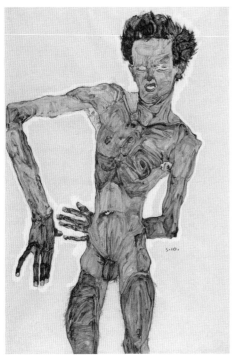

エゴン・シーレ《自画像》、紙に鉛筆とグワッシュなど、55.8cm×36.7cm、1910年、アルベルティーナ美術館、ウィーン

オーストリア南部、トゥルンにある田舎の村の駅長の息子に生まれたエゴン・シーレ（1890～1918年）は、仲よく友だちと遊んだりせず、妹のゲルティに過度に執着する内向的な少年として成長した。絵が得意で、16歳でウィーン美術アカデミーに入学したものの、保守的な雰囲気に耐えかねて飛び出してしまい、その後はグスタフ・クリムト▶141の強い影響を受けた。

自分の絵と交換しようというシーレの言葉に、冗談半分とはいえ「きみの絵のほうがいいのに、どうして交換しようと言うんだい？」と返すほど、クリムトはシーレの絵を高く評価していた。シーレとクリムトはともに、前衛的な芸術家の集まりである「ウィーン分離派」▶331に加わった。シーレは、暗鬱［あんうつ］で沈みきった性的欲望をあからさまに表現し、幼い少女をモデルとしてポルノに近い絵を描いて、未成年者誘拐容疑をかけられたことさえあった。彼は自分の自画像を、欲望の奴隷となった悲しい獣のように、自己破壊的な描写で描いた。100点以上残された自画像は、どれも彼の暗く病的な内面世界を描いている。画家としての名声がちょうど高まり始めた時期、妊娠6ヶ月の妻▶069がスペイン風邪にかかって亡くなり、彼自身も感染して3日後に生涯を終えた。28歳だった。

193

THU

ローマの肖像彫刻

作者不詳《ローマ貴族の肖像》、大理石、高さ約35cm、
紀元前75〜50年頃、トルロニア博物館、ローマ

ギリシャ人は、戦争で勝利した将軍や優れた技量の運動選手らを称賛するために彼らを彫刻像として残し、模範にしようとした。だがそれらの肖像彫刻は、個々人の個性ある顔立ちが表現されたわけではなく、立派な人ならばきっとこんなふうだろう、と理想化され美化された人物像であった。したがってギリシャ人の肖像彫刻は、名前こそ異なっていてもほとんど似たり寄ったりで、真摯[しんし]で厳粛な姿が強調される一方で、ほとんどの場合、欠点は隠されてしまった。

これに比べると、ローマ人たちの肖像彫刻は、各人の個性を表現することに積極的だった。現世的で直截[ちょくせつ]的なローマ人たちは、人物を美化したりせず生まれもった特徴をそのままに、さらには人格までストレートに表現した。この《ローマ貴族の肖像》は、したがって、われわれが考えるような典型的な〈貴族〉ではない。顔や首にはしわが刻まれ、頬はぐっとくぼみ、歯が抜け落ちながらも気が強く、今にも大声で叱り声を飛ばしそうな気難しい風貌の老人として表現されている。ローマ人が肖像彫刻の人物像を理想的な姿に改めたのは、ローマ帝国末期、神格化された皇帝を表現し始めてからだった。

194

FRI

トスカナ大公国

アニョロ・ブロンズィーノ《コジモ・デ・メディチの肖像》、パネルに油彩、74cm×58cm、1545年、ウフィツィ美術館、フィレンツェ

　薬材商として始まり、銀行業にも進出して莫大な富を築いたメディチ家は、名目上は「共和国」であったフィレンツェに、実質的な支配者として君臨した。1537年にメディチ家の実権を継いだコジモ1世（1519～1574年）▶279, 280, 346は、フランス勢力を引き込んでまでメディチ家を圧迫しようとした敵対勢力をしりぞけるとともに、積極的に傭兵を集めて強大な軍事力を備えた上で、トスカナ地方の近隣都市を陥落させ、領土を拡大した。1569年には、巧妙な外交力を発揮してローマ教皇から大公の爵位を受け、トスカナを大公として統治する国、すなわち大公国とした。メディチ家は、最後の大公となったジャン・ガストーネ・デ・メディチの時代までトスカナ大公国を支配した。

　コジモ1世は、軍事力育成のためとして過度に税金を徴収しつつ、敵対勢力の粛清は誰よりも苛烈に行い、政治の運営に際して多数の意見を集約する共和政を廃止した人物である。他方で、今日のウフィツィ美術館になっている建物をつくり、執務室（ウフィツィはイタリア語でオフィスの意）として使いながら、その内部を芸術家たちが作業して展示できる空間として活用させるなど、文化芸術の後援事業にも積極的だった。彼の時代のフィレンツェは、自由は大きく制約されたが、逆説的なことに、最も強力で裕福な時代でもあった。

◎フィレンツェのメディチ家は300年以上にわたって強い権勢を誇り、3人の教皇と2人のフランス王妃が同家から輩出した。

195
SAT

世界の起源

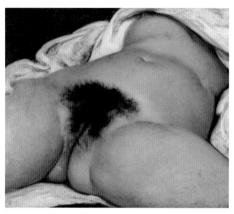

ギュスターヴ・クールベ《世界の起源》、キャンバスに油彩、46㎝×55㎝、1866年、オルセー美術館、パリ

　この絵は、パリに勤務していたトルコの外交官ハリル・ベイが注文したものである。彼はいわゆる「猥褻［わいせつ］な絵」のコレクターだった。

　神話の中の女神を理想的なスタイルで描いたそれまでの画家とは異なり、平凡な女性の身体をあらわな描写で描いたギュスターヴ・クールベ（1819～1877年）▶227 は、ハリル・ベイの要求に忠実に、猥褻雑誌の写真のようなこの絵を制作した。絵の中に顔や手足はなく、体毛が描かれた性器と胸、そして乳頭だけが登場している。この構図は、女性を性的な対象として眺める男性の、裸体を見たがる欲求にのみ忠実であるにすぎない。

　この《世界の起源》は、画家仲間のジェームズ=アボット=マクニール・ホイッスラー▶020, 213, 218, 223 が旅に出ている間に、彼の恋人であるジョアンナ・ヒファーナンをモデルとして描いた絵の1枚だと噂された。しかし、ジョアンナの髪の毛は赤く、ここに描かれた体毛の色とは異なっている。にもかかわらず、この絵は本来この部分だけが描かれたのではなく、ジョアンナの全身が描かれていたのだという主張とともに、切り取られた上半分だという絵まで出現して、真贋［しんがん］論争が繰り広げられた。

　結局、キャンバスのつなぎ目が一致しないなどの理由で、その絵は《世界の起源》とは無関係だと結論づけられている。最近では、パリのオペラ劇場バレエ団のダンサー、コンスタンス・ケニオーがこの絵のモデルだという主張もある。

◎ハリル・ベイは賭博で全財産を失い、この絵を骨董商に売り渡した。その後、何人かの手を経て、1955年、精神分析学者ジャック・ラカンの所有となったこともある。

196
SUN

聖アンナと聖母子

レオナルド・ダ・ヴィンチ《聖アンナと聖母子》、パネルに油彩、168㎝×130㎝、
1510年頃、ルーブル美術館、パリ

聖母マリアの母アンナが、マリアを膝の上に座らせている。マリアは赤子のイエスに向かって腕を伸ばし、イエスは両手で羊の子どもを抱えている。羊はユダヤ教の祭祀で生け贄［にえ］として捧げられるものだ。したがって羊の姿は、まもなく人類のために生け贄の羊となる運命のイエス自身を象徴している。マリアを身ごもったときのアンナ▶161は、すでに40歳を越えていたという。しかし、何の予備知識もなく、タイトルも知らずにこの絵を見たならば、2人の女性が母と娘の関係だと読み取ることは、ほとんど不可能だ。

聖母が身にまとっている青い衣服に注目すると、スケッチの段階にとどまっていて未完成であることがうかがえる。したがって、アンナの額や顔も、しわを描き入れる前の状態なのだと考えることが可能だろう。また、マリアを高く崇敬するあまり、マリアを産んだ母親も美しく優雅であることを強く望む思想があらわれている、と見ることもできる。年齢を重ねた男性が、世間的な経験も学識も豊富で、人格的にも完成されているとみなされた一方で、年齢を重ねた女性は、しばしば醜く役立たない存在だと考えられた。そうした時代の限界が、ダ・ヴィンチの絵の上にも現れたのだろう。

197

MON

大使たち

ハンス・ホルバイン（子）《大使たち》、パネルに油彩、207cm×209cm、1533年、
ナショナル・ギャラリー、ロンドン

この作品を描いたのは、ドイツで生まれ、スイスで活動したのち、ヘンリ8世の宮廷画家として活躍したハンス・ホルバイン▶185, 187, 188である。フランスからイギリスに来た司教が、外交官としてロンドンに派遣された古い友人と会った場面を描いたものである。いわば演出肖像画とも呼べる《大使たち》には、いくつもの象徴と隠喩が詰め込まれている。

左側のジャン・ド・ダントヴィル外交官と、右側のジョルジュ・ド・セルヴ司教の間には、2段の棚が置かれている。カーペットの掛かった上段には、星座を読むための天球儀や天体観測器、時間を計る日時計など、当時の最新の科学器具類がある。下段には、持ち手がついた地球儀や、リュート、賛美歌集、算術の本などが見える。これらは〈学問〉〈知識〉を象徴している。

だが、この絵で何よりも視線をとらえるのは、床を斜めに横切る棒のようなものである。まるで得体の知れないものに思われるが、絵の左下方から視線を右上方に向けて斜めに見ると、そのもやもやは意外に簡単に解消する。これは骸骨を変形させたものだ。骸骨は「ヴァニタス」▶095、つまりあらゆるものは結局は死に至るという〈虚無〉を意味している。したがって、この絵は肖像画でありながら、死を逃れることはできないという神の言葉でもある。だから祈禱せよ、という意味なのか、画面上部の左隅には、隠し絵探しのように十字架が見える。

◎棚の下段には、弦の切れたリュートが見える。これは亀裂、つまりはカトリックとプロテスタントの〈不和〉を暗示しており、リュートの横の賛美歌は、カトリックとプロテスタントがともに用いる歌で、〈和解〉を願うものと見ることができる。

198
TUE

ロココ美術Ⅱ

ジャン・オノレ・フラゴナール《ぶらんこ》、キャンバスに油彩、81cm×64cm、
1767年、ウォレス・コレクション、ロンドン

パステル・カラーの派手な服に帽子をかぶった1人の女性が、日差しを横切って楽しそうにぶらんこに乗っている。その反動で、履いていた靴が飛んでいる。

絵の右側で歳をとった1人の男性がぶらんこを押している一方で、左側では、若い男性が彼女のスカートの中をのぞいている。若い男性の頭上に、指を唇に当てて静粛を促す姿の彫刻像が見える。ぶらんこを押している男性は、左側の男性がいると気づいてはいないことを暗示している。

フラゴナール（1732～1806年）は、ある男爵から「自分自身とその愛人、そして教会の司教の姿を1枚の画面に収めてほしい」という注文を受けて、この作品を描いた。その注文者とは誰なのか、推測ばかりが飛び交っていまだに名前を特定できないが、その人物は、「司教がぶらんこを押していて、ぶらんこに乗った女性のスカートの中を自分の目とほぼ同じ高さに描くこと」を要求し、さらには、女性のもっとひそやかな部分を描いてもよいとまで依頼したという。ロココ時代の絵では、貴族好みの甘い恋愛模様がよく表現された。フラゴナールが描いた恋愛の場面は、しばしば、この作品のように甘美という以上の過度なものだった。彼はまさにそれによって、当時最高の人気を謳歌することができた。

◎しかし、貴族の華麗な生活と自由な恋愛を描いたロココ美術は、長続きしなかった。王室や貴族の奢侈[しゃし]に我慢できなくなった民衆たちは、1789年、フランス革命▶271を起こした。ロココ風のなまめかしい絵を描いていた画家たちは、次第にその名声を失っていった。

199
WED

ペーテル・パウル・ルーベンス

ペーテル・パウル・ルーベンス《ルーベンスとイザベラ・ブラントの肖像》、
パネルに油彩、178cm×136.5cm、1609～1610年、
アルテ・ピナコテーク美術館、ミュンヘン（ドイツ）

現在のオランダ北部からベルギー西部にまたがるフランドル地域がスペイン統治下にあった時代、この地で活動したペーテル・パウル・ルーベンス（1577～1640年）は、17世紀のヨーロッパ各国の王室で最も人気のあった画家で、バロック時代の画家の中でも最高位に位置した。活動場所はアントウェルペンが中心だったが、際立つ外見、華麗な弁論、社交的な性格に加え、5カ国語に通じていたことから、各国の宮廷を渡り歩いて、君主たちの利害関係を調整する一種の外交官としても活躍した。

イタリア、スペインなどに滞在したのち、再びアントウェルペンに戻った彼は、オーストリアのアルブレヒト7世大公の王室画家となったが、特別にアントウェルペンで制作してもよいという許しを得た。アントウェルペンにとどまろうという彼の決心は、妻イザベラ・ブラント▶055との甘美な新婚生活によって、いっそう強固になった。ルーベンスと妻との関係は、とりわけ情愛深いものであったといわれる。この絵は、その妻との結婚を記念するために描かれたものだ。だがイザベラは1626年、20年間の結婚生活の末に、ペストにかかって亡くなった。

妻を失って4年後、53歳だったルーベンスは、わずか16歳の少女エレーヌ・フールマンと結婚する。彼は1640年に62歳で生涯を終えるが、そのときフールマンは25歳になったところであった。

200
THU

退廃芸術

エミール・ノルデ《預言者》、木版画、32.1cm×22.2cm、1912年、ニューヨーク近代美術館、ニューヨーク

　ヒトラーは、「アヴァンギャルド」の芸術を容認しなかった。「前衛」と翻訳されるアヴァンギャルドとはもともと軍事用語で、戦闘時に本部隊の攻撃に先立って、敵の動きに探りを入れる人たちを指す。芸術におけるアヴァンギャルドは、既存の芸術とは完全に異なるステージを構想し、実践した人たちだ。

　1937年、ヒトラーは腹心のゲッベルスに対し、ドイツに住む美術家の作品を押収して、アヴァンギャルドの作家の作品だけを別に集め、「退廃芸術展」を開催するよう命じた。既成の枠組みを壊し、そこから飛び出そうとする美術家たちは、国粋主義・民族主義を重んじて無条件の服従を求めるナチスのイデオロギーとは、当然ながら相容れなかった。

　ヒトラーの忠実な部下たちは、「退廃芸術展」の出展作品の有害性を強調し、未成年者の入場を制限した。さらには俳優を動員し、作品の前でさまざまな揶揄 [やゆ] や嘲りの言葉をぶつけさせた。彼らが退廃的だと叫んだ作品の中には、ピカソ▶355、マティス▶022,046,324、マルク・シャガール（1887〜1985年）などのほかに、エミール・ノルデ（1867〜1956年）、パウル・クレー▶232、フランツ・マルク（1880〜1916年）、マックス・ベックマン（1884〜1950年）、キルヒナー▶059,352、さらには反戦を呼びかけたケーテ・コルヴィッツ▶341 も含まれていた。ノルデは、ドイツ各地の美術館から1000点以上もの作品を撤去されるという屈辱を味わうこととなった。

◎「退廃芸術展」は200万人を超える観覧客を記録したが、他方でナチス政権が正常な美術展として開催した「大ドイツ美術展」の観覧客は、60万人に終わった。当時押収された美術作品は約1万6000点あった。オークションで売られた作品はまだしも幸運で、5000点以上がそのまま焼却されてしまった。

201
FRI

ハプスブルク家とカール5世

ティツィアーノ・ヴェチェッリオ《カール5世騎馬像》、キャンバスに油彩、335cm×283cm、1548年、プラド美術館、マドリード

カール5世は、スペイン王女フアナと、優れた外見から「端麗公」とも呼ばれたハプスブルク家のフェリペ王の間に生まれた。彼は神聖ローマ帝国の皇帝であるとともにスペイン国王であり、ハプスブルク家が領有する各地域の王や公爵でもあった。「王」となって統治する地域の数だけでも17に及び、帝国の統治のために広大なヨーロッパ全域を縦横無尽に往来しなければならなかった。

この絵は、彼が最も寵愛した画家ティツィアーノ[220]の作品で、ローマ皇帝マルクス・アウレリウスの騎馬像をもとに描いている。カトリックを厚く信仰したカール5世が、ミュールベルクの戦いで

プロテスタント連合軍を破ったことを記念するためのものである。

カール5世は皇帝の激務に疲れたためか、後年は温かい食事とやわらかな寝床を望む普通の男に老け込んでしまい、神聖ローマ皇帝としては初めて、生前に帝位を譲り渡した。弟のフェルディナントが皇帝の地位を引き継ぎ、息子のフェリペ2世がスペインとオランダの統治権者となった。その後のカールはスペインのある修道院で過ごし、亡くなる前に一種の生前葬儀を行った。自分の遺骸が収まる予定の棺を見て号泣する側近の姿を遠くから見守っていた彼は、それから数週間後に生涯を終えた。

202
SAT

驚異的な親切さ

フレデリック・バジール《病床のモネ》、
キャンバスに油彩、47cm×65cm、
1865年、オルセー美術館、パリ

　バジール（1841〜1870年）とモネ▶038は友人同士というよりも、長男と末っ子のような仲だった。比較的生活が裕福だったバジールは、モネに経済・精神の両面からの支援を惜しまず、無理な願いも引き受けてやった。あるとき、モネは《草上の昼食》という絵を描こうと決め、パリ郊外のフォンテーヌブローの森に近いシャイイという村に滞在して、作品に関する助言が必要だと言ってバジールを呼びつけた。バジールは家族との旅行を間近に控えてためらっていたが、モネは「もしこの絵が失敗に終わったら気が狂ってしまう」と強引に要求した。バジールは、しかたなくモネのために絵のモデルを引き受けて、その後、家族と合流するためにモネのもとを後にしようとした。しかし、1人残されたモネが、森で円盤投げをしていた人の手違いで脚を負傷したため、バジールは途中で引き返すこととなった。この絵の中のモネは、身動きもできない状態になり、口をとがらせてすねている。

　もともと医学を志していたバジールは、患者の扱いを心得ていたようで、痛めたほうの脚をやや高く上げ、その上に水の入った瓶をぶら下げて水が少しずつしたたり落ちるようにし、痛みが和らぐようにしてやった。だが、こんなにも親身にモネをかわいがっていたバジールは、普仏戦争に出征して戦死した。限りなく自分に尽くしてくれた友人を失って以後、モネが味わった喪失感は、はかりがたいものがある。

◎モネは、マネの《草上の昼食》▶275がサロン展▶226で落選して街の噂になったことをきっかけに、それへのオマージュとして同じタイトルの作品を描き進めたが、結局未完成に終わった。

203

SUN

ヒワと聖母

ラファエッロ《ヒワの聖母》、パネルに油彩、107cm×77.2cm、1505年頃、ウフィツィ美術館、フィレンツェ

ラファエッロは、先人の巨匠たちの作品に習熟し、その技を自分のものとして消化することに優れていた。自然を背景とし、登場人物を三角形の安定した構図で描いた。また、遠くの背景の描き方、つまり、近くにあるものは濃く鮮やかに、遠くにあるものは淡くかすませる「空気遠近法」は、ダ・ヴィンチの手法▶100によく似ている。

聖母は、肉身を意味する赤色の服の上に、神性を意味する青色の上着を掛けている。手に持っている祈禱書は、彼女の信仰の深さを強調するものだ。聖母の右腕は、ラクダの毛皮を着た幼い洗礼者ヨハネ▶231の背を抱いている。腰につけている小さな器は、それを使って水を汲み、イエスを洗礼することになる将来を暗示するものだ。イエスは右腕をぐっと伸ばし、洗礼者ヨハネが持っている小さな鳥、ヒワをつかんでいる。イエスのかわいらしい姿勢はコントラポスト▶030で、しっかりと角度をつけた古代ギリシャの彫刻像の赤ちゃんバージョンだと感じられる。

　処刑を控えたイエスがゴルゴタの丘に向かう途中、ヒワが飛んできて、イエスがかぶらされていた茨[いばら]の冠を取り除こうとして血を浴びた、という伝説がある。このことから、ヒワはイエスの受難の象徴とされている[37]。したがって、ヒワをつかんでいるイエスは、将来の自分に降りかかる苦難を喜んで引き受ける姿勢を示しているのである。

◎ラファエッロが描いた聖母マリアは、優雅で美しく、静かで知的だ。今日でも、われわれが「聖母」と聞いて思い浮かべる姿の中に、彼が生み出した聖母のイメージは生きている。

37　『岩波キリスト教辞典』「ヒワ」項、p.942。

204
MON

テンペスタ（暴風）

ジョルジョーネ《テンペスタ（暴風）》、キャンバスに油彩、82cm×73cm、
1505年、アカデミア美術館、ヴェネツィア

海上都市ヴェネツィアには、絵画において、ローマやフィレンツェなどとは異なる独特の位置づけがあった。その1つは、自然、すなわち風景と関わるものだ。風景は一般に、絵の主人公のための背景として存在してきた。したがって、人物と自然のどちらが重要なのかというと、いつでも人物であった。しかし、ヴェネツィアの画家たちは、そうした優劣関係をなくし、人物を隠したとしてもそれ自体が1枚の風景画として鑑賞できるほどの絵を描いた。この絵もその一例である。

ところでこの絵は、何を意味しているのかよくわからない、謎解きのような絵だ。だがそのことが、見る者の目をいっそう惹［ひ］きつける。母乳を飲ませている女性が聖母マリアで、反対側に立っている男性が羊飼いだとみる見解もある。しかし、過去の美術の歴史の中では、赤の他人の男性が見ている目の前で、聖母マリアがこんなにも肌をあらわにしているところを描いたものはない。アフロディテ（ヴィーナス）とアレス（マルス）を描いたものだ、いや軍人と女性だ、アダムとイヴだ、などとさまざまな解釈がなされてきたが、やはりいずれも想像にすぎない。ただこの絵は、あることが行われそうな緊張感、あるいは行われた直後のおだやかさをともに感じさせる、1篇の詩のような感じを与えてくれる。

◎何を描いているのかを詳しく確かに説明しなくてもすむ絵は、19世紀になってようやく可能になった。そうした点でも、この絵は格別だ。

205

TUE

新古典主義 I

ジャック=ルイ・ダヴィッド
《ホラティウス兄弟の誓い》、
キャンバスに油彩、330cm×425cm、
1784年、ルーブル美術館、パリ

　18世紀末、イギリスやフランスでは、過剰に私的で感覚的だったロココ美術[▶184,198]への反動として、「新古典主義美術」が登場した。これは、公的で理性的で高邁な道徳的理想を、美術によって展開しようとするものだった。神話、宗教、英雄などの教訓的で古典的な主題が再登場し、ルネサンス時代の美術のように秩序と調和を前面に出して、完璧な構図と形態により、古代への憧憬を刺激する建築物などを背景としていることが特徴である。さらに、この当時、火山灰に埋もれていたポンペイやヘルクラネウムなどの古代都市が発掘され、失われた古代ローマの文化を慕う気運がヨーロッパ全域に広がっていたことも、新古典主義美術の発展に影響していよう。

　この絵のテーマは、『ローマ建国史』の中にあるエピソードである[38]。紀元前7世紀、ローマとアルバという2つの都市国家は、戦争を起こす代わりに、戦士3名ずつを送って決闘させ、勝敗を決めることとした。ローマからはホラティウス家の3兄弟が出征することとなった。3人の息子が父親から剣を受け取り、祖国のために命を捧げる決意をしている傍らで、右側の娘と母親は悲しんでいる。ローマ時代のアーチを背景としつつ、ホラティウス家の男性たちはいずれも、古代ギリシャの彫刻像のような姿である。新古典主義の理想が、内容・形式の両面において完璧に描かれている。

◎泣いているホラティウス家の娘は、じつは、この3兄弟が打倒すべき敵国の将軍の息子と、恋に落ちていた。決闘の結果、ホラティウス家には息子1人だけが生き残った。彼は、恋人を殺した兄への恨み言を並べ立てた妹も殺してしまった。

38　『ローマ建国史』第1巻24節〜26節（上巻、pp.63-70）。

206
WED

フリーダ・カーロ

フリーダ・カーロ《断髪の自画像》、キャンバスに油彩、40cm×28cm、
1940年、ニューヨーク近代美術館、ニューヨーク

交通事故のために寝たきりで身動きもできずにいたフリーダ・カーロ（1907～1954年）のために、母親は、ベッドの上の天蓋に大きな鏡をとりつけた。フリーダは、一日中鏡を見て自分自身を観察した。この経験を通じて彼女は、自分のことを最もよく知り、最も上手に描くことのできる人間は自分自身だ、と考えるようになった。

フリーダは、身体的な苦痛にもまして精神的な苦痛にも悩まされた。メキシコ画壇の巨頭、ディエゴ・リベラと結婚したものの、ディエゴの浮気性は、ただでさえ絶望状態にあった彼女の心を、さらにばらばらに引き裂いてしまった。その上、ディエゴが自分の妹とも不倫関係にあるという事実を知ったフリーダは、ディエゴに決別を宣言して離婚した。だぶついた男性の正装を身につけ、乱雑に髪を切って椅子に座り、こちら側をじっと見つめているこの自画像は、離婚直後に描いたものである。

この絵の上部に書き込まれた楽譜の歌詞は、「ごらん、君の髪に惹［ひ］かれて君を愛したけれど、君にはもう髪の毛がないね。もう君を愛せないよ」という意味だ。彼女と正面から向き合って愛することのなかったディエゴのことを言っている。彼女は、ディエゴがもはや愛することのできない存在として座っている。改めて、ひとりきりだ。

207

フレスコ画

マザリーノ《楽園のアダムとイヴ》、フレスコ、208cm×88cm、1424〜1425年、サンタ・マリア・デル・カルミネ聖堂、フィレンツェ

フレスコとは、イタリア語で「新鮮な」という意味だ。その言葉どおり、「フレスコ画」は、壁に塗った漆喰がまだ乾いていない「新鮮な」状態の上に、絵の具で絵を描く技法である。漆喰と同時に乾く過程を経て、絵は完成する。

フレスコ画は、壁が崩れない限り、いつまでも保存できるという長所がある。しかし、壁が乾く前に描かなければならないため、画家が1日に描くことのできる分量が制約される、という短所も存在する。さらに、修正しようと思えば、漆喰をいったん取り除き、もう一度塗り直してから描かなければならないので、非常に手間がかかった。そのためフレスコ画の制作は、画家として一人前のレベルでなければ不可能な作業であった。

また、湿気が多い地域では漆喰が崩れ落ちやすかったため、水の街であるヴェネツィアや、低湿地であるフランドルなどでは、フレスコ画はほとんど用いられなかった。したがってフレスコ画は、13世紀末以後、イタリアの一部の都市でのみ、邸宅や聖堂の大型壁画として描かれた。

この絵は、フィレンツェのサンタ・マリア・デル・カルミネ聖堂の建物内部に描かれたもので、女性の姿をした蛇に誘惑されるアダムとイヴを描いている。聖堂は18世紀に火災に遭ったが、聖堂内のブランカチ家の個人礼拝堂は唯一無事だった。この絵は、そこに描かれたものである。

208
FRI

イギリス史上最初の
女王の処刑

ポール・ドラロッシュ
《レディ・ジェーン・グレイの処刑》、
キャンバスに油彩、
246cm×297cm、1833年、
ナショナル・ギャラリー、ロンドン

　6回結婚し、2人の妻を殺害したヘンリ8世[187]の死後、その跡を継いで、1人息子の
エドワード6世がわずか10歳で王位についたが、6年あまりで亡くなった。次に国王
となったのは、ヘンリ8世から見て妹の孫にあたるジェーン・グレイ（1537〜1554年）と
いう予想外の人物であった。

　メアリ1世は、ヘンリ8世の最初の妻キャサリンとの間に生まれた娘である。そし
てエリザベス1世は、ヘンリ8世が教皇庁の反対を押し切って強引にキャサリンと
離婚したのち再婚したアン・ブーリンとの間に生まれた子どもである。ヘンリ8世は、
娘しか産むことのできなかったアン・ブーリンにもまもなく嫌気が差し、姦通の罪
を着せて斬首した。そして3度目に結婚したジェーン・シーモアとの間に生まれたの
が、願ってやまなかった息子、エドワード6世であった。

　もともと王位継承第1位だったのは、ヘンリ8世の娘のメアリ1世だった。しかし、
熱烈なカトリックの擁護者だった彼女が王となることで、イギリス国教会の勢力が
弱まることを懸念する人たちがいた。そうした人たちの計略によって、何も知らな
いジェーン・グレイがイギリス史上最初の女王となったが、わずか9日間在位しただ
けで、メアリ1世とカトリック擁護者たちによって廃位され、斬首された。この絵は、
そのジェーンがまさに悲劇的な最期を迎えようとしている場面を描いている。

209

SAT

1枚の写真の思わぬ波紋

テオドール・ジェリコー《エプソムの競馬》、キャンバスに油彩、92cm×122cm、1821年、ルーブル美術館、パリ

　エプソム・ダービーは、イギリス南部のエプソムで開かれる競馬大会である。この作品は、濃い黒雲のかかる平原を走る馬の力強い姿を描き出してあり、ロマンを駆り立てる。馬の走りはとにかく速いので、馬が宙に浮いている瞬間を、カメラを使わず人間の肉眼だけでとらえることは、ほとんど不可能に近かった。フランスの画家ジェリコー（1791〜1824年）は、画家となって以来、常に馬に魅了されてたくさんの馬の絵を描いており、彼ほど馬のことを知っている人はまずいなかった。

　しかしこの彼の絵には、彼自身だけでなく絵を見ていた当時の人々も、まったく気づかないような間違いがあった。ジェリコーが世を去って50年以上が過ぎたのち、イギリスの写真家エドワード・マイブリッジは、馬が走っている様子をとらえるために、馬が走るトラックに24台のカメラを設置して撮影した。その写真を見ると、馬はたとえ全力疾走していても、常に1本の脚は地面に向かっている。そしてすべての脚が地面から離れている瞬間であっても、脚はすべて内側を向いて曲げられており、この絵のように4本の脚を前後に広げて跳び上がってはいない。だがジェリコーは、亡くなるまでこの事実を知ることはなかった。

◎マイブリッジの写真を見て、当時の多くの画家が驚愕した。自分たちが描いた馬の絵を急いで修正しなければならなくなったからだ。

210
SUN

イエスの誕生Ⅲ

フーゴー・ファン・デル・グース
《ポルティナーリ祭壇画》のうち
中央の絵、パネルに油彩、
253cm×304cm、1477〜1478年、
ウフィツィ美術館、フィレンツェ

　フーゴー・ファン・デル・グース (1440頃〜1482年) は、フランドル地域の南部、現在の
ベルギーのヘントに生まれ、ブリュッセル近郊のある修道院に助修士として入った
のち、宗教画の制作に没頭した。この絵は、メディチ銀行のブルッヘ支店で働いてい
たトンマーゾ・ポルティナーリが注文した三連画▶071,286のうちの中央の絵だ。

　聖母はひざまずいて、生まれたばかりのイエスに祈りを捧げている。馬小屋の柱
の後ろには老いたヨセフが、画面の右側には羊飼いらが集まって、救世主に対する
敬意を示しつつ、その誕生を祝っている。絵の下部の中央に置かれたブドウの文様
の陶磁器は、イエスの血を象徴する聖餐式のブドウ酒を思い起こさせる。その陶磁
器に挿された赤色のユリも、やはりイエスが流した血を意味している。

　青色のアイリスは天上の女王としてのマリアを、白色のユリは聖母マリアの〈純
潔〉を意味し、やはり〈純潔〉を象徴する右の透明なガラス瓶に挿された青色のオダ
マキは、鳩が頭を寄せ合ったような花の形とその名称 (colombine) から、聖霊の鳩
(colomba) を象徴している[39]。オダマキとともに挿されている赤いカーネーションは、
十字架での処刑の際にマリアが流した涙で咲いた花だ。カーネーションの花が3輪
あるのは、三位一体を意味している。

39　小林頼子「アイリスのある花束」(『名画への旅』第13巻、p.105)。

211

MON

ガブリエル・デストレとその妹

フォンテーヌブロー派の画家《ガブリエル・デストレとその妹》、キャンバスに油彩、96cm×125cm、1595年、ルーブル美術館、パリ

　ひと言でいえば、この絵は、内容についても登場人物についても、推測することしかできない。だがそれゆえに、見る者を強く惹[ひ]きつける。

　この絵は、フランス国王アンリ4世（在位1589〜1610年）の愛人ガブリエル・デストレと、その妹であるビヤール公爵夫人を描いた絵と推定されている。乳首をつまんで輪になっている妹の指の形と、指輪をつまんでいる姉の指の形が不思議に対をなしていて、〈美しい乳首で王の心をつかみ、婚約指輪を受け取った〉と読み解くことも可能である。奥に座っている召使いの女性は針仕事をしているようだ。姉のガブリエルが出産する予定の子どものためのものだろう。

　ブルボン家出身のアンリ4世は、フランス王位を受け継いでいたヴァロワ家のマルグリット・ド・ヴァロワとの政略結婚を経て王位についた。しかしのちに、愛情のない結婚生活に終止符を打つこととなった。離婚後のアンリ4世は、すでに自分の子どもを3人も産んでいたガブリエル・デストレと結婚する予定だったが、彼女は4人目の子どもを妊娠した状態で、突然重い病気にかかり亡くなった。アンリ4世との結婚話を進めていたフィレンツェのメディチ家が毒殺をしかけた、という見解もある。もちろん、前妻のマルグリット・ド・ヴァロワも容疑者の1人と考えられている。

212

TUE

イギリス王立美術アカデミーの創設と新古典主義

ジョシュア・レノルズ《バナスター・タールトン》、
キャンバスに油彩、236㎝×145㎝、1782年、
ナショナル・ギャラリー、ロンドン

古代ギリシャのリュシッポスが紀元前4世紀後半に
制作したものを2世紀のローマ時代に複製
《サンダルの紐を結ぶヘルメス》、
大理石、高さ161㎝、ルーブル美術館、パリ

　18世紀、イギリスでは王立美術アカデミーが創設された。フランスの美術アカデミー▶226に比べれば100年以上遅れた歩みではあったが、ジョシュア・レノルズ（1723～1792年）、トマス・ゲインズバラ（1727～1788年）、アンゲリカ・カウフマン（1741～1807年）▶339のような錚々[そうそう]たる画家の参加によって、イギリス美術の飛躍への準備が整えられていった。

　レノルズは、17歳の頃から肖像画の大家であるトマス・ハドソン（1701～1779年）に師事し、才能を認められて約3年間イタリアに留学することができた。レノルズは主にイタリアの古典美術を研究した。フランスの美術アカデミーと同様、イギリスの美術アカデミーもまた、古典の再発見と解釈を重視する新古典主義美術▶205, 268を好んだ。そのため、レノルズは肖像画を描きながらも、モデルには古代の彫刻像のような姿勢を要求した。ときには衣装まで古代ギリシャやローマのものにこだわったので、やりすぎだと言われることもあった。

　上の肖像画は、アメリカ独立戦争を制圧するために戦線に送られた結果、負傷して帰国し、イギリスの国民的英雄となったバナスター・タールトン将軍を描いたものである。この人物がとっている姿勢は、下に挙げた古代ギリシャの彫刻、《サンダルの紐を結ぶヘルメス》像にならったものと思われる。

213

WED

ジェームズ=アボット=マクニール・ホイッスラー

ジェームズ=アボット=マクニール・ホイッスラー《自画像》、
キャンバスに油彩、74.9cm×53.3cm、1872年、デトロイト美術館、
デトロイト（アメリカ・ミシガン州）

ジェームズ=アボット=マクニール・ホイッスラー（1834〜1903年）はアメリカに生まれた。父のような軍人になろうと陸軍士官学校に入学したが、母の反対で中退したことが知られている。1855年、21歳の彼はパリに渡り、グレールのアトリエで学び、ドガをはじめとする当時の画家たちと交流した。サロン展▶226に入選できず、落選展▶275に作品を出すなど、プライドを傷つけられてパリを離れたホイッスラーは、ロンドンに定住し、その地で主に活動した。

結婚まで考えていたジョアンナ・ヒファーナン▶195とも母の反対のせいで離別してしまうほど母親にべったりで軟弱だったが、その一方で、奔放で粗暴な言行と複雑で乱れた私生活でも有名だ。ホイッスラーは、自分の絵をやたらと過小評価した評論家ラスキン▶223を猛烈に非難し、さらには訴訟まで起こすほど▶020、芸術家としての自負心は強かった。

ホイッスラーは、当時ヨーロッパで流行していた「ジャポニスム（日本趣味）」に傾倒し、画面の中にもしばしば日本風の題材や表現を取り入れた。また彼は、色彩に対して大いに関心と情熱を注いでいた。この絵にしても、自分の姿を描いてはいるものの、多様に変化させて描いた灰色の効果に対する探究の成果物と見るべきだろう。

◎ホイッスラーは白色に執着していて、白の絵の具にとくに多く含まれる鉛の成分が原因で中毒死したと伝えられている。だが、そうではなく梅毒が死因だ、という説もある。

214

THU

画中画

ヨハネス・フェルメール《ヴァージナルの前に立つ女》、キャンバスに油彩、
51.7cm×45.2cm、1670年、ナショナル・ギャラリー、ロンドン

窓から光が差し込んでくる室内で、1人の女性がヴァージナルという鍵盤楽器を演奏している。彼女は画家を、あるいは絵の前にいるわれわれを、じっと見つめている。平凡な日常の一場面を特別な演出もなく描いた「ジャンル画」▶142のようにも見えるが、じつはこの絵の中には、道徳的な訓示が隠されている。

絵の中に描き込まれた何枚かの絵（画中画）のうち、中央のものには、自分の象徴である弓を手にしたエロス（クピド）が、1枚のカードを掲げている姿が描かれている。この絵は、セイザル・ファン・エーフェルディンヘン（1616頃〜1678年）の作品で、オランダで人気のあったオットー・ファン・フェーン（1556〜1629年）の『愛の寓意画集』に収められた1枚を脚色して描いたものだ。オットー・ファン・フェーンはこの本で、数字の1が書かれたカードを持つクピドを描いて、その下に「真の愛情は、ただ1人にのみ捧げられるものだ」というラテン語の格言を記している。

他方で、女性が演奏しているヴァージナルの蓋の内側の絵と、窓のすぐ脇に掛かっている絵は、風景画だ。とくに意味もなく掛けられているようにも見えるが、〈旅立ちたい〉という願望が反映されたものと見ることもできる。つまり、この絵は全体として、逸脱を夢見る彼女に対して、「愛情はただ1人だけに捧げるものと思え」と諭[さと]しているわけだ。

ヴァージナルは、チェンバロ▶311と同様に弦をはじいて音を出す原理の鍵盤楽器である。チェンバロの弦が奏者に対して前後方向に張られるのに対し、ヴァージナルの弦はほぼ横方向に張られている。

◎楽器の名前であるヴァージナルには、〈処女の、純潔な〉といった意味が含まれている。主に処女や若い女性が演奏した楽器だからという説もあるが、確かなものではない。

215

FRI

ルドルフ2世

ジュゼッペ・アルチンボルド《ウェルトゥムヌスとしての皇帝ルドルフ2世像》、パネルに油彩、70cm×58cm、1590〜1591年、スコークロステル城、スコークロステル（スウェーデン）

ヨーロッパの王室の中で最大の権勢を誇ったハプスブルク家は、15世紀から19世紀初めまで神聖ローマ帝国に君臨し、オーストリアなどの中・東欧諸地域に加え、政略結婚や武力によってスペイン、オランダをも統治した。

この王家のルドルフ2世（1552〜1612年）は、神聖ローマ帝国の皇帝でありながら、現在のチェコにあたるボヘミアの王、そしてハンガリーやクロアチアなどの王でもあった。新教・旧教間の葛藤や、トルコとの長期にわたる戦争など、争いや陰謀が渦巻く中で心の安まるときがなかったためか、彼の言行は非常に残酷だった。たとえば、放し飼いにしていたライオンに臣下を追い込み、かみ殺される様子を見物する、といったことも行っている。そうしたルドルフ2世も、晩年にはすべての権力を弟に奪われ、プラハ城に監禁されて生涯を終えた。

じつは彼は、皇帝という地位に似つかわしくない人物であった。1人でいることを好み、天文学や錬金術を愛し、美術作品の収集に金を惜しまなかった。地上の人物を季節の神ウェルトゥムヌスになぞらえ、野菜や花によって描いたこの肖像画を、ルドルフ2世は大事にしていた。彼はそれほど先進的な審美眼をもった、一風変わった人物だったのである。

216

SAT

宗教裁判にかけられた
最初の絵

パオロ・ヴェロネーゼ《レヴィ家の饗宴》、キャンバスに油彩、555cm×1310cm、1573年、アカデミア美術館、ヴェネツィア

　ヴェロネーゼには、豪壮な建築物を背景に、色とりどりの衣装を身につけた人々が宴会を楽しむ場面を扱った絵が多い。彼は、《最後の晩餐》▶125, 266, 326 を題材としながらも、華麗に着飾った男女が食事し歓談していて、まもなく死を迎えるイエスの存在にまるで関心を払っていないこの絵を描いたことで、当時の人々から激しく非難された。ついには1573年、この絵が宗教裁判にまでかけられることになった。

　裁判官は、「12人の弟子との晩餐に、なぜこんなにたくさんの人が集まっているのか？」と問うた。ヴェロネーゼは、「余白があったので、人物を想像して絵を埋めなければなりませんでした」と答えた。すると裁判官は、「《最後の晩餐》の絵に、道化者や槍を持った酔っ払いのドイツ人、身体の小さな人などを描き入れたのは、適切だと思うのか？」と問うた。これは、宗教改革の中心地であるドイツの人物を描き込んだことに対する、カトリックの立場からの強い非難の言葉である。するとヴェロネーゼは「詩人や狂人がそうであるように、画家にも描きたいことを表現する自由があります」と答えた。彼は、芸術家の自由な創作の権利を堂々と主張したわけだ。それでも裁判官の追求から逃れられなかったのか、絵のタイトルを《レヴィ家の饗宴》と改めた。それによって死罪だけは免れた。徴税人であるレヴィの家の宴会にイエスが招かれたという主題[40]をタイトルにしたことで、絵を修正せずにすんだのだ。

40　『マルコによる福音書』2章13節〜17節、『ルカによる福音書』5章27節〜32節。

217
SUN

エジプトへの逃避途上の休息

オラツィオ・ジェンティレスキ《エジプトへの逃避途上の休息》、キャンバスに油彩、157cm×225cm、
1625～1626年、ルーブル美術館、パリ

　星に従ってイェルサレムに来た東方三博士▶189がヘロデ王に救世主の誕生に関し
て尋ねると、ヘロデ王は、自分の権力をおびやかしかねない救世主が何者なのかを
知りたがった。博士たちがもう一度、星の導きを受けて出発する支度をしていたと
ころ、ヘロデ王は彼らに、「その子のことを詳しく調べ、見つかったら知らせてくれ」
と頼んだ。しかし博士たちは、ヘロデ王に救世主の存在を知らせることなく立ち去
った。怒ったヘロデ王は、救世主を消し去るため、「2歳未満の男の子を皆殺しにせよ」
と命令した。その計画を事前に天使から知らされたヨセフは、マリアと乳飲み子の
イエスを率いてエジプトに逃れた[41]。

　この絵は、その3人がエジプトに逃避する途中でしばらく休息している場面であ
る。バロック期のイタリアの画家オラツィオ・ジェンティレスキ（1563～1639年）は、あ
てもないまま何かと不慣れな異郷へと旅立った家族の現実的な姿を、誇張すること
なく再現している。母親の乳を吸う子ども、疲れを見せながらもいとおしげに子ど
もを見つめるマリア、泥のように眠りこけているヨセフ。遠い別世界ではなく、われ
われのすぐ近くで質素に暮らす人々のように感じさせる。

41　『マタイによる福音書』2章7節～16節。

218

MON

灰色と黒のアレンジメント

ジェームズ=アボット=マクニール・ホイッスラー《灰色と黒のアレンジメントNo.1 ――母の肖像》、
キャンバスに油彩、144.3cm× 162.5cm、1871年、オルセー美術館、パリ

　この絵は、ほかのほとんどのホイッスラー▶213 作品と同様に、色の配置とその効果について研究した成果である。ホイッスラーは常々、「外の世界に関するいかなる要素も排除した絵を描く」と言っていた。言い換えるなら、対象を写真のように模倣することではなく、色同士の調和だけを目標として描く、ということだ。

　その意図に従うなら、われわれはこの絵を「室内のどこかで、椅子に1人座っている母親」として見るのではなく、濃い黒、白、そして顔の色の調和と、身体の曲線、額縁の直線、カーテンの上に光る色の点だけに注目しなければならない。だが、この実験的な試みにもかかわらず、作品を鑑賞した人は、誰もが多かれ少なかれ恩義を感じているであろう母親という存在への哀歓を刺激されたのである。

　ホイッスラーの母親は、貧しい生活ながらも息子の支えとなるよう全力を尽くしつつ、厳格で高圧的な母性愛を発揮した。そのような母親に対し、彼は愛情とともに恐れを抱いた。この絵は、イギリスに暮らす息子のもとを訪れた母親をモデルとして描いたものである。しばらくして母親がアメリカに戻ると、すっかり気が軽くなったホイッスラーは、以後、一度も母親に連絡することはなかったという。その2年後、彼は、母親の訃報に接することとなった。

219

TUE

ロマン主義 I

アンヌ=ルイ・ジロデ・ド・ルシー=トリオゾン《アタラの埋葬》、キャンバスに油彩、207㎝×267㎝、1808年、ルーブル美術館、パリ

　《アタラの埋葬》は、1801年に出版されたフランソワ=ルネ・ド・シャトーブリアンの小説『アタラ』の一場面を描いたものだ。キリスト教に改宗したアメリカ先住民とヨーロッパ人の間に生まれた混血少女のアタラは、死刑囚となったある先住民の捕虜と、思わぬ事件がきっかけで一緒に逃亡し、愛を育んでいく。しかしアタラの母親は娘を産んだときに、娘を神様の妻として捧げるという誓いを立てていた。アタラは自身の愛情と、キリスト教徒としての誓いとの間で葛藤し、結局は自殺を選ぶ。

　自殺したアタラと、彼女の肩を支える神父は、ヨーロッパ人のキリスト教的価値観を物語るものである。一方、アタラの脚を抱きしめて悲しみにひしがれている青年は、キリスト教の高邁な理想に従順に生きるほかなかった先住民の人生を象徴している。絵の上部中央の洞窟の壁面には、「花はまだ咲いてもいないし、人に摘まれてもいないのに、薬草となりもしないうちにしおれてしまう」という文言が刻まれている。ロマン主義の絵では、理想的で公的な大義を重んじた新古典主義▶205, 212, 268とは異なり、こうした異国的な題材や、激情的で悲劇的な恋愛ストーリーのような個人的な感情が多く取り上げられた。

220

WED

ティツィアーノ・ヴェチェッリオ

ティツィアーノ・ヴェチェッリオ《自画像》、キャンバスに油彩、86cm×65cm、1562年頃、プラド美術館、マドリード

ヴェネツィア生まれのティツィアーノ・ヴェチェッリオ（1490〜1576年）は、筆を取り落とすと神聖ローマ皇帝のカール5世[201]が自ら腰を折って拾い上げたというほど、尊敬を集めた画家である。ティツィアーノが描いた肖像画を1点もつことさえできれば光栄だと、貴族たちは列をなしたという。彼はあらゆるジャンルの絵画で常にトップの実力を誇ったが、肖像画は何にもまして愛された。

彼の晩年に描かれたこの自画像のように、顔と手にのみ光を当てて背景を暗くし、観者を心理的に没入させる手法は、当時、誰も乗り越えられないと絶賛された。細かに見てみると、筆の跡がまばらに残っており、絵の具の層を盛り上がらせる「インパスト技法」[340]を用いている。そのためひげや服などからは、実物そのままの触感が伝わってくるようだ。絵の中のティツィアーノは、カール5世から騎士の爵位とともに授けられた二重の首飾りを掛けている。

生きているうちにありあまるほどの富と名誉を手に入れた彼も、自分が老いていくことがいやだったのか、しょっちゅう自分の年齢に下駄を履かせて、100歳を越えているのに肉をかみ切り女性と愛し合っている、と歳に見合わぬ壮健ぶりを自慢するのが常であった。実際には、86歳でペストのために亡くなったと推定されている。

221
THU

初期ルネサンスの肖像画

アントニオ・ピサネッロ《公女の肖像》、パネルにテンペラ、43cm×30cm、1435年、ルーブル美術館、パリ

中世ヨーロッパでは、単独肖像画が残されることはそれほど多くはなかった。〈個人〉という概念が生まれ、自身を記念することに恐れを抱かなくなったルネサンス時代に入ってようやく、肖像画が再び多く描かれるようになった。

古代ローマ時代に皇帝や貴族が注文・制作したメダルや銅銭の中の顔のように、初期ルネサンスの肖像画は、完全に横を向いた顔で描かれることが多かった▶135, 354。この絵の主人公は、フェラーラ公国を率いたエステ家の公女、ジネブラ・デステ（1421頃〜1440年）である。彼女の袖の後ろ側に描かれた花瓶の刺繍［ししゅう］は、エステ家が用いていた紋章だ。

1434年、リミニ公国のシジスモンド・マラテスタとの結婚を前に注文され制作された肖像画で、背景に描かれたカーネーションは「燃えさかる愛情」を意味していると考えられる。また、背景にあるネズの木は、イタリア語で「ジネプロ」といい、彼女の名前ジネブラを連想させる。植物などを描いて名前を表現する方法は、ルネサンス以来、多用された。

◎ジネブラ・デステは、1440年に夫のシジスモンド・マラテスタに毒殺された。ほかの女性との結婚のためだった。

222

FRI

ルイ13世の摂政、マリー・ド・メディシス

ペーテル・パウル・ルーベンス
《マルセイユ上陸（連作『マリー・ド・メディシスの生涯』より）》、
キャンバスに油彩、394cm×295cm、1622～1625年、
ルーブル美術館、パリ

フィレンツェのメディチ家は、同家出身のマリー（1573～1642年）を離婚したばかりのフランス国王アンリ4世と結婚させるため、王との間にすでに子どももいた別の婚約者の女性▶211を毒殺した、という噂がある。結婚後、〈メディチ家出身のマリー〉という意味で「マリー・ド・メディシス」と呼ばれた彼女は、困窮状態にあったフランス宮廷の財政を、莫大な持参金によって補った。もともと愛情のない結婚であった上に、言葉の違いもあって宮廷生活では孤独を感じていたが、彼女はそれを浪費によって埋め合わせた。

それでもマリーは、のちにルイ13世として国王となる王子をはじめ、5人の子どもを産んだ。1610年には夫のアンリ4世が暗殺されたが、彼が新教徒にも寛容の姿勢を示していたことを考え合わせると、カトリックを擁護していた彼女が暗殺を仕組んだとする見方もある。マリーは、ルイ13世が幼くして王位につくとその摂政となったが、成長していくルイ13世のバックにあった政治勢力との間に、ことあるごとに衝突が起こった。晩年、ルイ13世に見捨てられてフランスから完全に追放されたマリーは、ブリュッセルを経てケルンに至って、この地で生涯を終えた。

この絵は、アンリ4世がマリーのためにトスカナ風に改装したリュクサンブール宮殿の中に、マリー自身の半生記を展示することになったため、1621年にルーベンスに依頼した24連作のうちの1枚である。マリーが結婚のためにマルセイユに到着した瞬間を描いている。絵の上側と比べると、下側は神話の一場面のようにも見える。

223

SAT

意図せざる出会い

ジョン・エヴァレット・ミレイ《グレンフィンラスのジョン・ラスキン》、
キャンバスに油彩、71.3cm×60.8cm、1853～1854年、
オックスフォード大学アシュモレアン博物館、オックスフォード（イギリス）

ヴィクトリア時代のイギリスの芸術評論家にして、水彩画やデッサンなども得意とし、地質学や建築学、鳥類学、文学、園芸、さらには経済学に至るまで、多方面に輝かしい作品を残したジョン・ラスキン（1819～1900年）。彼は、ホイッスラーを標的とした毒舌で裁判沙汰にまでなったが▶020, 213、じつはそれ以上に世間で噂となったスキャンダルの主人公でもあった。

ラスキンは、当時としては破格的な様式の絵を世に問うていたミレイの作品を、熱烈に擁護する文章を書いた。そのためミレイと友人関係を結び、さらにはスコットランドにある自分の別荘にミレイを招いてともに過ごすことになっ

た。しかし、ラスキンの妻のエフィーがミレイと恋愛関係となり、彼女は結局、ラスキンとの結婚無効訴訟を提起して勝訴したのち、ミレイと結婚するに至る。ラスキンとエフィーは、結婚生活6年の間、一度も寝床を共にしたことがなかったため、訴訟はエフィーに有利なものとならざるを得なかった。

この絵は、ラスキンにとっては恥辱のスコットランド旅行の中で、ミレイが描いて贈ったものである。所有するのも廃棄するのもためらったラスキンが友人に譲ってしまったこの作品は、あちこちを転々としたのちにイギリス政府のものとなり、現在はオックスフォード大学に長期貸与の形で展示されている。

◎エフィーが残した手紙によると、ラスキンは、エフィーの裸身を見て衝撃を受けて以来、ともに寝ることを拒むようになったという。女性の体毛を見たことがなかったラスキンの純真さによるものだという説もあるが、彼には同性愛の指向があったという見方もある。

224
SUN

洗礼者ヨハネの誕生

ロヒール・ファン・デル・ウェイデン
《(洗礼者ヨハネの祭壇画のうち)洗礼者聖ヨハネの誕生》、
パネルに油彩、77cm×48cm、1455〜1460年、
ベルリン国立美術館、ベルリン

ロヒール・ファン・デル・ウェイデン（1400頃〜1464年）が三連画▶071, 286として完成させた祭壇画▶249のうちの1点である。聖母マリアのいとこであるエリサベト▶168が、マリアよりも約6ヶ月前に子どもを産んだ場面だ。子どもを抱いている女性はマリアで、エリサベトの出産に立ち会い、父と呼ぶにはあまりにも年老いて見えるザカリアに子どもを見せている。

この夫妻は子どもをもつことを心から願っていたが、それにはすでに年齢を重ねすぎていた。思い悩んでいるうちに天使が現れ、まもなく妻が妊娠することを知ったザカリアは、どうしてそんなことを信じられるだろうか、と疑った。信じることのできない者への天罰なのか、ザカリアはしばらく口をきけなくなり、文字でコミュニケーションするほかなかった[42]。椅子に座ったザカリアは、膝の上に広げた小さな紙に、生まれた息子の名前を書いている。ヨハネだ。彼はのちにイエスに洗礼を授けた人物で、『ヨハネによる福音書』を書いた使徒ヨハネと区別するため、「洗礼者ヨハネ」と呼ばれる。

◎この絵の画家は、この場面の背景をオランダの中産層の家のように描いた。とりわけ、子どもを産んだエリサベトが横たわっている赤色のベッドは、15世紀中頃に流行して裕福な家にはたいてい置かれていたようで、当時のオランダの画家の絵にもよく登場する▶036。

42　『ルカによる福音書』1章5〜63節。

225

MON

キリスト降架

ペーテル・パウル・ルーベンス《キリスト降架》、パネルに油彩、
421cm×311cm、1611～1614年、聖母マリア大聖堂、
アントウェルペン（ベルギー）

アニメ『フランダースの犬』の主人公ネロが最期に見たがっていた絵として、有名だ。実際にこの絵を見て感動したイギリスの小説家、ウィーダによって著された同名の小説が、アニメの原作である。アントウェルペンの大聖堂のこの絵の前には、ネロとパトラッシュを称える彫刻像が今でも置かれている。なおフランダースとは、アントウェルペンを含むフランドル地域の英語式の呼称である。

この絵は三連画[071,286]のうちの中央の絵で、息を引き取ったイエスを十字架から地上へと降ろす場面だ。どこかから差し込む光がイエスの全身を照らしており、強い印象を与える。イエスは白い布にくるんで降ろされていて、それを身体いっぱいに受け止めようとしている赤い服の男性が、使徒ヨハネだ。イエスの足の先には、マグダラのマリア[252,316]が見える。彼女は性売を行う女性であったが悔悛し、高価な香油を買ってイエスの足をぬぐったという経歴をもち、その後、衣服ではなく長く伸ばした髪で自身の身体を覆って質素な生活を送ったという[43]。そのため絵の中では、マグダラのマリアは非常に髪の長い女性として描写され、イエスの足元にしばしば登場する。赤い服のヨハネと対称をなす位置には、青い服の聖母マリアが見える。イエスの身体が画面を斜めに横切る構図で、登場人物すべての動きがダイナミックに感じられる。

◎ルーベンスが描く人物の身体は、おおむね男性は筋肉質で、女性は豊満である。十字架で処刑されるまでにあらゆる苦難を経験したはずのイエスが、あまりにも筋肉質であるという点は、この絵のリアリティを削ぐものである。

43　マグダラのマリアに関するこの伝説は、聖書や『黄金伝説』などには記載されていない。「エジプトのマリア」という別の人物との混同から生まれて14世紀以降に流行したイメージである、との指摘がある（岡田温司『マグダラのマリア』p.32）。

226

TUE

アカデミズム

レオン・マチュー・コシュロー
《ダヴィッドのアトリエ》、キャンバスに油彩、
90cm×105cm、1814年、ルーブル美術館、パリ

　ルイ14世▶236の命令によってつくられたフランス美術アカデミーは、作品の購入や保管など、美術に関連するあらゆることを、王室、つまり国家の名のもとに管理し、統制した。美術に従事する者にとっては、アカデミーの会員となることが最高の栄誉であった。厳格に定められた資格をもつ者だけがアカデミーに加入できたからだ。アカデミーの傘下には、エコール・デ・ボザールという美術学校が置かれた。

　アカデミーでは、ルネサンス時代以来のディセーニョ、すなわちデッサンが伝統的に美術の基礎とみなされてきた。これは、〈線や形が色よりも先立つ〉という信念によるものだ。アカデミーでは、1876年まで彩色が教えられることすらなかったほどである。学生たちは、実際にヌードモデルを見て習作を行い、ローマ人が複製した古代ギリシャの彫刻を模写して、古典に対する敬慕の念を受け継いだ。アカデミーの理想にマッチする画風は、サロン展によって19世紀を通じて固く守られ、ダヴィッド▶094, 205やアングル▶119, 268らの新古典主義がとくに好まれた。

　この絵は、新古典主義の大家・ダヴィッドのアトリエで、学生が実際にヌードを見て習作している場面を描いている。絵の中のモデルは、古代ギリシャの彫刻のように完璧で理想的なスタイルの身体である。

◎サロン展の正式名称は「フランス芸術家展」といい、19世紀前半から開かれたフランスで最も古く伝統的な美術展である。美術アカデミーの会員や美術学校教授らが審査委員として応募作品の評価や表彰を行った。その保守性がのちに進歩的な美術家らによって批判され、反発を受けていくことになる。

227

WED

ギュスターヴ・クールベ

ギュスターヴ・クールベ《傷ついた男》、キャンバスに油彩、81.5cm×97.5cm、1844年、オルセー美術館、パリ

　ギュスターヴ・クールベ（1819～1877年）は熱烈な共和主義者で、第二帝政の時代にナポレオン3世（在位1852～1870年）の失政を激しく批判し、1871年にパリ・コミューンが短期間ながら政権を握ったとき、ルーブル美術館の監督の仕事を自ら引き受けた。しかし、第三共和政へと政権が交代すると、ヴァンドーム広場の円柱とナポレオンの銅像をパリ・コミューン政権が破壊した事件に関連して、クールベは投獄される羽目になった。クールベは、円柱と銅像の再建費用に相当する罰金を科されたものの、全財産を没収されても足りず、やむなくスイスに亡命した。

　この絵は、彼が残した多くの自画像のうちの1枚で、1844年に描いたのち、10年後に修正したものである。X線撮影によって明らかになった事実によると、10年前の絵の画面では、クールベの左側には剣ではなく、彼の恋人ヴィルジニー・ビネが描かれていた。しかし、彼女がクールベとの間に生まれた子どもを連れて去ってしまったのち、彼はヴィルジニーの姿を消して剣に置き換えた。自画像の胸に描かれた傷は、その決別の〈傷〉を意味していると解釈できる。恋人は立ち去ってしまったが、恋人が残した傷痕は胸で血をにじませている。

228

THU

テンペラ画

チマブーエ《サンタ・トリニタの聖母》、パネルにテンペラ、385cm×223cm、1280〜1290年、ウフィツィ美術館、フィレンツェ

　この絵は、木でできたパネルにテンペラで描かれている。この当時、教会などから絵の注文を受けた画家は、空間にぴったり合うように木の板を組み上げてから絵を描いた。テンペラは、鶏卵やはちみつ、粘り気のある木の樹液などを溶剤として、顔料を溶いて描く技法である。この絵は《サンタ・トリニタのマエスタ》とも呼ばれるが、「マエスタ」とは、イタリア語で皇帝など最高の地位にある人物を呼ぶ際の尊称である。美術では、マリアとイエスが玉座に座り、天使や聖人などが周囲を取り囲んでいる絵をいう。

　イタリアのフィレンツェ出身のチマブーエ（1240年頃〜1302年頃）は、中世が終わりかけていた時期に活動した。当時の画家たちにとっての絵、とくに聖画では、美的価値よりも霊的価値が優先されたので、写真を見るようなリアルな描写には意味がなかった。そのため、聖母子の周囲の天使たちは、まるで紙人形を切り抜いて貼ったように平面的で、手前・奥という空間感覚が失われている。赤子のイエスは、赤子というよりは大人に近い顔立ちだ。これは、世界を救うことになる救世主イエスを子どもとして描写することをはばかる当時の慣習によるものだ。かろうじて、聖母の玉座の下にあるアーチ型の建物からは、若干ながら奥行きが感じられる。

229

FRI

オランダ独立戦争

ディエゴ・ベラスケス《ブレダの開城》、キャンバスに油彩、307㎝×367㎝、1634～1635年、プラド美術館、マドリード

　スペインのフェリペ2世 (在位1556～1598年) は、ほぼ今日のベネルクス3国にあたるネーデルラントの統治権を父親のカール5世▶201 から受け継ぐと、カトリック教会の守護者という自負から、これらの地域で急増していた新教徒を弾圧した。こうした中で、1568年、ウィレム1世がスペインの圧政に反旗を掲げ、独立戦争をしかけた。南部の7州は1579年にスペインに降服したが、北部の10州はさらに戦争を続けていった。1609～1619年の約10年間の休戦を経ながらも戦争は続けられ、1648年に北部が独立を勝ち取ったことでようやく終戦した (オランダ独立戦争)。

　この絵は、休戦後に再び総攻撃に突入したスペイン軍の活躍の様子を描いたものだ。1624年、スペイン軍はブレダを包囲して食糧の補給路を断ち、孤立させたことで、つかの間の勝利を得た。中央にいる2人の将軍のうち左側は、ブレダ城を守っていた独立側のユスティヌス・ファン・ナッサウである。彼は腰を低くして、スペイン側の将軍アンブロジオ・スピノラに城の鍵を渡している。スペイン側の将軍は、独立側の将軍をまるで慰労するかのように、肩に手をやっている。このときのスペイン国王フェリペ4世は、ベラスケス▶276 にスペインの勝利を誇る絵を描かせたが、絵が完成してから十数年後には、オランダの独立を認めなければならなくなった。

230

SAT

ミケランジェロの純情

ミケランジェロ・ブオナローティ《ガニュメデスの略奪（素描）》、
黒色チョーク、36.1cm×27.5cm、1533年、フォッグ美術館、
ケンブリッジ（アメリカ・マサチューセッツ州）

ミケランジェロはぶっきらぼうで、いくぶん傲慢でさえあるような人物だった。彼はフィレンツェで彫刻を学んでいた時期に、自分の作品を笑ったある仲間と殴り合いのけんかになり、鼻がひしゃげたまま生涯を過ごさねばならなくなった。さらに、気に食わないと教皇にまで食ってかかるほど、プライドも高かった。ミケランジェロは生涯独身で暮らしたが、それは彼の禁欲主義的な生活態度によるという説もある一方で、彼は同性愛者だったという見方もある。

1532年、ミケランジェロが57歳で出会った23歳のローマの貴族、トンマーゾ・デイ・カヴァリエーリ（1509〜1587年）は、彼の胸を燃え上がらせた。ミケランジェロがローマに定住することを決心したのも、まさにトンマーゾのためだった。詩人でもあったミケランジェロは、300篇以上もある詩のうち30篇をトンマーゾのために書き、彼に贈った。

この絵は、ミケランジェロがトンマーゾに送ったデッサン作品の1枚だ。ゼウス（ユピテル）が鷲に変身して、ガニュメデスという美少年を拉致する場面であり、同性愛的コードを暗示するものである。この2人の恋愛は、ミケランジェロが息を引き取る瞬間まで続き、肉体的な関係を排除した精神的な愛情に終始したという。しかし、「彼と目を合わせる想像だけでも幸せにのめり込む」と語るミケランジェロの詩を読むと、どの程度信用してよいものかはわからない。

231
SUN

イエスの洗礼

アンドレア・デル・ヴェロッキオ《キリストの洗礼》、パネルに油彩、
177cm×151cm、1472～1475年、ウフィツィ美術館、フィレンツェ

洗礼者ヨハネ▶224は「らくだの毛衣を着、腰に革の帯を締め44」とあるように、ラクダの毛皮姿である。聖書の人物は頭に後光を載せた姿で、なかでもイエスについては特別に後光の中に赤い十字架が描かれることが多い。しかし、リアルで自然な絵を追求したルネサンスの時代になると、後光は次第に失われていった。

ヴェロッキオ（1435～1488年）は、ルネサンスの画家らしく、人間の身体を可能な限り実感的に描くために、解剖学的知識を総動員した。しかし、木の十字架を携えているヨハネの手と腕は、過剰に血管が浮き出ていて、かえって不自然だ。上端に聖霊の鳩を送り出す神の手を描き入れているのも、リアルさを損ねていて中世的だと感じられる。ところが、左側に座っている天使の姿は、そうしたぎこちなさを一気に吹き飛ばしてしまう。「だいたい大人のこういう行事はおもしろくないんだ」とでもいうように、退屈そうな表情を浮かべてそっぽを向いている天使。いかにも興味なさそうな態度で布を手にしてぼんやりと待っている天使。こんな姿を見ると、おのずとほほ笑みが浮かんでくる。じつは、この2人の天使は、ヴェロッキオの弟子だったレオナルド・ダ・ヴィンチが描いたものだ。

◎ヴェロッキオは、弟子が手を加えた自分の作品を見て、気力を削がれて筆を折ったという逸話がある。しかしこれは、いくぶん誇張された話だ。ヴェロッキオは絵画よりも彫刻のほうに多く注文があったので、そちらに注力していただけだろう。

44 『マルコによる福音書』1章6節。

232
MON

セネシオ

パウル・クレー《セネシオ》、キャンバスに油彩、40.5cm × 38cm、1922年、バーゼル美術館、バーゼル（スイス）

声楽科教授の父親と音楽家の母親の間に生まれたパウル・クレー（1879〜1940年）は、バイオリンに秀でた神童だった。彼は、スイス・ベルン市の交響楽団員、そして音楽批評家としても活動した。

絵画の中に描かれた対象の形態を識別できない作品を「抽象」と呼ぶとすると、クレーのこの絵は、何を描いているのかはわかるものの、形態は幾何学的な図柄へと単純化されている。色彩もまたリアルな描写とは距離があるので、「半抽象」だということができる。

小さな子どもの落書きのような作品スタイルで有名な彼は、《お前、怪物よ、私のやわらかな歌に合わせて踊れ》《さえずり機械》《夜が来る前の1時間》《卵とおいしいローストはどこからやってくるのか》など、タイトルからして詩的な雰囲気があふれる絵を描いた。文学にも並外れた感覚をもっていたためだ。

この《セネシオ》は誰かの肖像画だろうという見解もあるが、一般にはクレーの自画像として広く知られている。単純な形態と美しい色彩が、互いに調和をなしている。丸い顔と三角形・四角形の幾何学的な形態、オレンジ色と黄色、赤色からなるこの作品を見ていると、明るく澄んだ子どもの歌声を聴いているかのようだ。

◎セネシオは観葉植物の一種で、黄色の花にやわらかい毛があることから「老人のひげ」とも呼ばれる。この絵を描いていた当時、クレーにはあごひげがあったため、そのような別名をもつセネシオを絵のタイトルに借用したのである。

233
TUE

ロマン主義 II

テオドール・ジェリコー
《メデューズ号の筏》、
キャンバスに油彩、
491cm×716cm、1819年、
ルーブル美術館、パリ

　19世紀のフランスでは、美術アカデミー▶226 の存在に支えられて、人間の理性に訴える新古典主義▶205,268 が画壇を主導していた。しかし、そうした公的で宣伝的な新古典主義とは異なり、死、恐怖、異国的なものを主な素材とするロマン主義者たちは、個人的で感情的な主題の絵を描いた。ジェリコー（1791～1824年）は、ロマン主義美術▶219,240 のさきがけと位置づけられる画家である。この絵は、とりわけ同時代に起こった凄惨［せいさん］な事件を扱ったという点で大きく注目を集めた。

　1816年、フランスの大型船舶メデューズ号が、植民地であるセネガルに向かう途中で難破した。権力者や名士たちは救命船で無事に脱出したが、150人以上の一般乗客たちは、その救命船にロープでつながれた筏［いかだ］を頼りにするほかなかった。ところが救命船の乗客がロープを断ち切り筏を見放したのである。筏は13日間も漂流した末に救出されたものの、生存していたのはわずか14人だけだった。

　ジェリコーは、生存者を探し回って1人ひとりに状況を尋ね、遺体保管所を回って遺体の様子をスケッチするなど、苦心と努力の末にこの絵を完成させた。絵は、まず褐色の色彩によって悲劇性を強調し、あちこちに横たわる遺体、死に瀕した人々、絶叫する人などを画面いっぱいに描いて、おののきや悲しみ、怒りや恐れといった感情をかき立てた。

◎それにもかかわらず、13日間も飢えをしのいだ人々の身体は、古代ギリシャの彫刻像のようにがっしりとした形態美を備えている。ジェリコーもアカデミーの影響から完全に自由になれたわけではなかったことを証している。

234
WED

ロザルバ・カリエーラ

ロザルバ・カリエーラ《妹の肖像画を持つ自画像》、
紙にパステル、71㎝×57㎝、1715年、ウフィツィ美術館、フィレンツェ

　ロザルバ・カリエーラ（1675～1757年）は、レース職人である母親を手伝ってパターンなどを描くうちに、絵に関心をもつようになった。ロザルバは、特異なことに、パステル（色チョーク）の巨匠へと成長していった。

　この当時、大部分の画家が、パステルは油絵の下描きに使うものとしか考えていなかった。しかし、パステル特有の色と質感に魅了されたロザルバは、それを適切に使うことで、油絵にはない新たな感覚の絵を完成させた。彼女はパステルの価値を高めた最初の画家となったのである。

　ロザルバは、グランド・ツアー▶191でヴェネツィアを訪れた貴族の子弟やその一行の肖像画を描き、ヨーロッパ全域でその名を知られるようになった。そしてパリに移ったロザルバは、ロココ美術の巨匠であったワトー（1684～1721年）▶291に出会って交流し、フランスの宮廷でも貴族の肖像画で人気を博した。

　この自画像の中でロザルバが描いているのは、自分にそっくりの妹の姿である。白色のパステルをつけた筆記具は、妹が身につけている白いレースの繊細な質感を、感触そのままに描き出そうとしている。その手前に並んでいるパステルは、ロザルバがこの分野の大家であることを暗示するものだ。

◎未婚のまま生きたロザルバは、醜聞の種になるかもしれないことを用心深く避けたためか、妹を自分の助手とした。

235

THU

宗教画

バルトロメ・エステバン・ムリーリョ《小鳥のいる聖家族》、キャンバスに油彩、144㎝×188㎝、1650年頃、プラド美術館、マドリード

　ムリーリョ（1617～1682年）▶248 は、スペイン南部の都市セビリャの貧民の家に生ま
れ、孤児として育ち、子どもたちの天真爛漫とした姿や温かな家庭の日常を好んで
描いた。この作品もそんな彼の絵らしく、タイトルを隠して見れば、平凡なスペイン
の小市民の日常を描いた「ジャンル画」▶142 と見ることもできる。にもかかわらず、こ
の絵を《小鳥のいる聖家族》としているのは、その象徴が隠されているからである。

　絵の左側の女性は、糸を紡いでいる。マリアは神殿の垂れ幕をつくる仕事に動員
されるほど[45]、針仕事の腕前に優れていた。一方、アルテミス（ディアナ）▶126 は、ギリシ
ャ神話の中で「処女の神」で「月の女神」であり、「狩猟の女神」でもある。画家たちは、
処女ながらに世界の運命と息子の宿命を黙々と受け入れる聖母マリアを、この絵の
ように処女の神アルテミスのイメージを借用して表現することもあった。

　この絵の中央の子どもは、イエスの受難を象徴する小鳥▶203 をつかんで子犬と遊
んでいる。父親の脇のテーブルの上には、大工仕事に関連する道具が見える。マリア
と結婚したヨセフは、大工であった▶140。

45　『ヤコブ原福音書』10章1～2節（『新約聖書外典』pp.32-33）。

236
FRI

フロンドの乱とルイ14世

シャルル・ポワソン《フロンドの乱を鎮圧したルイ14世》、
キャンバスに油彩、166cm×143cm、1652〜1654年、
ヴェルサイユ宮殿美術館、ヴェルサイユ（フランス）

ルイ14世は、5歳という幼さでフランス国王の座を受け継いだが、母親のアンヌ・ドートリッシュが宰相マザランを側近として、摂政となった。

ルイ14世は、さまざまな不正で莫大な富を蓄えていたニコラ・フーケに招かれて、1661年に彼の家に行き、国王よりも豪華な邸宅をもつ彼の暮らしぶりを見て激怒した。そのことがきっかけとなって、一度に2万人を収容することのできる途方もない大きさのヴェルサイユ宮殿をつくったのだ、という逸話がある。一方、フーケは横領罪で無期懲役に処され、監獄で死亡した。ルイ14世の王権に対する挑戦として貴族らが起こした

「フロンドの乱」（1648〜1653年）が鎮圧されると、アンヌ・ドートリッシュとマザランは、ルイ14世の絶対王政を支援し、その永続に努めた。

シャルル・ポワソン（1609頃〜1667年）は、フロンドの乱の勝者ルイ14世を、ギリシャ神話の中のゼウス（ユピテル）のように描いた。右手にゼウスの象徴である稲妻を持ち、足元にはやはりゼウスの権力を代行する鷲が描かれている。下端にある文言は、「この若い君主こそ、新たなるゼウスだ」という内容だ。

◎フロンドとは、子どもの石投げ道具を意味する。宰相マザランの家の窓が、まさにその石投げによって壊されたことから反乱が始まったというので、「フロンドの乱」と呼ばれる。

237

SAT

王の女となった
ポンパドゥール夫人

モーリス・カンタン・ド・ラ・トゥール《ポンパドゥール夫人の肖像》、
紙にパステル、175cm×128cm、1749〜1755年、ルーブル美術館、パリ

　ピンク色のハイヒールを履き、春の日差しのように華やかで洗練されたドレス姿の女性は、化粧台ではなく書物と地球儀を載せたテーブルの前に座り、うっすらとほほ笑んでいる。この絵の主人公は、ルイ15世の愛人、ポンパドゥール夫人（1721〜1764年）だ。本名はジャンヌ=アントワネット・ポワソンといい、税務公務員だった父親が横領の疑いを受けて逃亡したのち、母親とその愛人のもとで育った。

　彼女は、19歳で義父の甥［おい］と結婚した。以後、サロンを運営してヴォルテールやモンテスキューら、当時のフランスの有名思想家とも交流した。ところがある日、彼女は、ルイ15世を誘惑するためにわざわざ狩猟の女神アルテミス（ディアナ）▶126に扮装して、宮廷の狩猟場に忍び込んだ。誘惑は成功した。王は、平民出身の彼女が宮殿に出入りできるように、ポンパドゥールという爵位を彼女に買い与え、夫は遠くに追い払ってしまった。

　この絵の背景に描かれている本は、『百科全書』である。これは、世界のあらゆる知識を庶民に知らしめる啓蒙主義の思想を体現する本だった。そのことを恐れた王室やカトリックの保守的な人々によって『百科全書』は禁書に指定されたが、この本の編纂に最も大きな支援を与えたのが、このポンパドゥール夫人だった。

◎パステル画で有名なモーリス・カンタン・ド・ラ・トゥール▶241は、この肖像画を仕上げるために5年もの歳月を要した。そのせいで、ポンパドゥール夫人は彼に対し、本来契約した肖像画の代金の半分しか支払わなかったともいわれている。

238
SUN

洗礼者ヨハネの首を持つサロメ

カラヴァッジョ《洗礼者ヨハネの首を持つサロメ》、キャンバスに油彩、91cm×106cm、1607〜1610年、ナショナル・ギャラリー、ロンドン

　洗礼者ヨハネ▶224, 231 は、大きな功績を残したにもかかわらず、あえない死を遂げた[46]。そのきっかけとなったのは、ヘロデ王が兄を殺してその妻を奪ったという非道に憤り、非難したことである。一方、新たにヘロデ王の妃となった女性は、ヨハネの批判が自分の平穏な日常を奪うことを恐れて一計を案じ、前夫との間に生まれた娘のサロメに、宴会で王の心をとらえさせた。王は、自分の義理の娘であり姪［めい］でもあるサロメの妖艶な踊りにすっかり夢中になり、欲しいものがあれば何でも与えよう、と言った。そこでサロメは母親の言いつけどおり、洗礼者ヨハネの首がほしいと答えた。王としては、その願いを拒む理由などなかった。

　ヨハネは即座に斬首された。切り落とされたばかりのヨハネの首を、男がサロメの持つ盆の上に載せている。濃い闇を背景として、死んだ者、死なせた者、死を受け止めた者、そしてそれを目撃した者の上に明るい光が投じられている▶242。まるで演劇の一場面のように、見る者の心に強烈な圧迫感を与える。

46　『マタイによる福音書』14章1〜12節、『マルコによる福音書』6章14〜29節。

239
MON

ゼウスまたはポセイドン像

作者不詳《ゼウスまたはポセイドン像》、ブロンズ像、高さ209cm、
紀元前460〜350年、国立考古学博物館、アテネ

ギリシャ人は、自分たちが崇拝する神の姿や、オリンピック競技で勝利した選手、戦争で大きな功績を上げた英雄などの姿を、主にブロンズ像として制作した。しかし、ブロンズ（青銅）は高価だったので、ローマ人によって略奪され、それらの像の多くは溶解されて失われた。

ローマ時代に大理石や石膏で複製された古代ギリシャの作品と比べると、原作のブロンズ像は、石ではできない細かな表現が可能だった。髪の毛やひげの繊細な表現、生きているかのような目元、すっと通る鼻筋や唇のかすかな線や、力強い筋肉の連なりを自然に表現することは、ずっしりと重い石では不可能なことだった。

この彫刻像は、ゼウスまたはポセイドンを記念するためのものと考えられており、ギリシャのアルテミシオン岬で発見されたといういわれから、「アルテミシオンの彫刻像」とも呼ばれる。全身に力を込めて両腕を伸ばしたこの姿勢を、最初から大理石でつくろうと思えば、《ベルヴェデーレのアポロン》▶030の腕の下に垂れ下がる布が実際には腕の重みを支えているように、腕を支える何かが必要そうだ。人物と持物［じもつ］▶305の関係から、もしもポセイドンならば、一方の手に持っていたものは三つ叉の槍、ゼウスならば稲妻だろうと思われる。

◎彫刻家の技量が最高潮に達したギリシャ古典期になると、形態やポーズが全体的に自然なものになるとともに、何十年とトレーニングしても手に入れることのできないような理想的で完璧なスタイルの彫刻像が、相次いで登場した。

240

TUE

ロマン主義Ⅲ

ウジェーヌ・ドラクロワ《キオス島の虐殺》、キャンバスに油彩、419cm×354cm、1824年、ルーブル美術館、パリ

19世紀の新古典主義▶205, 212の美術は、古代ギリシャ・ローマに対する憧憬の念に加えて、理性的で道徳的な価値を追求し、普遍的で公共的な善を重視した。一方、その対極に位置した「ロマン主義」▶219,233の美術は、全人類的普遍性よりは民族的多様性や個別性、さらには個人的な情感や情緒を表現することに力点を置いた。

この絵は、1822年のギリシャ独立戦争の際に、キオス島に住んでいたギリシャ人をオスマン帝国軍が無差別虐殺した事件を描いている。〈この野蛮な事件を全世界に知らしめよう〉という使命感から描かれたものだ。画面のあちこちで繰り広げられる暴力の様子、平原や海、青みを帯びた雲に至るまで、彩度は低くても強烈な印象を与える色彩によって描かれている。身震いするような虐殺事件を目にして、恐怖やあきらめ、不安といった感情を呼び起こす。

直線を多用して明瞭で整った感じの強い新古典主義美術と比べれば、この絵は、粗いタッチによって生み出された力強い線や、画家の心情があふれ出すような色味に圧倒される。ドラクロワ▶299のこの絵は、1824年に新古典主義の牙城であるサロン展▶226に出品されると、「絵画の虐殺」だと非難された。

241

WED

モーリス・カンタン・ド・ラ・トゥール

モーリス・カンタン・ド・ラ・トゥール《自画像》、紙にパステル、64cm×53cm、1750年、ピカルディ美術館、アミアン（フランス）

　モーリス・カンタン・ド・ラ・トゥール（1704〜1788年）は、フランス北東部のサン=カンタンに生まれた。音楽家だった父親は、息子が技術者となることを願っていた。しかし15歳になる年、父の意に背いて無謀な家出をしたラ・トゥールは、パリに向かい、今日のオランダとベルギーにまたがるフランドル地域から来た画家たちと交流して絵の勉強を始めた。とくに彼は、パステルで制作を行う女流画家ロザルバ・カリエーラ▶234に大いに感銘を受け、自身もその腕を磨いていった。

　ラ・トゥールは、ルイ15世の愛人であるポンパドゥール夫人▶237など宮廷の主要人士や、啓蒙主義者のヴォルテール、ルソーをはじめとして、司祭や女優など、多様な人物の肖像画を、明るく軽快なタッチで描いた。彼が描く肖像画の人物は、口の端を少し上げ、幸せそうな微笑をたたえているのが特徴だ。この自画像は、立ち去ろうとしていて呼び止める声を耳にし、優しそうな笑みを浮かべて振り返っているところのようだ。見る者までも幸せにしてくれそうな親しみを感じさせる。

◎当時のフランスで、笑っている自画像を描く画家はほとんどいなかった。この自画像は、1750年にサロン展▶226に入選した。

242
THU

テネブリズム

グイド・レーニ《聖ペテロの架刑》、
パネルに油彩、305cm×171cm、
1604〜1605年、ヴァチカン美術館、ヴァチカン

カラヴァッジョ《チェラージ礼拝堂の絵
：聖ピエトロの磔刑 [たっけい]》、
キャンバスに油彩、230cm×175cm、
1600〜1601年、
サンタ・マリア・デル・ポポロ聖堂、ローマ

　ボローニャで有名な音楽家の息子に生まれたグイド・レーニ (1575〜1642年) は、チェンバロ▶311の演奏者となることを望んでいた父親の意に背き、画家の道にこだわった。そしてボローニャを訪れた教皇クレメンス8世の目にとまってローマに行き、アルドブランディーニ枢機卿から《聖ペテロの架刑》の注文を受けた。

　この絵は、「テネブリズム」という技法を忠実に用いている。これは、イタリア語の「テネブラ (闇)」という言葉に基づく用語である。強烈な光と闇の対比によって、絵をよりドラマティックに描き出す方法で、カラヴァッジョ▶066の絵の特徴でもある。カラヴァッジョは、レーニのこの絵が自分の絵を剽窃 [ひょうせつ] したとして、「もう一度こんな絵を描いたら殺してしまうぞ」と脅したという。

　鶏が鳴く前に3回もイエスを否認した[47]にもかかわらず、イエスの特別な信認を受けたペトロ (ペテロ、ピエトロ) は、教会を組織して指導し、ローマ皇帝ネロの時代に十字架に逆さにはりつけられて処刑された▶301。レーニの絵は、明暗法や主題のグロテスクさはバロック▶156的でありながらも、確実に古典的な傾向に沿っている。たとえば、十字架を中心に置いて両側に人物を左右対称に配置し、安定感を感じさせる構成を演出している点や、バロック的な誇張された感情や動作ではなく、感情を抑制したギリシャ彫刻のような優雅さを感じさせる点が、それにあたる。

47　『マタイによる福音書』26章69〜75節、『マルコによる福音書』14章66〜72節、『ルカによる福音書』23章56〜62節、『ヨハネによる福音書』18章15〜18節・25〜27節。

243
FRI
三十年戦争の名将大コンデ

ジャン=レオン・ジェローム《ヴェルサイユ宮殿で大コンデを迎えるルイ14世》、キャンバスに油彩、96.5cm×139.7cm、1878年、オルセー美術館、パリ

　いくぶん卑屈に見えるほどへりくだった様子で階段をのぼっている男は、ブルボン家出身でルイ14世[236]のいとこであるブルボン=コンデ家のルイ2世（1621〜1686年）だ。しばしば「大コンデ」と呼ばれる。ドイツにおける新教・旧教の間の宗教戦争である三十年戦争（1618〜1648年）の中で、スペイン軍を相手に大勝利を収めた名将である。

　大コンデは、「フロンドの乱」[236]でルイ14世の母后に仕えていたマザランに反旗を掲げたことから、一時はフランス国外に逃れざるを得なくなったが、ルイ14世の許しを得て忠誠を誓い、フランスに戻った。そして三十年戦争中、彼はルイ14世の命令によってオランダとの戦場に送られ、大勝したのである。

　この絵は、彼が勝利の喜びを胸にして、ヴェルサイユ宮殿の「大使たちの階段（取り壊されて現存しない）」をのぼっている場面である。階段の中ほどでは、ルイ14世が彼の姿を見守っている。約15年間も外地での生活をしていた大コンデが、戦争の勝者となってようやく帰国し、王の不信を解いた感動の瞬間を描いている。

◎ジェローム（1824〜1904年）は、大コンデが住んでいたシャンティイ城に引っ越すことになった某公爵がこの絵を買い求めるだろうと考えて制作した。ところが、絵は売れなかった。その後、アメリカの富豪ヴァンダービルトに売られ、のちに再びフランスに戻った。

244
SAT

モデルから王の愛人に

フランソワ・ブーシェ《ソファーに横たわる裸婦》、キャンバスに油彩、59cm×73cm、1752年、アルテ・ピナコテーク美術館、ミュンヘン（ドイツ）

　盗賊をしていた父親と性売業の母親をもつマリー＝ルイーズ・オミュルフィ（1737〜1814年）は、ブーシェの絵のモデルとなったことで人生大逆転の神話をスタートさせた。フランス国王ルイ15世の愛人ポンパドゥール夫人▶237の弟にこの絵が売られたのち、王が絵を見て、モデルの女性に直接会いたいと頼んだのである。そうして15歳のオミュルフィは、40歳を越えた王のもう1人の愛人となった。オミュルフィは、王との間に娘を産むと、ポンパドゥール夫人をしのぐ権勢を得ようとした。

　ポンパドゥール夫人は、王が女性との遊びに夢中でも泰然として顔色1つ変えず、むしろお似合いの女性を紹介するほどであったが、一方で智略家でもあった。ポンパドゥール夫人は王を説得し、オミュルフィをほかの貴族と結婚させて追い払った。

　しかし、オミュルフィの夫は2人の子どもを残して亡くなった。その後、オミュルフィは再婚して娘を産んだが、その父親は、人知れず逢い引きを重ねていたルイ15世だ、という見解もある。フランス革命▶271を生き抜いたオミュルフィは、28歳も年下の政治家ルイ・フィリップ・デュモンと3度目の結婚をしたが、3年後に離婚した。

245
SUN

聖マタイの召命

カラヴァッジョ《聖マタイの召命》、キャンバスに油彩、340㎝×322㎝、
1599〜1600年、サン・ルイジ・デイ・フランチェージ聖堂、ローマ

『マタイによる福音書』の著者マタイは、一時、徴税人だった。手段を選ばず厳しく取り立てた税金をローマ帝国に捧げる仕事をしていたのである。ところがイエスの呼びかけを受けると、マタイは二の句も継がず、すべてをなげうってイエスに付き従った。カラヴァッジョ▶066は、イエスがマタイに呼びかけている瞬間を劇的に描き出した。

この絵の右側を見ると、イエスが光を背にして立ち、手でマタイのほうを差して「わたしに従いなさい」と呼びかけている[48]。しかしその指がどこを差しているのかは、画面の中の人物も、絵を見ているわれわれもわからない。

「え、私のことですか?」と聞き返すような表情で自身を指差しているベレー帽の男性がマタイのように思える。だが、その男性の指もよく見てみれば、自分を差しているのか隣の人を差しているのか、見分けがつかない。じつは下を向いてお金を数えている男がマタイなのかもしれない。どの人物であるにせよ、立ち上がってイエスに付き従った者がマタイだ。俗世の物を捨て去ることのできる者だけが、彼の弟子となることができた。

48　『マタイによる福音書』9章9〜13節。

246

MON

折れた背骨

フリーダ・カーロ《折れた背骨》、ボードに油彩、43cm×33cm、1944年、
ドローレス・オルメド美術館、メキシコシティ

フリーダ・カーロ▶206 ほどたくさんの自画像を残した画家はいないだろう。レンブラントやゴッホがたくさんの自画像を描いた、といったところで、彼らにとって自画像はメインではなかった。ところがフリーダ・カーロは、自画像が作品の大部分を占めるのである。

フリーダは6歳のときに小児麻痺を患い、一方の脚を引きずるようになった。そして18歳のとき、乗っていたバスが電車と衝突したはずみで重傷を負い、脊柱をはじめ骨盤、脚……と、全身を骨折した。右足はすっかりつぶれてしまった上に、左の肩は脱臼してしまった。かろうじて命は取り留めたものの、彼女が47歳で生涯を終えるまで、事故の後遺症はつきまとった。フリーダは、コルセットのような補正器具で全身を縛りつけたまま、一生を過ごさなければならなかった。

まさにその苦痛とともに生きていく自分の姿を描いたこの作品は、1944年、何度目かの大きな手術を受けた直後に描いたものだ。身体を起こしてはいるが、彼女を支えている神殿の柱にはひびが入っている。包帯が全身をぐるぐる巻きにして、彼女の身体が崩れ落ちそうになるのを食い止めている。生き延びようとするためのあらゆる手だてが、かえってフリーダを死に赴かせているようにも見える。身体いっぱいに打たれた釘は、彼女を苦しめた数々の身体的・精神的苦痛を意味する。彼女は、泣いている。

247
TUE
抽象を予言する近代風景画

ウィリアム・ターナー
《雨、蒸気、速度:
グレート・ウエスタン鉄道》、
キャンバスに油彩、
91cm×121.8cm、1844年、
ナショナル・ギャラリー、ロンドン

　1825年、イギリスに鉄道が開通した。尻尾を長く連ね、煙を吹き出しながら走る列車の姿は、人々を興奮のるつぼに陥れた。イギリスが誇る19世紀最高の風景画家、ウィリアム・ターナーも同様だった。汽車に乗り込み、驚くべき速度を自ら体験して、それを絵に写した。テムズ川の上にかかる霧の合間に汽車の水蒸気がにじんでいく一方で、さっと濡らすような雨が一群の雲とともにやってきて、鉄路を覆っている。

　神や英雄、宗教的人物などの背景としてのみ自然を描いた、伝統的な王立美術アカデミー▶212の画家たちとは、ターナーは違っていた。彼は、自分がじかに目撃し体験した現実空間の雨、蒸気、速度そのものを主人公として描いた、真の意味での近代的風景画家であった。彼は何よりも、対象の輪郭をはっきりと描いてから色を塗るという方法から脱却し、絵の具を筆でキャンバスに押しつけて力強い筆致で塗り、瞬間的で即興的な感じを生み出した。今にも画面を突き破って飛び出してきそうな汽車、ずっしりとした鉄路、わずかに見える橋のほかは、すべてを絵の具で覆っており、まるで現代の抽象画を見ているようでもある。

◎ターナーの絵は、パリの印象派▶289の画家たちに絶大な影響を与えた。彼らは、大気と色の変化に深く関心を示すようになるとともに、神や英雄や聖人が消滅した、つまり物語が消滅した純然たる自然そのものに魅了された。

248
WED

画家
バルトロメ・エステバン・ムリーリョ

楕円の額からわずかに外側に出している手が、かえってこの人物を、額の向こう側の世界に属する人のように見せる。テーブルの上には、パレット、筆、赤色のチョークで描いたデッサン、ものさし、コンパスなどが置かれ、彼の職業を物語っている。

バルトロメ・エステバン・ムリーリョ（1617〜1682年）は、政府が一時作品の国外輸出を禁止したほど、スペイン人に愛された国民画家であった。熱心なカトリック国家の画家らしく聖母マリアを多く扱ったほか、貧しくて自慢できるものは何もなくても常に笑顔を失わない子どもの姿をよく描いた。

バルトロメ・エステバン・ムリーリョ《自画像》、キャンバスに油彩、122cm×107cm、1670〜1673年、ナショナル・ギャラリー、ロンドン

絵の額の下には、ラテン語で「子どもたちの願いと祈りをかなえるために自分自身を描く　バルトロメ・ムリーリョ」と刻まれている。ムリーリョは、10歳を過ぎた頃に両親を失い、姉の手で育てられた。のちに12人の子どもをもつことになるが、妻が亡くなった後も再婚せずに1人で子どもを育てたほど、子どもに対する愛情は人一倍だった。したがってこの絵は、仮に自分がこの世を去ったとしても、子どもたちが絵を通してずっと自分に会えるように、という愛情によって描かれたのだろう。

スペイン最高の〈高値を呼ぶ画家〉だったが、いつでも奉仕に努めていた彼は、とくにお金のない宗教団体のためなら、喜んで無料で働いた。自分が苦しみを味わった分だけ、他人の苦しみにも共感できる画家だったのだ。

249

THU

祭壇画

フーベルト・ファン・エイク、ヤン・ファン・エイク《ヘントの祭壇画》の前面、パネルに油彩、350cm×461cm、1432年、聖バーフ大聖堂、ヘント（ベルギー）

　この作品は、油絵の発明者として知られるフーベルト・ファン・エイクとヤン・ファン・エイク▶045の兄弟が完成させた、ベルギー西部の都市ヘントにある聖バーフ大聖堂の中央祭壇画だ。祭壇画は、聖堂の中で最も重要な絵といってよい。この絵は、中央に4面、左右両側にそれぞれ4面で合わせて12面という多面画である。この時期には、2面、3面のより小さなサイズの祭壇画も制作され、富裕な寄進者たちが聖堂の内外に設けた個人礼拝堂の装飾として掲げられた▶093,210。

　この作品の上段中央には、教皇を象徴する三重冠をかぶった神が、真正面を向いて座っている。その両側に、聖母マリアと、ラクダの毛皮を着た洗礼者ヨハネ▶231が見える。その外側に歌を歌う天使たち、最も外側にアダムとイヴと続き、2人の上にはカインとアベルの供犠の場面、カインがアベルを殺害する場面がある。

　下段は5面のパネルからなる。最も大きな画面は、祭壇に羊を置いて儀式を行っている様子を描いている。聖霊の鳩が光とともに下りてきた先に、小羊が立っている。祭壇には「見よ、世の罪を取り除く神の小羊」という文言[49]が書かれている。

49　『ヨハネによる福音書』1章29節。

250

FRI

オーストリア継承戦争

ロザルバ・カリエーラ《マリア・テレジアの肖像》、紙にパステル、
45cm×34.5cm、1730年、ドレスデン国立古典絵画館、ドレスデン（ドイツ）

　神聖ローマ帝国の皇帝でハプスブルク家の長であったカール6世（在位1711〜1740年）は、跡継ぎの息子を失うと、マリア・テレジア（1717〜1780年）が全領土を相続できるように法律を改めた。しかし、当時のヨーロッパの王室は血縁によって利害関係が入り組んでおり、いくつかの王室が王位継承権を主張したことから、オーストリア継承戦争（1740〜1748年）の勃発に至った。神聖ローマ帝国の帝位は、マリア・テレジアの夫であるロートリンゲン家のフランツ・シュテファン公爵に帰したが、これは形式的な措置にすぎなかった。

　そもそもハプスブルク家は、近親婚も辞さない政略結婚によって領土を守ってきた家門であった。にもかかわらず、マリア・テレジアは、留学のためウィーンにやってきた美男子のフランツ・シュテファン公と、当時の上流層としては夢見ることすら難しかった恋愛結婚を敢行し、なんと16人もの子どもを産んだのである。そのうちの1人がマリー・アントワネット▶272で、のちにフランス革命▶271を経験することになる。パステル画を得意としたロザルバ・カリエーラ▶234のこの絵からも感じられるように、マリア・テレジアもまた、ずば抜けた美貌の持ち主だった。しかし、外見を飾り立てることにばかり気を遣う王室の女性としてよりも、混乱する政局を牽引する力強い統治者としての人生を、彼女は歩んだ。

◎政略結婚が一般的だった当時の上流層の中でも、互いに惹［ひ］かれ合って結婚しただけあって、2人の夫婦仲はとてもよかったようだ。マリア・テレジアは、夫が亡くなった後16年間にわたって、喪服を脱ぐことがなかった。

251

SAT

皇帝が愛した美少年

作者不詳《オシリス＝アンティノウス》、大理石、高さ241㎝、135年、ヴァチカン美術館、ヴァチカン

「五賢帝」と総称される5人の皇帝が相次いで優れた統治を行ったローマ帝国の最盛期、パックス・ロマーナの中でも、絶頂期にあったのは、ハドリアヌス帝（在位117〜138年）の時代だった。領土の拡大よりも統治の整備に熱心だったハドリアヌスは、たびたび各地を視察した。そしてギリシャ方面を訪問した際、アンティノウスという美少年と偶然出会い、恋に落ちた。以後、ハドリアヌスが行く先にはいつもアンティノウスが付き添っていたが、彼はエジプトでナイル川に落ち、ワニに噛み殺されてしまった。

　ある者が言うには、アンティノウスが歳をとってハドリアヌスに捨てられることを恐れたせいだといい、また別の者が言うには、ハドリアヌスが重病にかかったために、自分を犠牲にすれば愛する者を助けることができるというエジプト人の助言を受けて自分で川に飛び込んだのだ、ともいう。さらには、宮中の勢力争いによる他殺だという説もあるが、真相はどうあれ、ハドリアヌスは愛する相手のためにエジプトにアンティノオポリスという都市を建設した。そして、冥土を支配する不滅の神オシリス▶253の姿として彼の像をつくり、神格化した。こうしてオシリス＝アンティノウスが生み出された。実際、アンティノウスの死後、ローマ帝国の全域でオシリス＝アンティノウスを崇拝する思想が広まっており、これまでに100点を超えるアンティノウスの神像が発掘されている。

252
SUN

悔悛するマグダラのマリア

ティツィアーノ・ヴェチェッリオ《悔悛するマグダラのマリア》、
キャンバスに油彩、84cm×69.2cm、1533年、パラティーナ美術館、
フィレンツェ

　タイトルがなければ、この絵を宗教画だと思う人はまずいないだろう。しかし、聖女を描いた絵である。一時は性売業の女性であったが、ある日イエスに出会って大いに悔悛し、自分を救ってくれたイエスに報いるために、彼の足に香油を塗ったというマグダラのマリアだ。

　彼女は、12人の弟子と同様にイエスに付き従い、イエスが十字架にはりつけられて息を引き取る瞬間を見守った[225]。のちにイエスが復活したとき、最初にその姿を見つけた人物でもある。イエスが昇天して以後、マグダラのマリアは、荒野を転々として暮らした。欲情も所有欲もすべてなげうった彼女は、長く伸ばした髪で自分の身体を覆って洞窟で生活し、悔い改めて宣教しながら生涯を送った。

　女性のヌードを描きたくはあっても、何の脈絡もなく描くことにはいくぶん抵抗があった時代に、伸ばした髪で身体を覆ったというマグダラのマリアの伝承[50]は、画家たちには魅力的なものととらえられた。手を入れず伸びるままにされた金髪は、全身を覆ってもなお余るほど長かったが、胸を覆い隠すにはやぶさかだったようだ。ティツィアーノ[220]は、香油壺を1つ小さく描き添えて、「これはマグダラのマリアを描いた宗教画だ、ヌード画ではない！」とばかりに咳払いをしているに違いない。

50　225「キリスト降架」で既述のとおり、マグダラのマリアに関するこの伝説は、聖書や『黄金伝説』などには記載されていない。

253

MON

死者の書

作者不詳《死者の書》(一部)、パピルスに彩色、紀元前1275年頃、大英博物館、ロンドン

　古代のエジプト人たちは、先に比率や形態を定めておいて、それに合わせて絵を描いた。画家になりたい古代エジプト人が習熟すべきことは、適切に陰影をつけて対象の立体感を出すとか、色合いの微妙な変化を研究するといったことではなかった。いかにほかの人の絵との違いを出し、自分独自の技法を表現するのかを究める必要もなかった。ただひたすら、ホルス神▶016は鷹の頭をつけた人間または鷹そのものとして描くこと、書記の神トートはトキの頭をつけた半獣半人またはトキそのものとして描くこと、といった厳格な規則を記憶し、習熟することが求められた。それらの規則は、およそ3000年以上も受け継がれた。

　《死者の書》は、死せる者のためにつくられた一種の地下世界案内図で、巻物形式で制作され、ピラミッドの奥深くにミイラとともに納められた。この絵は、左側から読み進める。死者は、ジャッカルの頭をしたアヌビス(冥界の神)に導かれて審判台のところに来ている。この人物の心臓は、鳥の羽とともに秤[はかり]に掛けられている。鳥の羽よりも重ければ罪があるとされ、その場合は、ワニの頭にカバの脚をもつアメミット神が、その人物を処理することになる。絵の右側は、鷹の頭をもつホルスの案内で、王座に座るオシリスに死者がいよいよ引き渡されているところである。オシリスは、死者のための神だ。

◎《死者の書》には、死者の生涯の業績が一緒に記録されている。そのため画家は、複雑で難解な象形文字を、何年もかけて学ばなければならなかった。

254

TUE

写実主義

ギュスターヴ・クールベ《オルナンの埋葬》、キャンバスに油彩、315cm×660cm、1849年、オルセー美術館、パリ

　《オルナンの埋葬》は、ギュスターヴ・クールベ▶227の故郷の村で行われた彼の知人の葬儀の一場面を描いたものだ。作品の中に登場している50人以上の人物は、すべてクールベの知り合いで、著名人というよりは単に故郷に暮らす人たちというべきである。クールベは、この作品を1850〜1851年のパリのサロン展▶226に出品した。6mを超える大きなキャンバスに名も知らぬ一般人をぎっしりと詰め込んだこの絵を見て、批評家たちは、たかだか農夫の死のために貴重な絵の具を無駄づかいした、とからかった。そもそも誰を主人公とした絵なのか、と問う人もあった。

　クールベは自分が追求する絵画について、「天使を描く！　いったい誰が天使を見たというんだ！」という有名な言葉[51]によって語った。彼にとっての絵画とは、実際に存在しているものを描くものだった。美術アカデミーの好みに合うそれまでの絵画▶205, 268が、〈過去〉の中にいる聖書や神話の人物を誇張し、あるいは想像して描くものだったとすると、クールベは、自分の目で確認できる〈現在〉を、そして〈事実〉を描く写実主義を唱えたのである。クールベは、サロン展に対抗するために倉庫を改造して独立の展示館をつくるなど、あえて急進的な動きをとった。過去の伝統的な絵に対して反旗を掲げ、その後の美術の方向性を大きく変えたという意味で、クールベは〈モダニズム美術の先駆者〉とみなされている。

51　ゴッホが弟のテオ宛に送った手紙で言及された言葉。書簡番号515、1885年7月14日付（『ファン・ゴッホの手紙』II、p.103）。

255

WED

クリストファーノ・アローリ

クリストファーノ・アローリ《ホロフェルネスの首を持つユディト》、
キャンバスに油彩、139cm×116cm、1613年、ピッティ宮殿、フィレンツェ

クリストファーノ・アローリ（1577〜1621年）はフィレンツェ生まれで、父親のアレッサンドロ・アローリから絵を学んだ。彼は、豊富な色を駆使するヴェネツィア人の色彩感覚を自らのものにしようと努力し、他方でフィレンツェ人が得意とする正確なデッサンも深く研究した。そのおかげで若くしてメディチ家に抜擢されたが、受けた注文の多くは「上の世代の巨匠たちの絵を複製せよ」というものだったという。

アローリが残した作品の中で最も有名だといえるのは、この絵である。これは、イスラエルを侵攻したアッシリアの将軍ホロフェルネスを召使いの女性と一緒になって誘惑し、とうとう将軍の首をとったユディトを描いたものだ。[057]当然ながら、愛国的な女性と邪悪な敵将、という図式で読み解かれるのが一般的な主題である。しかし、アローリが描いたこの絵は、不思議なことに、華麗に着飾った女性が召使いを味方につけて、何も知らない純真な男性を辱めているようにも感じられる。これは、ユディトの表情が必要以上に冷たいことに起因しているのかもしれない。

この絵には、画家の個人史が埋め込まれている。ホロフェルネスの髪をわしづかみにしている冷酷で残忍なユディトは、一時期アローリの愛人であったマッツァフィーラの姿を描いたもので、召使いはその母親だ。アローリは、自分をみじめに捨て去った彼女とその母親に対する憤りを、画家にふさわしく、このように表現したのである。

◎眉間にしわを寄せて目を閉じたホロフェルネスは、じつはアローリの自画像である。

256
THU

花の静物画

ハンス・ボロンジェ《花のある静物画》、パネルに油彩、67.6cm×53.3cm、1639年、アムステルダム国立美術館、アムステルダム

　17世紀のオランダでは、すぐにしおれてしまう本物の花を買うよりも、花の絵を買うほうが値段のわりに満足できた[032]。この絵はそうした時代に描かれた。16世紀末以後、オスマン帝国の支配下にあった今日のトルコ地域から、西欧、とくにオランダに流入したチューリップに対する需要が激増した。そこで経済に明るいオランダ人は、花を投機の対象とした。まだ花をつけていない球根で先物投資を行ったのである。

　「ヴィセロイ（総督の意）」「センペル・アウグストゥス（永遠なる皇帝の意）」といった名前のチューリップは、白地に赤い縞模様を特徴とした。これは病虫害によって生じた一種の変形であったが、莫大な人気を博して高価で取り引きされた。19世紀のある学者が記録したところによれば、このチューリップの球根1つの値段で、肥えた牛4頭、またはバター2トンを買うことができたという。それは、オランダの労働者が10年間働いてようやく蓄えることのできる金額だった。当時、ある貴族が保管していた球根を、その家の料理人がタマネギだと思って食べてしまい、裁判になったというエピソードまである。しかし、1637年に至ってチューリップの価格が暴落すると、投資に失敗した者たちが街にあふれ、オランダの経済そのものが大きく揺らいだ。

　ハンス・ボロンジェ（1600〜1645年）が描いた魅惑的なチューリップは、オランダの静物画でよくいわれるヴァニタス[095]、つまり〈あらゆるものは空虚だ〉ということを強烈に感じさせる作例といえよう。

◎1637年2月以後チューリップの価格が暴落したのは、ペストが再び流行して、競売所に人が集まらなくなったことが理由である。

257

FRI

北米大陸を巡る覇権争い

ベンジャミン・ウエスト
《ウルフ将軍の死》、
キャンバスに油彩、
151cm×213cm、1770年、
カナダ国立美術館、オタワ

　オーストリア継承戦争▶250 の結果、現在のポーランド南西部一帯にあたるシュレジエン地域をプロイセンに奪われたオーストリアのマリア・テレジアは、それまで敵対関係にあったフランスと同盟を結んだ。他方、イギリスはオーストリアとの同盟関係が破綻したため、あわててプロイセンと同盟を結んだ。こうした状況の中、オーストリアはプロイセンに七年戦争（1756～1763年）をしかけた。

　こうしたヨーロッパ列強の対立構図に、英仏両国が北米大陸で展開していた植民地争奪戦が結びついて、フレンチ・インディアン戦争（1754～1763年）となった。この絵は、その一環で1759年に起こったカナダのケベック地方を巡る大激戦で、イギリス軍を勝利に導いた将軍ジェームズ・ウルフ（1727～1759年）を描いたものである。だがウルフは瀕死の状態で《キリスト降架》▶225 のように斜めに地面に横たわっている。この絵は、祖国の勝利に命を捧げた将軍の姿をイエスのように描きつつ、左側には先住民の姿を描き入れて異国的な趣も添えている。遠くにわだかまる黒雲は、その下に集うフランス軍の敗戦を暗示しているようだ。

　作者のベンジャミン・ウエスト（1738～1820年）は、アメリカのフィラデルフィア近郊で宿屋の息子として生まれ、1763年以後はロンドンに居住した。当時のイギリス王立美術アカデミー▶212 では、古代の英雄を称賛する歴史画が求められていた。しかしベンジャミンは、同時代の事件を描いたこの絵で好評を博した。彼は、イギリス王立美術アカデミーの第2代会長を務め、ロンドンで亡くなった。

258
SAT

パリを揺るがしたマダムX

ジョン・シンガー・サージェント
《マダムXの肖像》の
最初の完成状態の写真

ジョン・シンガー・サージェント
《マダムXの肖像》、
キャンバスに油彩、208cm×109cm、
1883〜1884年、
メトロポリタン美術館、ニューヨーク

イタリアのフィレンツェで生まれたアメリカ人画家ジョン・シンガー・サージェント（1856〜1925年）は、1877年にパリのサロン展▶226に入選して華麗にデビューした。彼は、肖像画家としての地位を確実なものとするため、その魅力によって当時の社交界の中心人物であった女性、ヴァージニー・ゴートローをモデルとして肖像画を描くことに決めた。そして、この肖像画が人生のすべてであるかのように執着した。修正に修正を重ね、構図自体を改めたことも1度や2度ではなかった。

ついに完成したこの絵は、1884年のサロン展に《マダムXの肖像》というタイトルで出品された。知っている人ならば誰がモデルなのかは簡単にわかる絵だったが、このタイトルが人々の関心を駆り立てたのである。そして反応は、最悪なものだった。さまざまあった酷評の大部分は、右肩からずり落ちた肩紐に対するものだった。誰からも愛されるような美しい女性が、肩紐のずり落ちた状態で立っている姿は、激しく憤りを買ったのである。

ほどほどに悪評の的になって自分の名を知らしめようという企みは、人々の反応があまりにも過熱してしまったことで取り下げざるを得なくなった。ゴートロー夫人の家族はこの絵の出品を撤回せよと要求し、批評家たちも、いっそ彼を生き埋めにでもせよとばかりに、憤りに満ちた文章を連日浴びせかけた。サージェントはこらえきれなくなり、逃げるようにパリを離れてロンドンに移住した。

◎サージェントは絵を修正して、ゴートロー夫人の肩紐を本来の位置に描き直した。しかし、彼は作品を売りには出さず、自分の所蔵とした。彼にとって、この絵はずっと最高傑作であり続けたのだ。

259
SUN

キリストの変容

ラファエッロ《キリストの変容》、パネルに油彩、405cm×278cm、
1518〜1520年頃、ヴァチカン美術館、ヴァチカン

　イエスはある日、弟子を伴って山に登り、祈りを捧げていたところ、急に顔と服が白く変わり、光を帯びて輝く不思議な体験をした。続いてモーセとエリヤが現れたところで、眠りに落ちそうになっていた弟子たちははっと目を覚まして、その場面を目撃した。そして雲が空を覆い、その中から「これはわたしの子、選ばれた者。これに聞け」という声が聞こえてきた[52]。

　この場面を、画家たちは《変容》という画題として描いた。ラファエッロは、服が白く変化した姿のイエスを中央に置き、画面の左側には法典を持つモーセ、右側には預言書を持つエリヤを描いた。イエスの弟子たちは、まぶしそうにこの場面を目撃している。

　一方、丘のふもとでも尋常ならぬことが起こっていた。右側には、悪霊に取り憑[つ]かれた子どもが父親に支えられて立っている。そのすぐ左では、母親と思われる女性が、この騒ぎの中にあって、ギリシャの女神のように真っ白な肌で優雅にポーズをとっている。イエスは、奇跡を起こしてこの子どもを癒やした。その後、弟子たちから「なぜ、わたしたちは悪霊を追い出せなかったのでしょうか」と問われ、イエスは答えた。「信仰が薄いからだ。はっきり言っておく。もし、からし種一粒ほどの信仰があれば、この山に向かって、『ここから、あそこに移れ』と命じても、そのとおりになる。あなたがたにできないことは何もない」[53]。

52　『ルカによる福音書』9章28〜36節。
53　『マタイによる福音書』17章19〜20節。

260

MON

ピアノに寄る少女たち

オーギュスト・ルノワール《ピアノに寄る少女たち》、キャンバスに油彩、
116cm×90cm、1892年、オルセー美術館、パリ

洋服店の裁断師の息子に生ま
れ、裁断用のチョークで床板に絵
を描きながら成長したルノワール
（1841〜1919年）▶283 は、陶磁器工場
で下絵描きの仕事をしていた。し
かし、機械化の波に押されて職場
を失い、画家への道に踏み入った。

パリに移り住んだルノワール
は、女性や子どもたちの日常を明
るく華やかに、夢の中のように描
き出した。また、パリの市民たち
が集まって休息をとるカフェや舞
踏会場なども描いた。したがって
ルノワールの絵は、悲しみや悩み
などない楽天的な様子に見える
が、これは「絵とは、好ましく、楽
しく、きれいなものでなければい
けない[54]」と彼が常々主張していた
こととも一致している。

　　　　ここでは、2人の少女がピアノ
を前にしている。一方の少女はピアノを習い始めたばかりのようで、楽譜から目を
離さず片手で鍵盤を弾いている。立っている少女も楽譜に視線を向けているが、右
手は椅子の背に、左の肘はピアノに置いている。彼女の手が楽譜の前に垂れている
様子には、やわらかく温かみがある。流れ落ちる服のしわ、髪の毛、カーテンなどは
自然な曲線を描き、ゆったりとしたリズムを奏でている。2人のドレスの淡いピンク
と白は、髪の毛の金色と褐色、そしてそれと向かい合う花瓶の華やかな彩りとも釣
り合っている。フランスの裕福な令嬢の、おだやかで満ち足りた雰囲気の日常を、ル
ノワールほど魅力的に描くことは、難しいだろう。

◎ルノワールはこの絵を、パステル画で1点、油絵で5点、合わせて6点描いている。着ている服の色や、金髪、褐
　色という髪の色などに少しずつ違いはあるものの、どの絵もほとんどそっくり同じだ。

54　『ルノワール』p.149。

261
TUE

バルビゾン派

ジャン=バティスト・カミーユ・コロー《朝、ニンフの踊り》、キャンバスに油彩、98㎝×131㎝、1850年、オルセー美術館、パリ

　画家としての成功を夢見てサロン展▶226への挑戦を続けながらも、サロン展が求めるような典型的な絵には不満な芸術家にとって、急騰するパリの家賃は、それでなくとも厳しい彼らの生活をいっそう締めつけるものだった。ジャン=バティスト・カミーユ・コロー（1796〜1875年）や、ジャン・フランソワ・ミレー▶106、ディアズ・ド・ラ・ペーニャ、アンリ・ルソー▶136らは、煤煙が立ちこめてコレラの流行もひどかったパリを離れ、郊外バルビゾンのフォンテーヌブローの森に生活の拠点を移した。

　サロン展では、風景画は歴史画や肖像画に比べて一段レベルの低いものとして扱われた。だがバルビゾンの画家たちは、その風景画に魅了され、自然をじっくりと観察し、時間や天気による光の変化が生み出す森や野原の情景を、絵に収めた。

　コローがこの絵の中で描き出している自然の様子からは、しっとりとした大気の感じまで鮮やかに伝わってくる。銀色の空と、日がかげるにつれて色濃さを増す木々の葉の間に、コローは想像によって妖精たちを描き込んだ。それによって、自然に囲まれた生活は祝祭に転じている。

◎裕福な家に生まれ育ったコローは、自身は小さな家で質素に暮らしたが、その一方で、画家仲間のオノレ・ドーミエ（1808〜1879年）の家の購入資金として多額の支援をしたり、ミレーが亡くなった際には、夫人に年金を支給したりもした。

262
WED

ティントレット

ティントレット《自画像》、キャンバスに油彩、63cm×52cm、1588年、
ルーブル美術館、パリ

ヤコポ・ロブスティという本名をもつ彼は、染物職人の息子に生まれ、「小さな染物職人」という意味の「ティントレット」というあだ名で呼ばれる（1518～1594年）。

ヴェネツィアの偉大な画家、ティツィアーノ▶220やヴェロネーゼ▶216と同時代だが、これらの巨匠が貴族などの上流層から絵の注文を受けていた傍らで、ティントレットは、比較的低い地位の人々を主な顧客としていた。しかし、ティツィアーノやヴェロネーゼの没後は、その空席を埋めるようにして多くの作品を依頼され、名実ともにヴェネツィア最高の巨匠として数えられるようになった。

ティントレットはとにかく作業の手が早いことで有名で、ほかの人がデッサンをしているときに、彼はもう色塗りの仕上げをしているほどだったという。したがって、いつも過大な量の注文が押し寄せてスケジュールが遅れがちだったティツィアーノよりも、自分のほうがもっと早く仕上げられると喧伝し、仕事を奪ってしまうこともあった。しかし、その作業の早さは、やはり画家であった娘のマリエッタ・ロブスティ（1554頃～1590年）▶311のおかげだという見解もある。実際、この娘が亡くなった後、絵の制作数は急速に少なくなっている。

この自画像は70歳にさしかかったときの姿で、白い髪とひげが手に触れられそうなほど繊細に描かれている。暗い背景の中でもしっかりと黒い服を描き出す表現力は、それほど色彩感覚に卓越していたことを示すものだ。

263

THU

ボデゴン

ディエゴ・ベラスケス《卵を調理する老婆》、キャンバスに油彩、100.5cm × 119.5cm、
1618年、スコットランド国立美術館、エディンバラ（イギリス・スコットランド）

　スペイン語の「ボデゴン」とは、食堂や立ち飲み屋を意味する「ボデガ」よりも少し大きな規模のものを表す言葉である。しかし、17世紀のスペイン絵画で「ボデゴン」とは、料理や調理道具、食器などと関わる庶民の日常を描いた〈厨房の絵〉を意味した。この絵は、ベラスケス▶276が10代後半で描いた絵である。画家としての彼の経歴は、彼の故郷セビリャでとくに有名だったボデゴン画から始まる。

　目玉焼きに使う油を、孫と思われる少年が瓶に入れて手に持っている様子が見える。ベラスケスは、金属でつくられた器や陶磁器の上に落ちる光を驚くほど精密にとらえ、その質感を余すところなく伝えている。この作品に描かれている1つひとつを取り出せば、それぞれが写真のような生き生きとした静物画になりそうなレベルである。背景を暗くする一方で、登場人物に、またこの絵ではとくに目玉焼きに光を当てて意識を集中させるような表現は、バロック美術▶156の特徴である。スペインで発達したボデゴンは、まもなくヨーロッパ全域で、貴族の家の厨房に掲げる絵としての需要を獲得していった。

264
FRI

アメリカ独立戦争

エマヌエル・ゴットリーブ・ロイツェ《デラウェア川を渡るワシントン》、キャンバスに油彩、379㎝×648㎝、1851年、
メトロポリタン美術館、ニューヨーク

　新大陸の〈発見〉▶166以後、スペインとポルトガルは主に南米に、イギリス、フラン
ス、オランダなどは主に北米に進出した。北米の東部地域では、清教徒迫害から逃れ
て押し寄せたイギリス人を中心として13の州が形成されたが、それらはまもなくイ
ギリスの植民地となった。この植民地からの税収増大を図ったイギリスが、紅茶の
輸入税を大幅に引き上げたことから暴動が起こり、イギリス本国との対立が激化、
1776年に13州の代表が集まってアメリカの独立を宣言するに至った。こうして始ま
ったアメリカ独立戦争（1775～1783年）の先鋒ジョージ・ワシントン（1732～1799年）は、
イギリスに敵対していたフランスやスペインの支援を受けて勝機をつかんだ。
　ロイツェ（1816～1868年）が描いた《デラウェア川を渡るワシントン》は、1776年のク
リスマスの未明、ニュージャージーのイギリス軍を奇襲攻撃するため、ワシントン
が凍結した川を渡っている場面である。戦いに勝利し、アメリカ独立戦争の英雄と
なったワシントンは、1787年の憲法制定会議で議長に選出され、1789年、初代大統
領に就任した。一方、アメリカ独立を精力的に支援したフランスでは財政危機が深
刻化し、そのことがまもなくフランス革命▶271を引き起こすきっかけとなった。

265
SAT

仰々しい愛情の示し方

ダンテ・ゲイブリエル・ロセッティ《ベアータ・ベアトリクス》、
キャンバスに油彩、86.4cm×66cm、1864～1870年、
テート・ギャラリー、ロンドン

ダンテ・ゲイブリエル・ロセッティ（1828～1882年）▶269は、1860年、ラファエル前派▶269の画家の間で人気を集めていたモデルのエリザベス・シダル▶001と結婚した。しかしその2年後、彼女は薬物の服用過多によって、自殺に近い形での死を迎えた。

シダルが息を引き取ったそのとき、ロセッティは、ファニーという別のモデルと一緒にいた。ロセッティの女性遍歴は有名で、その後も何人ものモデルや画家仲間の女性との色恋沙汰は続いた。驚くべきことに、自分の友人である詩人ウィリアム・モリスの妻、ジェーン・モリスとも関係をもった▶342。

ルネサンス時代の大文豪ダンテを敬愛するイタリア人の父親によってその名前をつけられた彼は、シダルの死の2年後、ダンテが愛したミューズ、ベアトリーチェ（ベアトリクスのイタリア語名）を思い浮かべながら、シダルをモデルとして絵の制作を始めた。後光を帯びた死の鳥が、ベアトリーチェの左腕の上にケシの花を落とそうとしている。この花は、シダルを死に至らしめたアヘンの原料だ。彼女の奥には、フィレンツェのアルノ川をまたぐ橋が見え、ダンテとベアトリーチェの姿が夢の中のように描かれている。

ロセッティは、シダルに捧げるための自筆の詩を、彼女の棺の中に納めた。ところが7年後、彼は棺を開いてその詩を取り出し、本として出版した。何とも仰々しい愛情の示し方である。

266

SUN

最後の晩餐

ヤコポ・バッサーノ《最後の晩餐》、キャンバスに油彩、168㎝×270㎝、1546年、ボルゲーゼ美術館、ローマ

　イエスは、ユダヤ人のエジプト脱出を追憶する過越祭を記念して弟子とともに夕食をとっていた最中に、弟子の1人が自分を裏切るだろう、と語った。その後、イエスの言葉は的中し、結果的にこれがイエスと弟子たちの「最後の晩餐」となった[55]。

　この絵では、弟子だけでなくイエスまでが裸足で、粗末な身なりである。とはいえ、彼らのほとんどは赤系統と緑系統の服を着ており、色合いは互いに調和をなしている。ところが、左側にいる1人の男だけ、目立つ黒色の服を着ている。一座の人々となじむことができない存在のこの男が、イエスを裏切ったユダであるとわかる。

　テーブルについている弟子はそれぞれに誰かと目を合わせて話をしている一方で、ただユダだけが、誰とも目を合わせず、ブドウ酒のグラスに口をつけている。よく見ると、会話から外れている人がもう1人いる。イエスが最も愛した、美少年の顔立ちの弟子ヨハネである▶125。ヨハネは、自分が疑われるかもしれないという騒ぎをまったく意に介さず居眠りしている。画面の下方に置かれた金だらいは、この食事の前にイエスが自ら弟子たちの足を洗ってやったというエピソード[56]を想起させる。テーブルの上の小羊の頭は、人類を救うために犠牲の羊となったイエスを意味する。

55　『マタイによる福音書』26章21〜25節、『マルコによる福音書』14章18〜21節、『ルカによる福音書』22章14〜23節、『ヨハネによる福音書』13章21〜30節。
56　『ヨハネによる福音書』13章1〜11節。

267

MON

結婚の財産契約

ウィリアム・ホガース
《結婚の財産契約》、
キャンバスに油彩、70㎝×91㎝、
1743年、ナショナル・ギャラリー、
ロンドン

　ウィリアム・ホガース(1697〜1764年)は、版画・絵画ともに優れた美術家で、1735年にセント・マーティンズ・レイン・アカデミーを創設した。イギリス王立美術アカデミー▶212の前身である。この絵は1672年初演のジョン・ドライデンの戯曲『当世風結婚』にちなんだ6連作の1点だ。ホガースはこの連作で、イギリスの上流層による政略結婚を題材とし、結婚の始まりから破局までを、ドラマのように絵解きにした。

　連作の最初の作品にあたるこの絵では、テーブルをはさんで向かい合う新郎新婦の父親が、結婚契約書を作成している。右側が新郎の父親で、そばに松葉杖が立てかけてあることからすると、健康状態はよくなさそうだ。彼は、いわゆる「ノルマン征服」によってイギリス国王となったノルマンディー公ウィリアム(ウィリアム1世、在位1066〜1087年)の腹から生えている樹木の絵を指差している。彼らの家柄を象徴的に示す一種の家系図である。相対して座っている新婦の父親は、テーブルの上に金貨を山積みにしている。よい家柄とあふれる財貨の遭遇というわけだ。

　左側で、当の新郎新婦は気乗りしない様子で互いに背を向けている。新郎の首には、性病の徴候である黒い点がちらっと見えている。新婦は、父親が雇ったシルバータング弁護士とひそひそ話をしている。2人はこの後、並々ならぬ関係へと発展していく。シルバータングとは「舌をうまく操る者」という意味であることから、これから起こる出来事の結末が、すでに見えているように思える。

268

TUE

新古典主義 II

ジャン・オーギュスト・ドミニク・アングル《泉》、
キャンバスに油彩、163cm×80cm、1856年、
オルセー美術館、パリ

アングルは、イタリア滞在中の1820年頃にこの作品の制作を始め、1856年頃にパリで完成させた。アングルが住んでいたアパートの管理人の、16歳くらいの娘がモデルであるという説がある。それが事実であれば、絵が完成した時点で彼女は50歳前後になっていることになる。

一糸まとわぬ姿のこの女性は、古代ギリシャの彫刻像にならったコントラポスト▶030の姿勢をとっている。長い時間をかけて丁寧に形を手直しし、色塗りを繰り返したこの絵は、それだけに完成度が高く、絵筆の跡はまったく見えない。まるで彫刻像に皮膚を着せたような姿の少女は、折れてしまいそうな2本の花の間に立ち、壺の水を流し出している。

その花のようにたおやかな少女は、まもなく男性に奪われ、生命の源泉を生み出すだろう。日本語では《泉》と翻訳されるこの絵の原題 "La Source" は、「源泉、始まり」といった意味をもつ。このほとんど完璧な身体表現は、アングルが、ダヴィッド▶094,205 の弟子として新古典主義絵画の系譜を受け継いだ画家であることを思い起こさせる。しかし、理性的で道徳的、規範的な世界を描いたダヴィッドとは異なり、アングルは、エロティックなまなざしにさらされた官能的な女性のヌードをしばしば描いた。

◎この絵は、完成した年にサロン展▶226 に出品されて好評を博した。喜んで作品を買い求めたある貴族は、実際の人間の大きさに描かれた彼女の周囲を、花でぎっしりと埋め尽くした。当時その貴族の家を訪れた人は、絵ではなく現実に花畑に立っている美しい女性だと錯覚したものだった。

269

WED

ダンテ・ゲイブリエル・ロセッティ

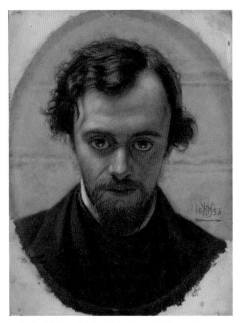

ウィリアム・ホルマン・ハント《ダンテ・ゲイブリエル・ロセッティの肖像》、パネルに油彩、30.2cm×22.9cm、1882～1883年、バーミンガム美術館、バーミンガム（イギリス）

ダンテ・ゲイブリエル・ロセッティ（1828～1882年）の父親であるガブリエーレ・ロセッティは、ロンドンのキングス・カレッジでイタリア文学を教える教授だった。ガブリエーレは、『神曲』を著したダンテ・アリギエーリを尊敬しており、息子をダンテ・ゲイブリエル・ロセッティと名づけた。

ロセッティはロンドン大学と王立美術アカデミー▶212で美術を学び、ウィリアム・ホルマン・ハント（1827～1910年）らとともに「ラファエル前派」を結成した。「ラファエル前派」は、ミケランジェロ▶052やラファエッロ▶107の画風をそのまま踏襲するアカデミーへの反発から結成された芸術家の集団である。彼らは、神話、聖書、文学作品などから多く題材をとって作品を描いた。

ロセッティは、ラファエル前派の画家たちが熱狂したモデルのエリザベス・シダル▶001と結婚した。しかし彼女は、娘の死産と夫の不倫のために鬱［うつ］病となり、2年後に薬物服用過多で亡くなった。ロセッティは、妻の棺に一緒に納めた自分の詩を、数年後にもう一度取り出し、詩集として刊行した▶265。ところがこのことを大いに自責し、麻薬やアルコールに溺れて過ごしたという。

モデルであれ友人の妻であれおかまいなしに関係をもったロセッティは、散らかった家に多くのペットを放し飼いにし、奇妙ながらくただらけの部屋にこもって、鬱病患者として生活した。アルコール中毒のために手が震え、絵を描くこともできなくなっていた彼は、1882年の復活節の日に、亡くなった状態で発見された。

◎ロセッティは詩人としても有名で、シェイクスピア以来、イギリスに最も大きな影響を及ぼした文学者と評価されることもある。この絵は、ラファエル前派の1人であるウィリアム・ホルマン・ハントが描いたものである。

270

THU

線遠近法

パオロ・ウッチェッロ《サン・ロマーノの戦い》、パネルにテンペラ、182cm×320cm、1438〜1440年、ナショナル・ギャラリー、ロンドン

　この絵は、ピサ港を巡ってフィレンツェとシエナが繰り広げたサン・ロマーノの戦いに関する3点の連作のうちの1点である。戦いを指揮したフィレンツェのバルトロメオ・サリンベーニの依頼を受けて制作された。ウッチェッロ（1397〜1475年）の描きぶりは、まるで絵の中のすべての要素が「遠近法」▶284 だけのために存在しているかのようだ。なかでもルネサンス期に盛んだったのは「線遠近法」である。これは、基準となる消失点を置いて、近くにあるものは大きく、遠くにあるものは小さく描く技法である。この絵では、勝者となったフィレンツェ側の将軍ニッコロ・ダ・トレンティーノ（1350頃〜1435年）が乗っている白馬の目の位置に消失点がある。

　ウッチェッロは寝る間も惜しんで遠近法に取り組んだという逸話も伝わっているが[57]、この絵の場合、遠近法の存在意義ともいうべき見た目の自然さからはむしろ遠ざかり、装飾的で図式的な印象が強い。黒色の背景に、銀色や金色、光沢のある色で表現された鎧などは、非現実的な感じを与える。過度に機械的に遠近法が適用され、絵をぎこちなくしているからだろう。激しい戦闘にもかかわらず一滴の血さえ見えない点も不自然だし、馬の動きや将軍、兵士の姿勢も硬直している。ひたすら線遠近法だけで描かれた絵は堅苦しいということをこの絵は実際に示しているようだ。

◎フィレンツェ側の隊長ニッコロ・ダ・トレンティーノは1432年、サン・ロマーノ付近において、フィレンツェへの奇襲攻撃をしかけたシエナ軍をわずか20人ほどの騎兵によって防ぎきり、援軍の到着までもちこたえて最終的に勝利へと導いた。

57　『芸術家列伝』第1巻、p.100。

271

FRI

フランス革命

ジャック=ルイ・ダヴィッド《テニスコートの誓い》、紙にペン、66cm×101cm、1791年、
ヴェルサイユ宮殿美術館、ヴェルサイユ（フランス）

　1789年6月17日、フランスでは第一身分の聖職者と第二身分の貴族に対抗するた
め、第三身分の平民代表が国民議会を結成した。同議会は6月20日、国王のテニスコ
ートであるジュ・ド・ポームに集まり、「憲法を制定して社会秩序を回復するまで解散
しない」という宣誓を行った。これは、革命の始まりを意味した。国王ルイ16世と貴
族たちは、平民勢力を制止するために親衛部隊を動員したが、これに激しく憤った
多数の市民が7月14日にバスティーユ牢獄を襲撃し、フランス革命は拡大していっ
た。

　この絵は、上述の宣誓、すなわち「テニスコートの誓い」から2年後に、共和政を支
持するジャコバン党が注文したものである。ダヴィッド▶094は、1年以上かけて下絵
を描いたり、登場人物の肖像をスケッチして描き入れたりして、作業を準備した。と
ころが、共和政支持者のうち急進的なジャコバン党と、中道的なジロンド党との分
裂が激化し、絵に登場させる予定だった多数のジロンド党議員が命を奪われたこと
から、ダヴィッドはそれ以上作業を進められなくなり、絵は未完成のままで残され
ることとなった。中央のテーブルの上に立っている国民議会の初代議長ジャン=シ
ルヴァン・バイイも、1793年、ギロチン送りにされてしまった。

272

SAT

下着姿のオーストリアの女性

ヴィジェ＝ルブラン
《モスリンのシュミーズドレスを着た王妃マリー・アントワネット》、
キャンバスに油彩、92.8㎝×73.1㎝、1783年、ワシントン国立美術館、
ワシントンD.C.

ヴィジェ＝ルブラン▶024 は、王妃マリー・アントワネットと国王ルイ16世の寵愛を受けてフランス美術アカデミー▶226 の会員となった。当時、同アカデミーには約70人の会員がいたが、女性は彼女を含めて4人しかいなかった[58]。

王妃を描いたこの美しい肖像画は、彼女にとって初めてのサロン展出品作であった。しかし、作品は激しく非難を受け、酷評にさらされた。王妃の服装のせいだった。

王妃は、当時イギリスで大流行していた、精巧なレースとひだのついたモスリンのワンピースを着て、麦わら帽子をかぶっている。麦わら帽子はヴィジェ＝ルブランが好んだ小道具で、彼女の自画像にも登場する。

バラを手にしてじっとこちらを見つめているアントワネットは、王妃というよりは、汚れなく澄み切った一時期を送っている美しい令嬢のように見える。だが、そもそもアントワネットがフランスではなくオーストリアのハプスブルク家出身であるという点からして気に入らないフランス人たちは、この絵の王妃を「下着姿のオーストリア女」だと嘲笑した。実際には、下着というよりも白いワンピースであり、王妃は普段から友人と会う際に着ていた服をここでも身につけているにすぎない。しかし、礼装ではないという理由で、言いがかりとしか思えない非難にさらされることになった。この肖像画は、結局、サロン展の閉幕前に撤去された。

58　大野芳材「女性画家と18世紀のパリ：ヴィジェ・ルブランとふたつのアカデミーを中心に」（『マリー＝アントワネットの画家　ヴィジェ・ルブラン展』図録、pp.25-26）。

273

SUN

キリストの捕縛

カラヴァッジョ
《キリストの捕縛》、
キャンバスに油彩、
133.5cm× 169.5cm、
1602年頃、
アイルランド国立美術館、
ダブリン

　このぎこちない接吻の主人公は、イエスとユダである。イエスを裏切ったユダは、ユダヤ人の司祭長に、自分が口づけをする相手がイエスだから捕縛せよ、と告げていた。イエスはその事実をすべて知っていながら、ユダの接近を拒まなかった[59]。光沢のある鎧を身につけた兵士が、ユダの接吻によって確信したらしく、イエスの肩をつかんで引き寄せている。イエスは眉をひそめている。これらすべては、これから起こる救いの約束を守るために、神の計画のもとに起こることにほかならない。それでもユダを突き飛ばしたくなる気持ちになることを恐れたイエスは、両手の指を組んでいる。欲にまみれたユダは、イエスを力いっぱい抱き寄せている。髪が抜け上がった頭にしわの寄った額が、悲しげに見える。

　左端で肝をつぶした様子で駆け出しているのは、イエスの愛弟子を自認するヨハネだと考えられている。ひるがえる服の布地がイエスとユダの背景になっていて、この2人に視線を集中させている。右端では、ランプを持った男がイエスの顔を確認しようとしている。画家自身である。カラヴァッジョ▶066は、自分を美化することが多かったほかの画家とは異なり、絵の中でしばしば悪役を演じた。

59　『マルコによる福音書』14章44〜46節。

274

MON

幼きサムエル

ジョシュア・レノルズ《幼きサムエル》、キャンバスに油彩、89cm×70cm、1776年、ファーブル美術館、モンペリエ（フランス）

　ジョシュア・レノルズは、1768年に設立されたイギリス王立美術アカデミー▶212の初代会長であった。アカデミーの保守性はイギリスでもフランス▶226と同様で、レノルズは絵画の最上位を「歴史画」と規定し、人間の理性によって再構成された理想的な自然の風景の中に、英雄的な人物を配置しなければならないと主張した。肖像画でも、彼らが模範とする古代ギリシャ・ローマ様式の建築物をしばしば背景に登場させた。

　また、レノルズの筆による女性たちはことごとくギリシャの女神に理想化され、男性たちは完璧なスタイルを誇る彫刻像のような外見に描かれた。レノルズは貴族の家の子どもをとくによく描いたが、あまりにも美しく純真そうに描いたため、リアルさに欠けるという批判も受けた。

　この絵は、旧約聖書『サムエル記』に登場するイスラエルの最初の預言者サムエルの、幼い頃の姿を描いたものである。レノルズは普段から、美術学校の学生たちに、巨匠の絵を模写することが最もよい学習法だと説いていた。彼自身も、レンブラント▶157の並外れた陰影のつけ方を、そのまま自分の絵に反映させた。レノルズは、ヴァチカンでラファエッロの絵を模写するため、冷えた室内に長くとどまって風邪のために聴力を一部失い、晩年には視力の低下にも苦しみながら生涯を終えた。

◎当時のイギリスでは、7歳未満の男児は女児のように髪を伸ばし、さらにはスカートもはいていた。そのため、レノルズが描いた男児の大多数は女児のように見える。

275

TUE

落選展

エドゥアール・マネ《草上の昼食》、
キャンバスに油彩、208cm×264.5cm、
1863年、オルセー美術館、パリ

　フランス美術アカデミーで開かれるサロン展[226]は、今日のスポーツ競技のよう
に多数の人々が押し寄せる、最高のイベントだった。サロン展でよい成績をあげる
ことは、そのまま美術家としての成功を意味した。

　しかし問題も少なくなかった。1863年には5000点を超える作品が出品されたが、
落選した作品は3000点に及び、画家の間で不満が沸き起こった。結局、ナポレオン3
世は、落選した作品だけを別途集めて展示する「落選展」の開催を命じた。

　この作品は、まさにその年に開かれた落選展で最も注目を集めることになった絵
である。素っ裸になった女性が男性とともに座って、恥ずかしがる様子もなくじっ
とこちら側を見つめている姿に、人々は激怒した。さらに、女性のヌードの身体があ
まりにも明るく、中間的な明暗さえなく輪郭線だけで処理されていることについて
も、立体感が足りず基礎的な画力自体が不十分だと罵倒した。

　しかし、実際に日光が十分に当たる屋外で対象を見ると、アトリエで石膏像を見
るときとは異なって明暗が細かに現れることはなく、まさにこの絵のように、明る
い部分だけが目に飛び込んで、明度や色調の変化を細かに見ることはできない。マ
ネはこのことを念頭に置いて描いたにすぎない。

◎この絵で描かれた裸体が腹部にしわが寄り、身体の比率も美しくない〈普通の女性〉のものであることにも、
　多くの人々が激怒した。彼らが考える女性のヌードとは、完璧な身体でなければならなかったのだ。

276
WED

ディエゴ・ベラスケス

ディエゴ・ベラスケス《自画像》、キャンバスに油彩、45㎝×38㎝、1650年、
バレンシア美術館、バレンシア（スペイン）

当時としては首都のマドリードよりもずっと富裕だったスペイン南部の都市、セビリャで生まれたディエゴ・ベラスケス（1599～1660年）は、貴族ではあったが、イダルゴの家の出身である。イダルゴとは、「没落貴族」あるいは「金を払って地位を買った貴族」という意味の言葉だ。幼くして絵の力が秀でていたベラスケスは、12歳の頃からフランシスコ・パチェーコ（1564～1644年）の工房で学んだ。パチェーコはベラスケスが絵で大成すると考えたのか、娘のフアナ・パチェーコとの結婚を許した。

ベラスケスは、1623年に国王フェリペ4世の肖像画の注文を受けて巧みに描いたことで国王の目にとまり、家族全員を連れてマドリードに生活の場を移すこととなった。フェリペ4世は、宮廷画家となったベラスケスのイタリア留学を世話し、すべての経費を負担した上に、留学期間中も月給を支払ったほど、彼を信頼して大事にした。ベラスケスは、画家としてのみならず国王の秘書の役割まで担い、王室の財務や金融に関する仕事も受けもった。そして国王がベラスケスに騎士の爵位を下賜したことにより、ベラスケスは、イダルゴ出身にもかかわらず、正統貴族のみが入団できるサンティアゴ騎士団の一員となることもできた。

ベラスケスは、厨房の食べ物や食器などを描いた一種の静物画、「ボデゴン」▶263のジャンルに優れていた。王家の王女や王子、侍従や芸人たちに至るまで、彼の手にかかれば不滅の存在となるほど偉大なスペインの肖像画家であった。

277
THU

トンド

ミケランジェロ・ブオナローティ《聖家族》、パネルにテンペラ、直径120㎝、1505～1506年、ウフィツィ美術館、フィレンツェ

この作品は、聖母マリアを含む聖家族を描いた絵である。背景には、誰なのかわからないヌードの群像が見える。右端には洗礼者ヨハネ▶231 と思われる幼い少年が、その象徴であるラクダの毛皮を身につけ、木の十字架を持って身体の半分ほどを見せている。

ミケランジェロ▶052 は普段から「絵画は浮彫の方に近よれば近よるほどりっぱだと思いますし、浮彫は絵画の方に近よるほど悪く見える[60]」と主張している。絵画よりも彫刻が優位にあるために、よい絵画は彫刻のようにしっかりと量感を出さなければならないという意味に読み取ることができる。〈ルネサンスの絵は彫刻的だ〉とよく言われるが、このミケランジェロの主張とも相通じるものだ。とはいえ、ミケランジェロが描いたこの絵画作品は、とりわけ筋肉が誇張して表現されており、女性でも男性のように見えるほどである。マリアの腕は、ボディビルダーの腕のようにも見える。

トンドとは、円形に描かれた彫刻や浮き彫りを意味する。古代ローマ時代、トンド形式の装飾は凱旋門で多く見られ、15～16世紀にも大いに流行した。この絵は、アーニョロ・ドーニというフィレンツェの商人が、娘の誕生を記念して注文したものである。パトロンの姓ドーニをつけて《トンド・ドーニ》とも呼ばれる。絵はミケランジェロが描いたものだが、丸い枠と装飾は助手たちが師匠の設計に沿って制作した。

◎アーニョロ・ドーニは、完成した絵の代価として、ミケランジェロが請求したよりもはるかに少ない金額しか支払わなかった。ミケランジェロは激怒し、最初に提示した金額の2倍を支払わなければ絵を回収する、と声を張り上げたため、アーニョロは、ミケランジェロの要求どおりの金額を支払わざるを得なくなった。

60　ミケランジェロからベネデット・ヴァルキへの手紙。1547年4～6月と推定（『ミケランジェロの手紙』315、p.415）。

278
FRI

カルロス4世の没落

フランシスコ・デ・ゴヤ
《カルロス4世の家族》、キャンバスに油彩、
280㎝×336㎝、1800年頃、
プラド美術館、マドリード

　この絵はスペイン国王カルロス4世（在位1788～1808年）の王室の集団肖像画だが、ゴヤ▶007, 118, 292には彼らをあざ笑う意図があったと考えられる。まず、中央にいなければならないはずの国王が、子どもの脇に追いやられており、国王が権力の中心から外されていることを示唆している。王妃の太い前腕やくぼんだ口は、ふつうなら画家の手によってすらっと優雅に見えるように補正されるところだ。しかしこの王妃に対しては、そうした配慮の気持ちは働いていないように見える。王妃はこの当時、国王に代わって王室の業務を引き受けて専権を振るっていた宰相、ゴドイとの不適切な関係を続けていた。

　国王夫妻以外の登場人物についても、ゴヤはあるがままを描き、欠点を隠すことはなかった。彼は、画面の左隅にいる自分のほかに13人を描いているが、これは呪いの数字によって無能なカルロス4世の一家をあざ笑ったものといわれる。絵の左側手前に立つ息子のフェルナンド7世は、ゴドイに対する人々の不満を背負い、フランスからナポレオンを引き入れて父親を廃位させた。しかし、そのフランスの計略のせいで、フェルナンド7世自身もナポレオンの兄であるジョセフ・ボナパルト（スペイン国王ホセ1世）に王座を追われ、幽閉生活を送らなければならなかった。

◎ちまたの噂によれば、王妃の左右にいる2人の子どもは、国王ではなくゴドイとの間に生まれた子どもだという。

279

SAT

ひと目ぼれ相手の修女

フラ・フィリッポ・リッピ《聖母子と二天使》、パネルにテンペラ、
93cm×62.5cm、1465年頃、ウフィツィ美術館、フィレンツェ

フラ・フィリッポ・リッピは、修道士につけられる「フラ」という称号を冠していることからもわかるように、修道士であった。孤児だった彼は、フィレンツェのカルミネ会修道院で育った。しかし、並外れて奔放な性格を信仰で抑制するのは難しかったらしく、彼はいつしか、フィレンツェで知らない者がないほどの遊び人修道士となった。

それでも絵を描く才能は群を抜いており、当時のフィレンツェ共和国で最高の実力者だったコジモ・デ・メディチ▶194は、たびたび彼に絵を注文した。ところがコジモからの注文であっても、この遊び人は、酒におぼれたり女性にのめり込んだりしてしまうと、絵だろうと何だろうとすべて後回しにしてしまうのが常だった。注文主が心の広いコジモでなければ、命が危うかったところだ。

そのような彼が50歳にもなって、絵のモデルをしてくれたルクレツィアという修道女にひと目ぼれしてしまった。彼は、ルクレツィアにしつこくつきまとい、しまいには彼女を拉致して夜逃げし、子どもまでもうけた。フィレンツェはこの一件で大騒ぎになったが、コジモが裏で手を回し、かろうじて命を保つことができた。2人の赤んぼうの天使に担ぎ上げられた赤んぼうのイエスと向き合っている聖母マリアは、まさにそのルクレツィアをモデルとしている。

280
SUN

キリストの嘲笑

フラ・アンジェリコ《キリストの嘲笑》、フレスコ、181cm×151cm、1440〜1442年、サン・マルコ修道院、フィレンツェ

15世紀にフィレンツェの実力者であったコジモ・デ・メディチ▶194によって、ドミニコ会の修道士のために再建築されたサン・マルコ修道院の2階の空間には、「チェッラ」と呼ばれる修道士の部屋が40室ほど並んでいる。コジモは、自身が最も重用していた画家フラ・アンジェリコ▶154に、各部屋の壁を聖画で装飾させた。そのうちの1点であるこの絵は、イエスが侮辱されている場面を描いている。ユダの裏切りによって逮捕されたイエス▶273は、ユダヤ人の大祭司らによる裁きを受け、死刑にすべきだと裁定されると、人々から唾を吐きかけられたり、殴打されたりした[61]。

フラ・アンジェリコはこの場面を、唾を吐きかける男の顔と横っ面を張り倒す手、棒きれといった身体や道具の一部だけを描くことによって表現し、奇怪な印象を与えている。目隠しをされたイエスの頭には、赤い十字架のついた後光が描かれている。イエスの手には葦[あし]と石が握られており、国王が手に持つ笏[しゃく]と宝珠[ほうじゅ]を代替している。イエスの足元には、聖母マリアが思いに耽[ふけ]った様子で座っている。右側では、この修道院が所属するドミニコ会の創始者、聖ドミニクス▶110が祈祷書を読んでいる。彼は飛び抜けた知恵をもつ者として尊崇されており、絵の中ではその知恵が主に星によって表現される。聖ドミニクスはときにユリとともに登場することもあり、これは彼の純潔さ、純粋さを意味する。

61 『マルコによる福音書』14章53〜65節。

281

MON

ラス・メニーナス（女官たち）

ディエゴ・ベラスケス《ラス・メニーナス（女官たち）》、キャンバスに油彩、
318cm×276cm、1656〜1657年、プラド美術館、マドリード

《ラス・メニーナス》というのは19世紀の人々が後からつけたタイトルで、17世紀のスペイン王室の美術品目録には、ただ《女官たちおよび身体の小さい女性とともにいるマルガリータ王女の肖像画》と記録されている。左側の大きなキャンバスの前に画家自身が立っている姿が描かれていることから、《ベラスケス▶276の自画像》とも呼ばれる。

　この絵を眺めていると、観客であるわれわれが絵の世界に引き込まれていく感じがする。パレットを持つベラスケスの視線、王女と何人かの女官が投げかける視線が正確にわれわれに向けられているために、画家はわれわれをモデルとして絵を描いているような感じを覚えるからだ。しかし、絵の中央で四角い縁どりの中に見える男女2人の姿は、そんなわれわれの空想を否応なく打ち砕いてしまう。この縁どりは、額縁ではなく鏡だ。したがって画中のベラスケスは、鏡の中に映っている、ひょっとするとわれわれの背後に立っているかもしれない国王フェリペ4世と王妃の姿を描いているのである。中央やや手前では、国王夫妻の娘である幼いマルガリータ王女（1651〜1673年）が画家のためにポーズをとっている両親をやや離れた位置からじっと見つめている。

　ベラスケスの胸に描かれた赤い十字架は、正統の貴族だけが参加できるサンティアゴ騎士団の目印だ。純粋な貴族の血筋ではないため資格不十分だったベラスケスは、フェリペ4世の援助によって入団を認められると、完成からすでに1〜2年が過ぎていたこの絵の胸元に、その目印を描き入れた。

282

TUE

写実主義ヌード画

ギュスターヴ・クールベ《泉のかたわらの裸婦》、キャンバスに油彩、
128cm×97cm、1868年、オルセー美術館、パリ

19世紀のフランス美術アカデミーに代表される、古代ギリシャ人の理想的な人体像を模範とした新古典主義の画風▶226では、欠点を可能な限り隠し、長所だけを取り上げる方法でヌードが描かれた。したがって、まるで古代ギリシャの彫刻のように、現実にはあり得ないようなスタイルによるヌード画が、神話や宗教画という仮面をかぶって登場するのが当たり前であった。

「写実主義とは結局その本質において民主的芸術[62]」だという言葉を残したクールベ▶227は、ヌード画においても現実的な写実主義の語法に従った。

こちらに背を向け、流れる水に片手をあずけるこの女性は、川や泉の妖精ではないかと一瞬思わされるが、豊かな臀部［でんぶ］や波打つ太ももは、油断しきった一般の女性の体型と大きく異ならない。

新古典主義美術を好んだナポレオン3世は、ただでさえ自分の失政を声高に批判していたクールベが描いたこのヌード像に激怒し、乗馬用の鞭［むち］でこの絵を打ちつけたというが、そのことがかえってこの絵に対する大きな関心を巻き起こした。

62　『ギュスターヴ・クールベ展』図録、p.152（1861年にアントウェルペンで開いたクールベ自身の展覧会に際して語った言葉）。

283
WED

オーギュスト・ルノワール

オーギュスト・ルノワール《自画像》、キャンバスに油彩、39.1cm×31.6cm、
1875年、クラーク美術館、ウィリアムズタウン
（アメリカ・マサチューセッツ州）

　フランスの中南部のリモージュ
で貧しい仕立屋の家庭に生まれた
オーギュスト・ルノワール（1841～
1919年）は、13歳で陶磁器工場に就
職し、下絵描きの仕事をしていた。
このことがおのずと画家となる夢
へとつながっていった。

　暇さえあればルーブル美術館に
出入りし、巨匠たちの絵を鑑賞し
ていた彼は、1861年にシャルル・
グレールの美術学校に入って絵の
勉強を始めた。そのおかげで、モ
ネやシスレー、バジール、セザン
ス▶296、ピサロなど、のちに印象派
▶289の画家として名をとどろかせ
ることになる友人たちと出会っ
た。

　ルノワールの絵は、おおむね明
るく華やかでやわらかく、楽天的
な雰囲気を帯びている▶260。この自画像は、第2回の印象派展に出品された作品で、貧
しかった時期の画家自身の姿を描いている。短い髪とひげ、縞柄のシャツと濃い青
色のネクタイ、顔、そして彼を照らす光が、短いタッチでぽつぽつと連ねられている。
分厚く絵の具を塗った部分と、ほとんど乾ききった筆で荒々しく描いた痕跡の対比
は、絵の独特な雰囲気を生み出している。1900年、フランスの最高勲章にあたるレジ
オン・ドヌール勲章を授与されるまでになったルノワールは、年老いてからはリウ
マチ性関節炎に悩まされたが、筆や鉛筆を包帯で指にくくりつけ、粘り強く絵を描
き続けた。

284

THU

遠近法

マザッチョ《聖三位一体》、フレスコ、640cm×317cm、
1425〜1428年、サンタ・マリア・ノヴェッラ聖堂、フィレンツェ

　フィレンツェのサンタ・マリア・ノヴェッラ聖堂の壁面にあるこの絵は、線遠近法▶270の最も代表的な例とされる作品である。マザッチョ（1401〜1428年）は、二次元の平面の上に三次元の空間感覚を表現するため、当時フィレンツェで主に活躍していた建築家のブルネレスキやアルベルティが研究した遠近法を、この絵の中に具現化した。近くのものは大きく、遠くのものは小さく描く遠近法は、古代にも存在はしていた。しかし、基準となる消失点を定め、計算で求められた比率に従って対象を縮小させることで奥行きのある空間感覚を表現する技法は、ルネサンスに至って可能となった。

　マザッチョは、画面から7m離れて立ち、十字架の下端と床が接する点に置かれた消失点を目の高さに合わせてこの絵を見れば、最も効果的に空間感覚を感じ取れるように描いた。この絵では、パトロンの夫妻を手前に配置し、その奥に聖母マリアと使徒ヨハネ、イエス、神までも登場させており、足元では石棺の上に骸骨が横たわっている。マザッチョは建築物や彫刻に該当する箇所を単色のトーンで処理しており、それらを実物のように感じさせている。

◎骸骨のすぐ上に書かれている文字は「私の昨日はあなたの今日、そして私の今日はあなたの明日」といった意味に解釈でき、ヴァニタス▶095 を想起させる。

285

FRI

ナポレオンの戴冠式

ジャック=ルイ・ダヴィッド《皇帝ナポレオン1世と皇妃ジョゼフィーヌの戴冠式》、キャンバスに油彩、621cm×979cm、1805〜1807年、ルーブル美術館、パリ

　1799年、ナポレオンは「共和国が危機を脱したそのときに権力から退こう」と宣言しつつ、絶対的な権力をもつ統領の座についた。続いて、1804年12月2日、パリのノートルダム大聖堂で戴冠式を行い、皇帝ナポレオン1世となった。フランス革命▶271中にジャコバン派で専権を振るったロベスピエールが失脚して以後、監獄暮らしを強いられていたダヴィッド▶094は、ナポレオン皇帝の専属画家となった。ダヴィッドは、この作品のリアルさを高めるため200人を超える人物の1人ひとりを訪問してスケッチし、主要な人物については蠟人形までつくって、それをモデルとした。

　この日の戴冠式で、ナポレオンは、教皇が帝冠をかぶらせる前に自ら帝冠を受け取ってかぶり、旧習に抵抗する自由主義者としての一面を見せた。そのためダヴィッドは、皇帝ナポレオンが妻のジョゼフィーヌに皇后の冠をかぶらせる場面を描かざるを得なくなった。結果的に、この絵は皇帝ではなく皇后の戴冠式を描いたということになる。実際には参席していないナポレオンの母親を絵の中央に配置し、ナポレオンの身長をはるかに高く描くなど、史実と異なる改変もあるが、戴冠式の荘厳さを伝える記録画としての価値は相当に高い。

286

SAT

虚栄または偽善

ハンス・メムリンク《地上の虚しさと神の救済の三連祭壇画》、パネルに油彩、各22cm×15cm、1485年頃、ストラスブール美術館、ストラスブール（フランス）

　折りたたみでき、携帯用に小さくつくられた三連画▶071 は、1人で祈禱や瞑想をしようと思えば、いつ、どこでも使うことができる便利なものである。今日のオランダ北部からベルギー西部にまたがるフランドル地域の富裕層の間では、実用的な価値が重視されたため、このような三連画が人気を集めた。

　今日でいうA5サイズよりもやや小さい3枚の絵は、左から〈死〉〈虚栄〉〈悪魔〉を意味する内容である。真ん中の面には、服を脱いでいるのに革のスリッパを履いて、頭には真珠の髪飾りもつけている女性が、腰に手を当てて鏡を持ち、満足そうな様子で立っている。しかし鏡の中の彼女は正面を見つめる姿で描かれ、実際の鏡の見え方とは異なっている。ひょっとするとこの鏡は、いつまでも自分自身を見つめる彼女の姿を表面に彫り込んだものなのかもしれない。

　女性が鏡を見ている姿は、しばしば絵に描かれてきた。女性は自分を飾り立てるために長い時間と多大な労力を浪費し、自分自身に満足する虚栄の存在だ、と考える偏見のためだ。だが、女性が虚栄の存在だというのなら、祈禱や瞑想を口実にして、三連画を広げてヌードの女性にひそかに目を釘づけにしている男性たちは、その存在をいったいどんな名詞や形容詞で説明すればよいのだろうか？

◎ハンス・メムリンク▶093, 312 はベルギー最高の画家で、遠くスペインやイタリアなどからも客足が途絶えることとはなかった。彼はそのため、15世紀のブルッヘ地方の富豪のリストに入るほどだった。

287

SUN

ヴェロニカの布

フランシスコ・デ・スルバラン《聖顔布（ヴェロニカの布）》、
キャンバスに油彩、68cm×51cm、1635年、スウェーデン国立美術館、
ストックホルム

イエスが十字架を持ってゴルゴダの丘に登る途中で何度も倒れたときに、ヴェロニカ（ウェロニカ）という名前の1人の女性が布を持ち、イエスの顔に流れる血と汗をぬぐってやったという[63]。ユダヤ人の大祭司らにイエスの仲間かと問われて、鶏が2度鳴く前に3度もイエスを否認したペトロ[64]と比べてみるなら、自分に降りかかるかもしれない不利益や危険をかえりみずに布を差し出したヴェロニカは、非常に勇敢だといえる。

この出来事は奇跡としてたたえられており、イエスの血と汗をぬぐったその布には、驚くべきことに、イエスの顔がはっきりと残っている。布に描かれたイエスの顔は、事実上、彼女ではなく神が描いた絵であった。それゆえに〈真の絵〉、すなわちラテン語で「ウェラ・イコン」ともいえよう。このラテン語は、彼女の名前ヴェロニカとどこか似通っている。

17世紀のスペインで最も繁栄した都市、セビリャで主に活動したスルバラン▶163は、熱烈なカトリック国家だったスペインの画家らしく、瞑想にふさわしい聖画を多数制作した。この作品では、黒色の背景に掛けられているヴェロニカの布の内側に、苦痛でゆがむイエスの顔がうっすらと見える。信仰が現在よりもはるかに重みをもっていた時代に、この絵の前で信徒たちが流した涙の量は、どれほどのものだったろうか？

---

63 『黄金伝説』第1巻、pp.574-575、註13（『黄金伝説』などに記載はないが、よく知られた伝説であるという）。
64 『マルコによる福音書』14章30節、15章66〜72節。

288
MON

最後の審判

神聖ローマ皇帝カール5世のイタリア戦争に伴うローマ略奪、そして同時期に起こった宗教改革によって、自分たちの絶対的な権力に亀裂が生じたことに危機感を抱いた教皇庁は、こうした状況に対する一種の警告として、《最後の審判》を主題とする祭壇画の制作をミケランジェロに依頼した。1535年に制作が開始され、ついに1541年の秋、総面積約167㎡の壁面に、400人に及ぶ人物でぎっしりと埋まった絵が完成すると、当時の人々は誰もがこのことを話題にせずにはいられなかった。

ミケランジェロ・ブオナローティ《最後の審判》、フレスコ、13.7m×12.2m、1535〜1541年、システィーナ礼拝堂、ヴァチカン

　だが、神聖でなければならない聖堂の祭壇画が、まるで浴場のように肌脱ぎになった人たちでいっぱいになっていることに憤慨する者も多かった。ミケランジェロが健康な裸体の青年として描いたイエスは、絵の前に立つ者が恥ずかしさや申し訳なさを感じさせる。こんなものならほかの絵で塗りつぶしてしまうべきだという意見も出され、関係者たちは戦々恐々とするばかりだった。猥褻［わいせつ］だという非難も相次ぎ、結局、この絵の完成後20年以上が過ぎた1564年1月、「卑俗な部分」を消すべしとの結論が、トリエント公会議で発表された。しかし幸か不幸か、ミケランジェロはこの決定の20日後に生涯を終えたため、ミケランジェロの友人であり弟子でもあったダニエレ・ダ・ヴォルテッラ（1509頃〜1566年）がその作業を引き受けた。彼は、登場人物に服を着せることに1年以上も苦労を重ね、そのために「半ズボンをつくる人」という意味で「イル・ブラゲットーネ」というあだ名をつけられた（日本では「ふんどし画家」などと意訳されることもある）。

297

289

TUE

印象派

クロード・モネ《印象・日の出》、
キャンバスに油彩、48cm×63cm、
1872年、マルモッタン美術館、パリ

　サロン展▶226に向けられるフランスの大衆の関心が熱気を帯びれば帯びるほど、そこに入選するための競争はいっそう熾烈なものとなっていった。しかし、多数に愛されるから、あるいは美術アカデミーに認められたからというだけで、無条件によい作品になるわけではない。旧態依然とした主題や技法ばかり要求し続けるアカデミーに反感を覚えた進歩的な画家は、目新しいやり方で世界を描こうとした。彼らは、落選展▶275のスターであるマネを慕って会合を重ね、おきまりの絵に染まった保守的なサロン展とは差別化された展示会を構想した。とうとう1874年、マネの取り巻きたちは、「第1回画家、彫刻家、版画家などによる共同出資会社展」という名のもと、写真家フェリックス・ナダールのアトリエで、彼らだけの展示会を開催した。

　モネは展示会に、1872年に描いたこの作品、《印象・日の出》を出品した。下絵を描くような早い筆づかいでスケッチし、しかも絵の具が下に流れ落ちた跡まで残るこの絵は、未完成という感じが誰の目にも強烈だ。評論家ルイ・ルロワは、タイトルの「印象」を皮肉って、「印象主義者たちの展示会」という題名の記事を書いた。それ以後、ここに集まった美術家は、自分たちを印象主義者（印象派）と称するようになった。

◎美術史家ゴンブリッチの『美術の物語』に紹介された当時の展示評は、このようなものだ。「カンヴァスの上にあちこち出鱈目に絵の具を塗りたくって、はい、出来上がり、と署名する。精神病の患者が道端で石ころを拾って、ダイヤモンドを見つけたと思い込むのに似た錯覚である[65]」。

65　『美術の物語』第25章、p.519。

290

WED

ラヴィニア・フォンターナ

ラヴィニア・フォンターナ《小間使いが伴奏するスピネットのある自画像》、キャンバスに油彩、27cm×24cm、1577年、サン・ルカ・アカデミー、ローマ

イタリアのボローニャで活動していた画家プロスペロ・フォンターナ（1512〜1597年）は、1人娘のラヴィニア・フォンターナ（1552〜1614年）に自分の仕事を継がせることに決めた。

プロスペロは、古代の彫刻作品をはじめ、美術全般に対する該博な知識を伝授し、絵や彫刻を指導した。ラヴィニアは、ボローニャの貴族たちの肖像画を描いてまもなく有名になり、のちにローマに進出して、教皇クレメンス8世の肖像画を制作するまでになった。

ラヴィニアは、父親の弟子の画家ジャン・パオロ・ザッピと結婚した。その際、夫は、結婚後も画家としての彼女のキャリアを途切れさせないという但し書きをつけて、「夫の実家の家族が責任をもって支援することとし、制作した作品についての所得は持参金とみなす」という内容の誓約書を残した。彼女の夫は、妻の作業の手伝いをする助手を務めたと推定される。

ラヴィニアは11人の子どもを産んだが、休むことなく絵を描き続けた。自画像の中のラヴィニアが演奏している楽器は、ヴァージナル▶214 またはスピネットと思われる。ヴァージナルという名前が連想させるように若い女性にたしなまれた。この絵は、結婚を前にして夫の実家に贈った一種の結納品であり、自分はこれほど上手に絵を描く処女なのだ、ということを強調しているのかもしれない。

◎ヴァージナルとスピネットは、どちらも弦をはじいて音を出す原理の鍵盤楽器で、奏者に対して横方向に弦が張られている。厳密には、奏者に近い側に低音の弦があるものをヴァージナル、高音の弦があるものをスピネットと呼ぶが、両者の呼称はしばしば混用されてきた[66]。

66　『チェンバロ大事典』「ヴァージナル」項、p.17。

291
THU

フェート・ギャラント

ジャン=アントワーヌ・
ワトー
《シテール島の巡礼》、
キャンバスに油彩、
129cm×194cm、
1717年、
ルーブル美術館、パリ

　「フェート・ギャラント」とは、洗練された身なりをした貴族たちが、自然の中でダンスしたり飲酒したりしながら語らう姿を描いた絵をいう。フランス語でフェートは「祝祭」という意味であり、ギャラントは「優雅な態度」を意味するが、「丁重な、優しげな、高尚な」という意味もある。

　「朕［ちん］は国家なり」と唱えたルイ14世▶236の絶対王政の時代が終わり、権勢を強めたフランスの貴族らは、上流階級らしく優雅な、その一方で退廃的で享楽的な雰囲気を謳歌した。フェート・ギャラントは、そうした時代相をよく反映している。17世紀のオランダ絵画では、庶民が食べて飲んで騒いでいる日常の一場面を描いた「ジャンル画」▶142がよく描かれたが、この絵はその貴族版といえよう。

　フェート・ギャラントには、度を越えた快楽に対する戒めや、敬虔［けいけん］な生き方を追求せよという訓示などは見られない。ただただ優雅で満ち足りた日々に向けられた、享楽的で幸福感にあふれるまなざしがあるばかりだ。この絵は、ワトー（1684～1721年）がフランス美術アカデミー▶226の会員となるために出品した作品である。アカデミーが重んじる宗教的・道徳的・英雄的な主題からは遠くかけ離れた絵だが、アカデミーとしては、当時の貴族たちの趣向を無視できなかったため、ワトーらが主導するフェート・ギャラントを受け入れた。これによって、アカデミーは華やかなロココ絵画▶184,198の発展を牽引することとなった。

292
FRI
フランスのスペイン侵略

フランシスコ・デ・ゴヤ《1808年5月3日》、
キャンバスに油彩、266cm×345cm、
1814年、プラド美術館、マドリード

　フェルナンド7世（在位1808、1814〜1833年）は、父親のカルロス4世▶278と宰相ゴドイ
による腐敗と暴政を止めるため、フランスのナポレオンの助けを得て彼らを追い出
し、新たにスペイン国王となった。だがフェルナンド7世はナポレオンの圧力により、
たった2ヶ月で王位を退いた。ナポレオンは、兄のジョセフ・ボナパルト（ホセ1世、在
位1808〜1814年）をスペイン王位につかせた。フランスに対する反感が極度に高まっ
ていたある日、マドリード市内でフランスの軍人が暴行を受ける事件が起こり、す
ぐさま民衆の蜂起に発展した。しかし、その翌日の1808年5月3日以後、蜂起に加わ
った人々に対してフランス軍による虐殺が始まった。それがこの絵の題材である。
　フランス軍がスペインの民間人に銃口を向けている。虐殺されるスペインの民衆
は、あたかもキリスト教の殉教者のように見える。白い服を着た男性は、磔刑［たっけ
い］のイエスと同様に両腕を挙げており、手のひらには傷痕がある。その足元で血を
流して死んでいる人、最後の祈りを捧げる聖職者、両手で顔を覆う人の姿も見える。
その後、対抗して立ち上がったスペインの民衆は、ゲリラ戦を展開してフランス軍
を攪乱［かくらん］し、イギリスからの支援も受けて、1813年12月、ついにフランス軍
を完全に追い払った。そしてフェルナンド7世が王位に復帰したのである。この絵は、
まさにその直後に描かれたものだ。

◎この絵は、朝鮮戦争中に起こった住民虐殺事件を批判してピカソ▶355が描いた《朝鮮の虐殺》（フランス国立ピ
　カソ美術館、パリ）や、19世紀のフランスでマネが描いた《皇帝マクシミリアンの処刑》▶327を想起させる。

293

SAT

教皇の私生活

メロッツォ・ダ・フォルリ《シクストゥス4世によってヴァチカン図書館司書に任命されたバルトロメオ・プラティナ》、
フレスコ、370cm×315cm、1477年、ヴァチカン美術館、ヴァチカン

　この絵は、教皇シクストゥス4世（在位1471〜1484年）が、バルトロメオ・プラティナをヴァチカン図書館の館長に任命している様子を描いている。シクストゥス4世は古代ギリシャ哲学に心酔しており、ヴァチカン図書館を増築したのも、自分が集めた大量の古代ギリシャの書籍を保管するためだった。

　だがこの絵は、とにかく登場人物が多いので、見ていて混乱しそうになる。まず、右側に座っているのがシクストゥス4世だ。絵の中央で教皇と向かい合って立っているのが、シクストゥス4世の甥［おい］でのちに教皇ユリウス2世となる人物である。教皇のすぐ脇には、ラファエッレ・リアリオという名前の甥が立っている。左側に立っている2人の男性も、教皇の甥である。記録によれば、シクストゥス4世には6人の甥がおり、そのすべてを枢機卿に任命した。

　どうしてそんなにたくさんの甥がいるのか、と思うが、この頃の教皇たちには、聖職者として正しからざる振る舞いによって生まれた子どもを「ネポス（甥）」と呼び、その人物を教会の要職に起用する行いが蔓延していた。「ネポティズム」という言葉は今日「縁故主義」などと翻訳されるが、もともとは〈甥をひいきすること〉に由来しているのである。本来なら主人公であるはずのバルトロメオ・プラティナは、教皇の前にうやうやしくひざまずいているが、教皇からも観客からもあまり注目されてはいないように思える。

294
SUN

イエスの磔刑［たっけい］

作者不詳《『ラブラ福音書』挿絵》、羊皮紙にインク、33.5cm×25.5cm、586年、ラウレンツィアーナ図書館、フィレンツェ

　中世ヨーロッパの絵は、古代ギリシャ・ローマのような美しく現実感のある描き方よりも、エピソードを伝えることに重きを置いた。リアルで現実感のある絵が再び描かれるようになったのは、13〜14世紀、人々の思考が〈神中心〉から〈人間中心〉へと転換したルネサンス時代以後のことである。

　福音書の挿絵として描かれたこの絵は、イエスの磔刑に関連したもので、絵を理解できるならば文字を読む必要がないほど詳細だ。まず、イエスが着ている赤紫色の服は、王の象徴である。イエスの右の脇腹を槍で突き刺しているのはロンギノスというローマの兵士で、彼は目が不自由であったが、槍を伝って流れてきたイエスの血が目に入り、視力を回復したという。反対側には、すっぱいブドウ酒にひたした海綿で、苦痛のため乾ききったイエスの唇を濡らしている者がいる。イエスはまもなく「成し遂げられた」という最後の言葉[67]を残すだろう。

　イエスの左右には、同時に磔刑に処された2人の盗賊がいる。1人はイエスをあざ笑うが、もう1人はイエスの言葉に従って楽園に行くことになる。イエスの足元には、イエスが着ていた服を得るためにくじ引きをしている兵士たちがいる。画面右端にはイエスに付き従っていた女性たち、左端にはマリアとヨハネがいる。空には太陽と月が同時に浮かんでおり、イエスが神であり人間でもあることをあらわす。

67　『ヨハネによる福音書』19章30節。

295

MON

ウィルトンの二連祭壇画

作者不詳《ウィルトン
の二連祭壇画》、
パネルにテンペラ、
各26.7cm×36.8cm、
1395年、
ナショナル・ギャラリー、
ロンドン

　開いたり閉じたりできる二連画▶312として制作されたこの作品は、ロンドンのナ
ショナル・ギャラリーが購入するまで、イギリスのウィルシャー州にあるペンブル
ック伯所有のウィルトン・ハウスに長く所蔵されていたことから、「ウィルトンの二
連祭壇画」と呼びならわされている[68]。聖堂でミサを行う際に広げる絵ではなく、個
人が所蔵するものなので、絵の注文者の趣向や自己顕示欲に応じてつくられている。
　左側の後光が描かれた3人の聖人の前にひざまずき、右側の聖母子に対する敬意
を表している人物が、この二連画の実際の所有者、イギリス国王リチャード2世であ
る。その背後に立つ3人の聖人のうち、矢を手にしているのはエドマンド殉教王で、
キリスト教王国を守るために矢を受けて殉教した。その隣で指輪を持つエドワード
懺悔王は、物乞いの人に自分の指輪を施した王である。3人の最も右でラクダの毛皮
を着て立っているのは、洗礼者ヨハネ▶231である。
　ひざまずくリチャード2世の服には、自身のシンボルである幼い雄鹿の模様が並
び、胸に雄鹿のアクセサリーもつけている。同じものは右側の天使たちにもつけら
れている。天使の1人が掲げている白地に赤い十字の旗は、復活したイエスの勝利を
象徴し、イギリスの守護聖人ジョージを象徴するセント・ジョージ旗でもある。

68　『ロンドン・ナショナル・ギャラリー』p.46。

296
TUE
一点透視からの脱却

ポール・セザンヌ
《籠のある静物》、
キャンバスに油彩、
65㎝×81.5㎝、
1888～1890年、
オルセー美術館、パリ

　この絵からもわかるように、セザンヌ(1839～1906年)は、それまでの画家のような一点に固定された視点にはこだわらなかった。テーブルの上に置かれた水差しや籠などには、座って見たときの視点と立って見たときの視点が混在している。テーブル自体も同様に、左側から始まる線と右側の線が一致していないことがわかる。

　セザンヌのこうした試みは、ある場面を〈見る〉ということ、そして〈記憶する〉ということが、つまるところたくさんの視点の結合を必要とするという事実を示唆するものである。セザンヌ以前の画家がイーゼルの前で描いた絵は、われわれがカメラのレンズのようにまったく瞳を動かさない状態でとらえた場面にすぎない。しかしわれわれは、視線をときには少し上に、またときには下に、あるいは左や右に動かしたのち、そうしてとらえたものを組み合わせて対象を見ている。数百年間守ってきた一点透視の遠近法から抜け出し、ようやく実態を現した〈視線〉のありようは、それ以後の美術のあり方を完全に変えていった。前から見る姿と横から見る姿を重ねるようにして描くピカソ▶355の絵もまた、セザンヌの影響によると考えることができる。そのような意味で、セザンヌは「現代美術の父」と称される。

◎セザンヌは静物画を描く際に、百回も千回も描いて修正して、という過程を繰り返した。そのため、リンゴは絵が完成するよりも前に腐ってしまい、しかたなく模型のリンゴを置いて絵を描かねばならなかった。

297
WED

フェデリコ・バロッチ

フェデリコ・バロッチ《自画像》、キャンバスに油彩、34cm×27cm、
1570～1575年、ウフィツィ美術館、フィレンツェ

　イタリア中東部の都市ウルビーノの画家フェデリコ・バロッチ（1535～1612年）は、音楽・美術・文学・演劇のすべてに通じた、ルネサンス型の多才多能の画家であった。

　ずば抜けた絵の腕前が噂になり、教皇ピウス4世（在位1559～1565年）に招かれてヴァチカンでも活動した。しかし、サラダを食べて腸に問題が生じたことから生死の境をさまよった彼は、病が癒えるやいなや、故郷に飛んで帰った。当時、教皇庁には芸術家たちが綺羅星の如く集まっており、彼ら同士のいざこざも少なくなかった。バロッチは、自分は単なる病気ではなく、誰かが自分を殺そうと毒物を盛ったのだと考えていた。

　下痢さえなければ当代最高クラスの画家として教皇庁を牛耳ることもできたであろう彼は、故郷に戻ってウルビーノの貴族のために絵を描き、相当に長生きもできた。この《自画像》は何歳で描いた絵なのか、正確にはわからない。漆黒の闇を背景として顔を見せている画家は、髪の毛がまばらで目を充血させている。達観したかのような表情からは、すでに長い時を過ごした1人の男の孤独な老境が感じられる。

298

THU

サクラ・コンヴェルサツィオーネ

ピエトロ・ペルジーノ《デチェンヴィリの祭壇画》、パネルにテンペラ、193cm×165cm、1495〜1496年、ヴァチカン美術館、ヴァチカン

宗教画で、聖母子が高い椅子に座って聖人とともにいる場面を描いた絵を、「聖なる対話」という意味のイタリア語で「サクラ・コンヴェルサツィオーネ」と呼ぶ。日本では「聖会話」と呼ばれることもある。

この絵の左側手前は聖ルドヴィコ（聖ルイ）で、フランス王位継承権を弟に譲って修道者となり、のちにトゥールーズの大司教にまでなった人物である。彼は左手に王の杖である王笏［おうしゃく］を持っている。右側手前は、聖ラウレンティウスである。熱い鉄格子の上で拷問を受けて殉教した聖人なので、しばしば鉄格子が持物［じもつ］▶305 として登場するが、この絵では静かに祈禱書を読む姿で描かれている。この2人の聖人の奥には、イタリア中部の都市ペルージャの守護聖人であるヘルクラヌスとコンスタンティウスが立っている。ルネサンスの画家たちは、このように左右を完全に対称にして均衡のとれた構図を好んだ。

聖母子は優雅なポーズで見下ろしているが、聖母マリアの片足が服の外に少しのぞいている点が、ややぎこちなく感じられる。画家は、いったん鑑賞者の視線を聖母の足に誘導した上で、そのすぐ下に「ペトルス・デ・カストロ・プレビスがこれを描いた（HOC PETRVS DE CHASTRO PREBIS PINXIT）」という文言を描き込んでいる。ペルジーノ（1446頃〜1523年）の本名はピエトロ・ヴァヌッチという。しかし作品には、しばしばペトルス・デ・カストロ・プレビスという名前で署名した。彼は晩年にイタリア中部のペルージャで活動したことから、都市の名にちなんでペルジーノの愛称でも呼ばれている。

299

FRI

フランス七月革命

ウジェーヌ・ドラクロワ
《民衆を導く自由の女神》、
キャンバスに油彩、
260cm×325cm、1830年、
ルーブル美術館、パリ

　ナポレオンの没落以後、フランスではルイ16世の弟のルイ18世が立憲君主政を布いた（復古王政）。その跡を継いでシャルル10世が王位についたが、経済面での失政から株式市場が暴落するなど、王の無能さに対する憤りから、1830年7月、市民たちが再び蜂起した。これを「七月革命」と呼ぶ。絵の中の女性はマリアンヌで、フランスを擬人化した人物である。マリアンヌは、青・白・赤のフランス国旗を持っており、その3色は「自由・平等・博愛（友愛）」を意味しているともいわれる。背の高い帽子をかぶったブルジョア知識人、古びた服を着た労働者、さらには少年までが参加したこの革命でも、地面のあちこちに人々が横たわっていることからわかるように、相当な犠牲と代価を強いられることとなった。

　七月革命後、ルイ・フィリップ（在位1830〜1848年）が王位についた（七月王政）。彼の父親は、1789年のフランス革命▶271の際に自分の宮殿パレ・ロワイヤルを「革命庭園」と称し、自ら貴族の爵位を捨てて平民側に立ったオルレアン公である。市民は彼の国王即位を歓迎したが、王位についた彼は、この絵がもしかすると市民を刺激して蜂起させるのではないかと恐れ、いち早く絵を買い入れて自分だけが見られるようにしたといわれる。

◎フランスの大文豪ヴィクトル・ユゴーは、この絵に着想を得て小説『レ・ミゼラブル』を書いた。

300
SAT

7000円から500億円へ

レオナルド・ダ・ヴィンチ《サルバトール・ムンディ（救世主）》、
パネルに油彩、65.6cm×45.4cm、1500年頃、個人所蔵

《サルバトール・ムンディ（救世主）》。この絵は、1500年代にフランス国王ルイ12世の依頼によって描かれた。その後、王女が結婚の際にイギリスに持参して以来、しばらく行方不明となって忘れ去られていたが、1900年にイギリスのフレデリック・クックという収集家の手に入った。何度も上塗りがされていて損傷も大きく、原画を調べることも難しい状態だったためか、クックは、ダ・ヴィンチではなく弟子の誰かが描いた模写画だろう、という程度に考えていた。

1958年にサザビーズのオークションに出品されたこの絵は、45ポンド、日本円にして7000円ほどで売られた。その後、この絵の持ち主は何度か代わり、時代を経るにつれて復元技術が進んで、原作の風格が次第によみがえってきた。ついに2011年には、この作品はダ・ヴィンチ本人のものだとしてナショナル・ギャラリー（ロンドン）で展示されるに至った。2017年、この作品はなんと4億5030万ドル、日本円にして約500億円で落札された。絵を購入した人物はサウジアラビアの王子と推定されているが、確かではない。

《モナリザ》▶100 と同様に輪郭線をぼやかす「スフマート技法」で描かれ、雰囲気もよく似ているため、「男性版モナリザ」というニックネームでも呼ばれる。ルネサンス時代の貴族の服装をした救世主イエスは、正面を見つめて右手の指を2本立てている。これは〈祝福〉を意味する。左手に持っている水晶玉は、彼が救うことになるわれわれ〈人間の世界〉を意味する。

301
SUN
ペトロの磔刑［たっけい］

フィリッピーノ・リッピ《シモン・マグスとの論議と聖ペトロのはりつけの刑》、フレスコ、230㎝×598㎝、1481〜1482年、サンタ・マリア・デル・カルミネ聖堂、フィレンツェ

　ペトロは、イエスから「あなたはペトロ。わたしはこの岩の上にわたしの教会を建てる。陰府［よみ］の力もこれに対抗できない[69]」と告げられた。「ペトロ」という彼の名前は、ラテン語で石、岩を意味する「ペトラ」に由来する。

　ペトロは、教会を組織して神の代理者として生き、ネロ帝の時代に迫害を受け、磔刑［たっけい］に処されて殉教した▶163,242。彼は、イエスと同じ方法で死ぬことはできないので、十字架に逆さにはりつけてほしいと自ら申し出たという[70]。ただし、ネロ帝の時代には十字架に逆さにはりつける刑罰のほうが一般的だったという説もある。

　アーチを中心として右側では、椅子に座るネロ帝の前で、ペトロとパウロが、シモン・マグスというグノーシス主義の学者と激論を交わしている場面が見える。ペトロは群れの左から3番目、白いひげの人物として登場している。アーチの左側では、ペトロが逆さはりつけで殉教する場面が見える。

◎絵のいちばん右の端でこちら側を凝視しているのは画家自身である。中央のアーチの下にいる3人の中でこちら側に顔を向けているのは、ボッティチェッリ▶073である。画家の父親フラ・フィリッポ・リッピ▶279は修道女と駆け落ちしたことで有名だが、ボッティチェッリを指導した師匠としても知られている。

69　『マタイによる福音書』16章18節。
70　『ペテロ行伝』37章（『新約聖書外典』p.229）。

302
MON

鏡を見るヴィーナス

ディエゴ・ベラスケス
《鏡を見るヴィーナス》、
キャンバスに油彩、
122.5cm×177cm、
1647〜1651年、
ナショナル・ギャラリー、ロンドン

　この作品は、ベラスケス▶276が愛人のフラミニア・トリバをモデルとして描いたとされるヌード画である。アフロディテ（ヴィーナス）をはじめとするギリシャの女神を前面に出した女性ヌードは、ルネサンス時代からよく描かれてきたテーマである。しかし、厳格なカトリック国家であるスペインでは、そう簡単に描けるものではなかった。そのため、同時代の有名画家たちが軒並み数十点のヌード画を描いているにもかかわらず、ベラスケスが描いたヌード画は、ほんの数点だけであった。しかもそのほとんどは失われ、この作品だけが残っている。

　ヴィーナスは背を向けて、愛の神エロス（クピド）が持つ鏡に自分を映し出している。そのおかげで、背中しか見えない女性の顔が気になるという鑑賞者の好奇心は簡単に解消される。しかしじつは、鏡の中に映っている顔は、彼女がとっているポーズからは映し出せそうもない角度である。

　この絵はイギリスに売られ、ヨークシャー州のロックビー・ホールに長く所蔵されていたことから、《ロックビーのヴィーナス》とも呼ばれる[71]。

◎1914年、メアリ・リチャードソンという女性が美術館に侵入し、この絵を斧で7箇所も切りつけた。絵を傷つけた理由は、イギリスの女性参政権のために闘っていた社会運動家エメリン・パンクハーストが拘束されたことに抗議するためであった。「私は、現代史で最も美しい仲間を破壊した政府に対して抗議するため、神話の歴史において最も美しい女性を描いた絵を破壊しようと思った」。この発言から14年が過ぎた1928年、イギリスの女性はようやく男性と同等の参政権を獲得した。

71　『ベラスケス』、pp.190-191。

303

TUE

表現主義

フィンセント・ファン・ゴッホ《夜のプロヴァンスの田舎道》、
キャンバスに油彩、92cm×73cm、1890年、クレラー・ミュラー美術館、
オッテルロー(オランダ)

「表現主義美術」は、ルネサンス以来追求されてきた、〈世界の再現〉という美術のあり方から脱却しようとする運動であった。表現主義の美術家たちにとって、美術とは対象の外観をそっくりそのまま描くことではなく、感情や感覚などを表現するものであった。

表現主義の先駆者としては、ゴッホ▶003やムンク▶134らを挙げることができる。彼らは、光によって変化する色を絵に表した印象主義者(印象派)▶289とは異なり、ある対象を見てこみ上げてくる感情を表現しようとした。

印象主義者(impressionist)たちが、自分の意識の上に(im)押しつけられる(press)様子として外の世界を描いたのだとすると、表現主義者(expressionist)たちは、自分の感情や情緒などが外に(ex)押し出される(press)様子を描いたと見ることができる。

印象主義者たちの絵は光が変化させる色を描いているが、表現主義者たちは、画家の心が変化させた色や形を見つけ出して描いた。1905年という同じ年に現れたフランスの「フォーヴィスム」▶324とドイツの「ブリュッケ」▶352は、いずれも表現主義の一派である。フォーヴィスムは、形態を単純化し、色彩の自立性を追求して、結局は装飾性に流れていった。一方でブリュッケは、色彩や形態を誇張あるいは歪曲して、満足できない現実に対する鋭い抵抗感を表現する絵を主に描いた。

304

WED

画家

アンニーバレ・カラッチ

アンニーバレ・カラッチ《自画像》、パネルに油彩、42cm×30cm、
1604年頃、エルミタージュ美術館、サンクトペテルブルク（ロシア）

アンニーバレ・カラッチ（1560〜1609年）はボローニャ生まれで、いとこのロドヴィコ（1555〜1619年）、兄のアゴスティーノ（1557〜1602年）とともに、ボローニャに美術アカデミーを開設した。彼は、1595年からアゴスティーノとともにローマに滞在し、1597年にローマで名門のファルネーゼ家出身の枢機卿オドアルドの依頼を受けて、ファルネーゼ宮の天井画を描き始めた。

作業の途中でアゴスティーノが先にボローニャに戻ってしまったため、アンニーバレが任務を最後まで受けもって完遂した。アンニーバレが神話の中の世界としてつくり上げたファルネーゼ宮の天井画は、システィーナ礼拝堂に描かれたミケランジェロの天井画▶114,288と十分に比肩し得るものだ。

ところがどうしたわけか、アンニーバレは作業が終わってから鬱［うつ］病や神経衰弱症に悩まされ、1606年以後、すっかり気持ちが沈みきって、それ以上は絵を描くことができなくなったと記録されている。

アンニーバレの鬱病は、天井画に対するファルネーゼ家の人々のあいまいな評価のせいではないかと推測する者もいる。イーゼルの後ろでまん丸に目を輝かせている子犬は、吃音［きつおん］になってしまうほど大きな衝撃を受けた彼の事情を知っていたかもしれない。口げんかのせいでローマで生き別れてしまった兄アゴスティーノがボローニャで死んだ、という知らせを聞いてからは、アンニーバレの症状はますます悪化した。この絵は、そんな時期に描かれたものだ。絵の中のイーゼルの上に置かれた自画像は、当時すでに40代だった彼にしては、ずいぶん若く見える。

313

305
THU

持物（アトリビュート）

カラヴァッジョ《アレクサンドリアの聖カタリナ》、キャンバスに油彩、
173cm×133cm、1598年頃、ティッセン＝ボルネミッサ美術館、マドリード

しっかりと照明効果のあるステージで、女優が熱演しているところを見ているかのようなこの絵は、「テネブリズム」▶242を存分に駆使してドラマティックな効果を生み出すことに優れた画家、カラヴァッジョ▶066の初期の作品だ。この絵の主人公は、聖女カタリナである。『黄金伝説』によれば、カタリナは、キリスト教を弾圧したローマ皇帝マクセンティウス（在位306〜312年）の命によって餓死刑を宣告され、牢獄に閉じ込められた。しかし、イエスが鳩を使って12日間食べ物を運んでやり、命を保つことができた。すると皇帝は、今度は釘を打った車輪でひき殺させようとした。これもやはりイエスが進み出て、車輪をこっぱみじ

んにしてしまう奇跡で解決した。最終的にカタリナは、刃物で首を切り落とす斬首刑によって殉教した[72]。

　カラヴァッジョが描いた絵には、皇帝がカタリナを殺そうとして用いた道具類が登場している。まず巨大な釘が打たれた大きな車輪が見える。カタリナは車輪に少し身体をもたせかけ、服を車軸の上に掛けた状態で座り、鑑賞者のほうにじっと視線を投げかけている。彼女が持っている長い剣は、自分が斬首刑に遭う運命であることを想起させる。赤いクッションの上に斜めに置かれたシュロの木の枝は、キリスト教の宗教画では主に〈殉教（死への勝利）〉を象徴する。このように、絵の中に登場するさまざまな事物は、彼女が誰であるのかを特定して説明する道具となっている。そうしたものを総称して、持物［じもつ］（アトリビュート）という。

72　『黄金伝説』166、聖女カテリナ（第4巻、pp.351-355）。なお、カタリナ（カテリナ）を殉教させた皇帝は、正帝マクセンティウスではなく、東の副帝マクシミヌス（在位308〜313年）とする説もあわせて紹介されている（p.360）。

306
FRI

1848年6月、労働者たちの蜂起

エルネスト・メッソニエ《モルテルリー通りのバリケード、1848年6月》、
キャンバスに油彩、29cm×22cm、1851年、ルーブル美術館、パリ

フランス革命▶271以後のフランスでは混乱が続き、政体の転換が繰り返された。ナポレオンの失脚後は「復古王政」となったが、1830年の「七月革命」で復古王政が倒れてルイ・フィリップが王位についた（七月王政）。しかし彼もやはり1848年の「二月革命」によって退位し、続いて臨時政府が樹立された（第二共和政）。二月革命は労働者・農民階級の蜂起であり、彼らは急激な社会改革を要求した。そこで臨時政府は国立作業場を設立し、約15万人の労働者を登録して安定的な職場と給与を保証する、と発表した。

しかし、この慈善に基づく取り組みは、他方で税金の浪費だという反発も生み、結局は国立作業場の解散という絶望的な状況に追い込まれた。労働者たちはまもなく動揺し、暴動を起こした（六月蜂起）。臨時政府は国民衛兵を召集し、流血を伴う鎮圧を命令した。

作者のメッソニエ（1815〜1891年）は、1848年6月のパリ・モルテルリー通りにつくられたバリケードの前で何人もの労働者の命が奪われた流血事件の凄惨［せいさん］な現場を描いた。彩度が低く白黒に近い絵だが、亡くなった労働者たちの赤いズボン、赤い血、青や白のシャツが、フランスの三色旗を思い起こさせる。

◎ドラクロワの絵▶299で見た、そして今日のわれわれもよく知っているフランスの三色旗は、1848年2月に臨時政府によって正式に国旗と定められた。

307

SAT

1回の結婚式と葬式

アニョロ・ブロンズィーノ《エレオノーラ・ディ・トレドの肖像》、
パネルに油彩、115cm×96cm、1545年、プラハ国立美術館、プラハ

エレオノーラ・ディ・トレドは、トスカナ公国の初代大公コジモ1世[194]の妻である。ブロンズィーノ（1503～1572年）は、青色の背景の前に、彼女が息子ジョヴァンニとともに座っている場面を描いた。彼女の頭のあたりは、不思議な光によって背景の青色が少し飛んでいるような感じを受ける。ブロンズィーノは、まるで宗教画の後光のように描くことで、彼女を聖なる存在として表現したのである。

エレオノーラは、スペイン王家の血筋で大富豪だったナポリ副王の娘で、あえていうならコジモよりもよい家柄の出身であった。王族出身者と結婚したことによってコジモ1世の地位は高まり、資金動員力も、彼女がもたらした莫大な持参金によって強化された。夫婦仲もよく、2人の間にはなんと11人もの子どもが生まれた。彼女との結婚以後、コジモ1世はほかの女性とはいっさい関係をもたなかった。

残念なことにエレオノーラは、1540年、40歳という若さで、絵の中の息子ジョヴァンニとともに、マラリアによって生涯を終えた。彼女が着ている華やかな服は結婚式のときに着ていたもので、彼女がいちばん大事にした服でもあった。銀色に近い蒼白な肌や、まったく感情を見せない表情は、肉体を失った霊魂のみの存在として描かれているようで、何とも言いがたい陰鬱［いんうつ］とした気持ちにさせられる。

◎エレオノーラは、結婚式のときに着ていたこの美しい服を着たまま、棺に納められて埋葬された。

308
SUN

磔刑［たっけい］と救い

ルーカス・クラーナハ（父）、ルーカス・クラーナハ（子）
《三連祭壇画（ヘルダー聖堂）のうち中央の《キリスト磔刑》》、
パネルに油彩、370cm×309cm、1555年、聖ペトロと聖パウロの聖堂、
ヴァイマル（ドイツ）

ルーカス・クラーナハ（父）▶178 が制作途中で亡くなったのち、ルーカス・クラーナハ（子）（1515〜1586年）が引き継いで完成させた三連祭壇画のうちの、中央のパネルである。イエスは左下で悪魔を踏みつける姿、また中央上部で十字架にはりつけられた姿として、合わせて2回登場している。

遠景では、十字架を基準として画面の左側に、死と悪魔に追いかけられる人間の姿が見える。右側には、荒野に立てられたイスラエルの人々のテント、そして十戒を手にしたモーセとアロンが預言者たちを伴っている様子が描かれている。

画面の右下には3人の男性が並んで立っている。十字架のすぐ脇にいるのは洗礼者ヨハネ▶127で、足元の小羊を指差している。中央の白いひげの男性は、絵を描いたルーカス・クラーナハ（父）である。彼の頭には、イエスの脇腹からほとばしり出た血が注いでいる。これは、救いとは聖職者などの仲介者が役目を果たすものではなく、イエスと信者個人の間で直接なされるのだというルターの考え方を反映した表現である。その隣では、11歳年下の友人であるマルティン・ルター▶180が、自分の翻訳したドイツ語聖書を指差している。聖職者ではなく聖書を通じた信仰こそ救いに至る道である、と説いているようだ。

309
MON

門 [かんぬき]

ジャン・オノレ・フラゴナール《門》、キャンバスに油彩、74cm×94cm、1777〜1778年頃、ルーブル美術館、パリ

　もう彼に許すのだ、と覚悟を決めた。けれども一方では、しかたなくこうしているのだ、とも思っている。全身を男性に委ねながらも頭を後ろに残している女性は、そんな様子だ。彼女は心の門を今にも外そうとしている。下着姿の男性は、片腕で女性を強く抱き寄せながら、もう一方の手で扉に門をかけて、自分たちの愛の空間をつくろうとしている。この絵は、18世紀フランスの貴族の間で流行した、軽快で享楽的で、また演劇的でもある「ロココ美術」▶184の典型を見せる。ルイ・ガブリエル・ヴェリ男爵の注文によって制作されたこの絵が貴族の間で噂となり、売れっ子となったフラゴナール（1732〜1806年）▶198は、愛の美しい一瞬を巧みに描く画家として高い名声を得た。

　光は、門がある右側の上方から左側の下方に向かって、絵を斜めに横切っている。左下にあるテーブルの上には、リンゴが1つ置かれている。イヴのリンゴ▶121を連想させ、拒むことのできない誘惑を意味している。女性の背後に見えるベッドの上の枕は無造作にくぼまされているようでもあるが、女性の胸を思い起こすような形だ。

◎画面左側の赤いカーテンは、それ自体が性的興奮を想起させるものだが、左の上側はとりわけ女性の性器に似ている。

310

TUE

象徴主義

オディロン・ルドン《キュクロプス》、カードボードに油彩、65.8cm×52.7cm、1914年頃、クレラー・ミュラー美術館、オッテルロー（オランダ）

〈非現実的〉〈夢〉〈幻想〉といったキーワードを連想させる「象徴主義」は、19世紀末、世紀末の混乱と不安の中で登場した。印象派[289]の画家たちが目に見える世界を描いたのだとすると、象徴主義の画家たちは、感性や感覚が頭の中で生み出す、目では見ることのできない想像の世界を描いた。

はっきりとしない模糊とした世界に耽溺[たんでき]することになるルドン（1840〜1916年）は、生まれると、その2日後には親戚の家に預けられた。貧しい暮らしのため、やむを得ず食い扶持[ぶち]を減らそうとした両親の決断であった。ルドンは11歳になって家に戻ったが、鬱々[うつうつ]として内向的で口数の少ない子どもに育った彼は、長い間、捨てられるかもしれないという恐怖から逃れることができなかった。彼は、レンブラント[157]やゴヤ[007, 118]のように版画に没頭し、晩年のゴヤのように暗いトーンを用いて奇怪で陰鬱[いんうつ]とした世界を主に取り上げ、自身の幼い頃のトラウマを吐き出すようにして描いた。

しかしルドンは、40歳でカミーユとの恋愛を経て結婚するに至り、モノトーンの世界と決別した。以後の彼の絵は、華麗で派手で甘美な、やわらかな色合いへと一転した。神話の中のキュクロプスは、父親のウラノスによって不気味だと恐れられて地下世界の奥底に閉じ込められた一つ目の巨人である。この絵では、ルドン自身と同一視されているようだ。斜めに横たわっているニンフは妻のカミーユ・ルドンで、彼を暗闇から連れ出して、いっぱいに花が咲く地上へと導いている。

311
WED
マリエッタ・ロブスティ

マリエッタ・ロブスティ《自画像》、キャンバスに油彩、93.5cm×91.5cm、1578年、ウフィツィ美術館、フィレンツェ

ティントレット▶262 と呼ばれるヤコポ・ロブスティの7人の子どものうちの長女、マリエッタ・ロブスティ（1554頃〜1590年）が描いた自画像として知られる作品だ。女性が画家となることがきわめて難しい時代だったが、画家である父親のアトリエで、男の兄弟とともに絵を学んだ。

15歳で早くも何人もの貴族から肖像画の注文を受けるようになるほど、マリエッタの腕前はずば抜けていた。ヨーロッパのいくつもの王室が競い合って彼女を招こうとしたが、父親はそれらをすべて断り、彼女が世界的画家のリストに加わる機会さえも奪ってしまった。マリエッタは30歳になってようやく、当時としては非常に遅い結婚をすることができた。ヴェネツィアを絶対に離れないという条件を、夫となった男性の側が受け入れたからである。いうまでもなく、彼女は結婚後も依然として父親のアトリエで働いた。

マリエッタは、結婚生活4年目で子どもを産むとともに命を落とした。このときから、ティントレットの工房で生産される絵の数は急激に少なくなっている。娘を失った悲しみのせいで彼自身が何度も筆を置いたためなのか、彼に代わって絵を描いてくれる人物を失ったためなのかは、わからない。彼女は話題の天才画家ではあったが、その絵の大部分は、父親や男兄弟の名前で売り出された。彼女の署名がある作品はただこの1点だけだ。絵の中のマリエッタは、チェンバロの前で楽譜を手にして立っている。彼女はアトリエで働いていた時期、父親のためにときどきチェンバロを演奏して歌ったりもした。

312

THU

二連画

ハンス・メムリンク《マールテン・ファン・ニーウェンホーフェの二連画》、パネルに油彩、各52cm×41.5cm、1487年、聖ヨハネ施療院、ブルッヘ（ベルギー）

　15〜16世紀には、聖堂の礼拝空間を装飾して権威を強調するための祭壇画▶249が制作されたが、個人的な信仰生活のための祭壇画▶093も多数制作された。2枚のパネル画をちょうつがいでつないだ小型の二連祭壇画は、旅行にも携帯することができるので、注文量も多かった。最も人気の主題は、やはり聖母子像だった。

　この絵は、ブルッヘの貴族、マールテン・ファン・ニーウェンホーフェが注文したもので、左側の聖母子と右側のマールテンが同じ空間にいるかのように描写されている。聖母マリアは、ブルッヘの風景が遠く見渡せる窓を背にして座っており、人間の原罪を象徴するリンゴを、赤んぼうのイエスに手渡している。彼女の左にはニーウェンホーフェ家の紋章が描かれている。

　一方、右側のマールテンの背後のステンドグラスには、彼の名前の由来と思われる守護聖人、聖マルティヌスが見える。聖マルティヌスは、キリスト教への激しい迫害が続いていた4世紀のローマの軍人で、着ていたマントを剣で半分に切り分け、偶然出会った貧しい人に与えたという善行で有名である。ステンドグラスにも見えるように、馬に乗って大きな剣でマントを切り、あるいは服を手渡している姿で多く描かれる。

313
FRI

オスマンのパリ改造

ギュスターヴ・
カイユボット
《パリの通り、雨》、
キャンバスに油彩、
212.2cm×276.2cm、
1877年、
シカゴ美術館、シカゴ
(アメリカ・イリノイ州)

　1848年の「二月革命」で成立した第二共和制のもと、労働者らによる六月蜂起▶306
が倒れたのち、同年末の選挙でルイ・ナポレオンがフランス大統領に当選した。彼は、
1851年に「ブリュメール18日のクーデタ」を起こして議会を解散し、翌年、自らナポ
レオン3世と称して皇帝の位についた(第二帝政)。この時代のパリは、都市化と工業
化のために人口は飽和状態となって、衛生面でも利便性の面でも環境が急激に悪化
した。そこでナポレオン3世は、都市の再整備を構想した。迷路のような路地裏をな
くし、見通しのよい新しい道路をつくることは、市民たちのためのみならず、彼をし
ばしば不安に陥れたデモ隊の鎮圧のためにも効果的だっただろう。

　ナポレオン3世は、1853年、オスマン男爵をセーヌ県知事に任命し、パリ市街地の
改善を彼に一任した。オスマンは、鉄道駅と主な広場を大通りによって直線で結び、
十分な緑地を造成した。歴史的建築物は改修・補修し、公共建築物や劇場などの文化
空間を新築した。上下水道網を大幅に改善し、悪臭や伝染病から都市を守った。この
一連の事業は、「オスマンのパリ改造」と呼ばれている。これによってパリの都市環
境は一変した。この絵のような雨の降る日に、こんなに着飾って都市を歩き回るな
どということは、オスマン以前のパリでは想像もできなかったはずだ。

314

SAT

心配のあまり消された顔

ジョルジュ゠ピエール・スーラ《化粧する若い女》、キャンバスに油彩、95.5cm×79.5cm、1889〜1890年、コートールド美術研究所、ロンドン

　点描法[109]で知られる画家スーラ[169]が、ある日、激しい高熱のために実家に運ばれてきた。彼のそばには、妊娠した女性と1歳ほどの子どもが付き添っていた。まさかスーラがモデル出身の女性とすでに2年ほど同棲していて、その女性が2人目の子どもまで身ごもっていようとは、彼の両親のみならず、画家仲間でさえまったく知らなかった。それほどスーラは、自分自身について語ることを好まない性質であった。親しい友人がいたわけでもなかった。彼が亡くなった後になって、この絵はその女性をモデルとしていたのだと、周囲の人々は思い至った。

　1つひとつ点を打って描いた絵の中に、マドレーヌ・クノブロック（1868〜1903年）がパフを手にして座っている。絵の上の左側には鏡があるが、ただ花瓶だけを映し出している。しかしこの位置には、2014年の研究によれば、スーラ自身と推測される男性の肩から上の姿が描かれていたという[73]。最初にスーラの絵を見た人が、「化粧をしている最中の女性の家に男が一緒にいるというのは、あまりにも露骨ではないか？」と忠告したというのである。愛する女性と一緒に描かれていたはずの肖像画は、他人の目を気にしたスーラ自身によって、塗りつぶされてしまった。

　スーラは高熱の発症後、数日もしないうちに32歳で生涯を終えた。病名は、伝染性喉頭炎だった。その2週間後、子どもが父親の後を追った。その後に生まれた2人目の子どもも、生まれてすぐにこの世を去った。クノブロックもまた、40歳にならずして夭折［ようせつ］した。

73　Burnstock, A & Serres, K 2014, "Seurat's hidden self-portrait", *Burlington Magazine*, vol.156, no.1333, pp.240-242.

315
SUN

エマオの晩餐

カラヴァッジョ《エマオの晩餐》、
キャンバスに油彩、141cm×196cm、
1601年、ナショナル・ギャラリー、
ロンドン

　12人の弟子に含まれる人物ではないながらも、イエスを尊敬して付き従っていた弟子2人が、道を歩きながら、イエスの遺体が消え去ったという噂話をしていた。彼らは、亡くなって3日目にもなる遺体が消え去るなんてとうてい信じられない、と話し合った。そこに見知らぬ男が割って入り、すべてのことは予言どおりに行われていると告げた。彼らはひそひそと話しながら、一緒にエマオという村に至り、夕食を共にした。テーブルについてパンを手にとり、賛美の祈りを唱えたのち、見知らぬ男がパンを裂くところで、初めて彼らはその男が復活したイエスだと気づいた[74]。

　この絵は、彼らがイエスの存在に気づいた瞬間の驚きをそのままに伝えてくれる。まるでイエスが十字架で処刑されたとき▶294,308のように両腕をぐっと広げている右側の男のおかげで、奥行きの深さがリアルに感じられる。背を向けて座っている男は、驚きのあまり椅子から立ち上がろうとしている。左側で立っている男はおそらく食堂の主人で、いったい何ごとだろうかと怪訝[けげん]そうな表情である。画面中央でこちら向きに座っているイエスの姿が、彼には見えていないからである。白いテーブルの上に置かれたパンとブドウ酒は、聖餐式を思い起こさせる。テーブルの縁から転げ落ちそうな危機にある果物籠は、絵にぐっと緊張感を与えている。

◎両腕を広げた人物の胸につけられた貝殻は、巡礼者を意味する。中世以来、聖ヤコブの墓を巡礼した人々が、この聖人の象徴であるホタテ貝を記念として持ち帰ったことに由来する。

74　『ルカによる福音書』24章13〜35節。

316

MON

聖母マリアの死

カラヴァッジョ《聖母マリアの死》、キャンバスに油彩、369cm×245cm、1601〜1605年、ルーブル美術館、パリ

《聖母マリアの死》は、カラヴァッジョ▶066の絵の中でも最も大作として知られている。聖書の中の人物を身近にいそうなくたびれた服装の小市民として描くカラヴァッジョらしく、神の息子を産んだ生母の姿も、イエスの死を嘆き悲しんでいる弟子たちも、あまりにも平凡すぎてみすぼらしくさえ感じられる。

画面の右下では、マグダラのマリア▶252が椅子に腰掛け、顔を伏せて泣いている。その前方に置かれた金だらいは、おそらく遺骸を洗い清める際に使われるのだろう。聖母は、ふつう赤い服を着て、その上から青い服を掛けている。赤い服は彼女が人間であることを強調し、青い服は、そうでありながらも神を産んだ聖なる存在であることを強調するためのものである。この絵では、赤い服が圧倒的な存在感を示している。カラヴァッジョが、彼女の〈人間としての死〉という点により注目しているからである。

何よりも衝撃的なのは、カラヴァッジョがこの絵で聖母のモデルとして選んだ人物が、入水自殺した性売女性だったということである。カラヴァッジョは、聖母の足を大胆にも裸足に描いている。そう思って見ると、登場人物の大部分が裸足である。ここで、この絵を注文した団体の名前が思い浮かぶ。「跣足[せんそく]カルメル修道会」だ。「跣足」つまり裸足という名前に象徴される清貧と孤独を重んじる、厳格な会則をもつカトリック系の修道会として知られている。

317
TUE

抽象へと向かう風景

ポール・セザンヌ
《サント・ヴィクトワール
山》、
キャンバスに油彩、
73cm×91.9cm、
1902〜1904年、
フィラデルフィア美術館、
フィラデルフィア
（アメリカ・
ペンシルヴェニア州）

　印象派▶289 の短く闊達 [かったつ] な線が描き出す絵は、ひたすら目に見える真実だけを追い求めたものだ。強烈な日差しのもとに立つ人物をやや離れた距離から見ると、目や鼻や口などの細かな様子を正確に把握することは、実際にはできない。身体の輪郭も、はっきりとは見えない。そのため印象派の絵は、対象の正確な形態というよりも、光によって拡散されたいくつもの色が見せる瞬間的な印象に近い。

　しかし、印象派以後の画家たちは、網膜の上に結ばれるイメージにとどまらない〈対象の本質〉に、さらに接近しようとした。自分自身の目で瞬間的にとらえられなくても、その対象が本来もっているはずの形態を、絵に残そうとしたのである。

　セザンヌ▶296 は、フランス南部にあるサント・ヴィクトワール山の姿を見ながら、この山がもっている最も決定的な形態を絵に写し取ろうとした。彼は、「自然を円筒と球体、円錐として解釈せよ」と主張した。山全体としての永遠に変わらない確固とした姿を三角形としてとらえたのち、その山に降り注ぐ光がつくり出す色を、いくつもの色の面として描いた。野原や家々の姿も同様に、幾何学的な形態と色の面によって描写している。すなわちセザンヌの絵は、対象を単純化して表現する抽象に向かう道を大きく切り開いたというわけだ。

318

WED

ハンス・フォン・アーヘン

ハンス・フォン・アーヘン《鏡を持つカップル》、銅板に彩色、25cm×20cm、1596年、ウィーン美術史博物館、ウィーン

　1人の女性が胸をはだけている。男性は女性の肩に左手を置いて、右手で鏡を持ち、女性の顔を映している。鏡の上方には、鳥籠に閉じ込められたオウムが見える。ヨーロッパでは性売業者の看板にオウムが多く描かれていることを考え合わせると、この絵は、性売女性とその客の男性が談笑している場面を描いた「ジャンル画」▶142と見ることができる。しかし、絵の主人公は画家自身であり、鏡を見ている女性は妻だ。したがってこの絵は、ハンス・フォン・アーヘン（1552〜1615年）が自分たち夫妻をシチュエーション・コメディの主演のように演出した肖像画だということになる。

　ハンス・フォン・アーヘンはドイツのケルン出身で、主にヴェネツィアで活動した。オランダの画家のようにジャンル画を主に描き、ローマなどを巡ってイタリア絵画を研究して、当時流行していた「マニエリスム」▶116の画風も得意とした。1587年以後、再びドイツに戻って制作を行い、ミュンヘンに住んで音楽家一家の娘と結婚した。プラハの宮殿に暮らしていた神聖ローマ皇帝ルドルフ2世▶215は、ハンス・フォン・アーヘンを宮廷画家に任命したが、プラハではなく画家の居住地で絵を描くことを認めた。いわば「在宅勤務」が可能だった彼は、皇帝の信任を得て外交官としても役割を果たすべく、ヨーロッパ各国を旅行して制作を行った。

◎オウムはもともときれいな鳥だという俗説のためか、宗教画に描かれる場合には聖母の〈純潔〉を意味するとともに、家庭を守る妻の〈純潔〉や〈愛情〉を意味することもあった。また、言葉を繰り返すことから、〈おしゃべり者〉という意味をもつこともある。つまり、絵全体の文脈によってオウムの解釈は異なってくる。

319

THU

歴史画

サンドロ・ボッティチェッリ
《誹謗》、
パネルにテンペラ、
62cm×91cm、
1495〜1497年、
ウフィツィ美術館、
フィレンツェ

　アンティフィロスは、アレクサンドロス▶019 が寵愛していた画家アペレスを妬んで讒言［ざんげん］した。一方でアペレスは、妬み、讒言、真実などに関連する絵を描いた。その絵は失われたが、のちに人文学者アルベルティが『絵画論』で「歴史画」について説明する際に、この絵に言及した[75]。ボッティチェッリは、アルベルティの伝えに忠実にアペレスの絵を復元した。絵の右側で、大きな耳をもち人の言葉に流されやすい王は、女性たちが並べ立てる怪しげな甘言を聞いている。〈嫉妬〉を象徴する濃い褐色の服を着た男が、〈誹謗〉のたいまつを手にした青い服の女を従えて王の前に向かっている。誹謗の女に髪をつかまれた少年は肌脱ぎになっており、〈偽りのないこと〉を意味している。誹謗の女の頭をなで回している2人の女のうち、赤い服を着ているのは〈妬み〉、右側は〈策略〉だ。絵の左側の修道女は〈贖罪〉または〈後悔〉を意味し、1人で立っている全裸の女性は〈真実〉を意味している。つまりアペレスはこの絵によって、妬みや讒言にかかわらず、真実ははっきりと存在しているのだということを、王に伝えようとしたのである。アルベルティは、適切な比喩と象徴によって教訓を伝える、こうした歴史画こそよい絵であると説いた。

◎アレクサンドロスがアペレスに命じて自分の愛人カンパスペのヌードを描かせたところ、2人は恋仲になってしまった。すると王はアペレスの審美眼を賞賛して、カンパスペをアペレスに譲ったという[76]。

75　『絵画論』第3巻（三輪福松訳、p.64；『原典イタリア・ルネサンス芸術論』上巻、pp.316-317）。
76　『プリニウスの博物誌』35巻（第6巻、p.1425）。

320

FRI

改革渦中のロシア

イリア・レーピン《思いがけなく》、
キャンバスに油彩、
160.5㎝×167.5㎝、
1884〜1888年、
トレチャコフ美術館、モスクワ

　ロシアは急速に西欧化すべきだと考える人々と、ロシア正教の価値観のもとでスラヴ民族の伝統を固守すべきだと考える人々との間の葛藤は、18世紀以後、1世紀以上も続いた。19世紀のロシアは、混乱そのものだった。1825年、サンクトペテルブルクで十二月党（デカブリスト）が蜂起すると、その混乱の最中に皇帝となったニコライ1世（在位1825〜1855年）はこれを厳しく弾圧し、自由主義思想の芽を刈り尽くそうとした。1853年、バルカン半島に勃発したクリミア戦争で、ロシアは、イギリス・フランス・プロイセンの全面的支援を受けたトルコに大敗した。ニコライ1世が死去し、跡を継いだアレクサンドル2世は、農奴解放をはじめとする数々の改革を力強く進めた。しかし彼は、「もっと早く」とアクセルを踏む西欧派と、「あまりにも早すぎる」とブレーキをかけるスラヴ主義者の双方から攻撃の対象とされた。結局、皇帝は暗殺されてしまった。

　レーピン（1844〜1930年）が描いたこの絵は、混乱の時期に家族から離れて革命に飛び込んだ1人の男が、しばらく消息を絶ったのちに突然家に戻ってきた様子を描いたものである。男の母親と思われる女性が立ち上がり、部屋の隅でピアノを弾いていた妻とおぼしき女性も驚きを隠せない。幼い娘と息子は、不安半分、好奇心半分といった表情で男を見つめている。誰も彼を待ってはいなかった。

321

SAT

愛憎の母娘

ヴィジェ=ルブラン《娘と一緒の自画像》、キャンバスに油彩、130cm×94cm、1789年、ルーブル美術館、パリ

ヴィジェ=ルブラン▶024が生きた時代、女性が彼女のように画家となること自体も困難なことだったが、せっかくがんばって収入を得ても、財産は夫が管理するのが当然とされていた。画家であり画商でもあった彼女の夫は、妻の収入をしばしば事業拡張の元手とした。

フランス革命▶271は、この宮廷画家夫妻の平穏な日常をひっくり返してしまった。ヴィジェ=ルブランは、マリー・アントワネットと親しい関係にあったため▶272、革命の過程で投獄されたのちかろうじて釈放された。夫は、彼女と娘のジュリー（1780〜1819年）をより安全な外国へと避難させた。母子は12年間の外地生活を送ったが、もとより絵の腕前があった上に華や

かな外見で、社交的な性格であったため、行く先々で絵の仕事を引き受けることになった。一方、夫のほうはパリでの独身生活を満喫し、妻が稼いだ財産のすべてを使い果たしてしまった。落胆した彼女は、娘にすべてを賭けることにし、何1つ不自由なく育てた。

この母子の母は、自分がそうさせられたようにジュリーを結婚させようとしたが、ジュリーは母の言葉を無視して自ら選んだ男性と結婚し、まもなく離婚した。以後、母と娘の間には、この絵のような温かさは失われてしまった。ジュリーが病気で亡くなったときにも、母は臨終に立ち会いさえしなかった。

322

SUN

聖トマスの懐疑

グエルチーノ《聖トマスの懐疑》、
キャンバスに油彩、115.6cm×142.5cm、1621年、
ナショナル・ギャラリー、ロンドン

　イエスが復活したのち、ユダヤの大祭司たちは、弟子たちがイエスの遺体を奪ったという噂を広めた。弟子たちは、ひょっとすると自分たちに不穏なことが近づいてくるのではないかと恐れおののいていた。その渦中に、意外にもイエスが自ら弟子たちの前に現れた[77]。しかしその日に限って、弟子のトマスがその場にいなかった。疑り深いトマスは、「イエスを見た」という仲間の言葉を信じようとはしなかった。トマスは、イエスの手にある釘の痕を自分の目で見て、指を釘痕に入れてみて、また脇腹にできた傷痕まで確認しなければ、決して信じないと言った[78]。

　数日後、イエスが再び現れ、トマスに、「望むならば自分の手と脇腹に触れてもよい」と告げた。ようやくイエスを信じるに至ったトマスが「わたしの主、わたしの神よ」と言うと、イエスは「わたしを見たから信じたのか。見ないのに信じる人は、幸いである」と語った[79]。

　以上で見たように、じつは聖書では、本当にトマスが傷に指を入れたのかどうかについて、言及していない。しかし多くの画家が、このドラマティックな場面を想像によって演出し、画面の上に展開した。ボローニャ生まれのグエルチーノ（1591〜1666年）は、当地で最高の画家、グイド・レーニ▶242やカラッチ兄弟▶304らの影に隠れていたが、彼らの没後は大いに知名度を高めた。

77　『ヨハネによる福音書』20章19〜23節。
78　『ヨハネによる福音書』20章24〜25節。
79　『ヨハネによる福音書』20章26〜29節。

323
MON

夢魔

ヨハン・ハインリヒ・フュスリ
《夢魔》、キャンバスに油彩、
101cm×127cm、1781年、
デトロイト美術館、
デトロイト（アメリカ・ミシガン州）

　フュスリ（1741〜1825年）は、ロマン主義▶219,233,240 の画家らしく、理性に対する信頼や道徳的・合理的な世界に関する題材よりも、人間の内面に秘められている暗い狂気や危うい想像などを好んで描いた。眠りに落ちた女性のもとを訪れ、性的な幻想を呼び起こしたのちに凌辱してしまう夢の中の悪魔は、フュスリの絵の世界には頻繁に登場する。中世以来、西欧人は、悪夢にうなされて思いどおりに身体を動かせない「金しばり」の状態を、夢に現れた悪魔が彼または彼女を性的に蹂躙［じゅうりん］しているところなのだと考えた。

　この絵の主人公は、フュスリが愛していた女性、アンナ・ランドホルトをモデルとしている。彼は、友人の姪［めい］であるアンナに恋い焦がれてプロポーズしたが、彼女の両親に拒まれ、以後はかなわなかった恋の傷痕に長く苦しみ続けたという。フュスリは、自分を猿のような悪魔の姿で表現し、彼女を性的に手に入れたいという欲望を、夢の中だけでもかなえようとしている。暗闇の中に姿を見せている馬も、やはり眠っている人の夢の中に駆けつけ、悪夢によって苦しませる存在だ。

◎フュスリはスイス・チューリヒの生まれだが、政治的な問題によって故郷を離れ、主にロンドンで活動した。夢と幻想の世界を扱った彼の作品は、20世紀に入って超現実主義（シュルレアリスム）を掲げる芸術家たちに大きな影響を及ぼした。

324

TUE

フォーヴィスム

アンリ・マティス《帽子の女》、キャンバスに油彩、80.6cm×59.7cm、1905年、サンフランシスコ現代美術館、サンフランシスコ

　1905年秋にパリで開かれた展覧会、第3回サロン・ドートンヌは1600点以上の作品が出展されるという盛況ぶりで、もはや権威を失っていたサロン展▶226と入れ替わりに、存在感を示し始めた。この展覧会では、何といっても「7番展示室」の壁に掛けられた作品が大きく注目を集めた。マティス▶022,046、ヴラマンク、ドラン、デュフィ、ブラック、ルオーなどの作家が描いた作品は、まずその色彩からして衝撃的だった。赤色の木、黄色の空など、自然の中では見ることができない色づかいばかりではなく、原色の絵の具の塊がべったりと塗られているし、線や形態の表現もずいぶんと荒々しいものばかりだった。

　批評家ルイ・ヴォークセルは、展示室の中央に置かれたアルベール・マルケによる15世紀風の女性の彫刻像を取り上げて、「野獣たちに取り囲まれた（ルネサンス時代の彫刻家の）ドナテッロ！」と述べた。古典的で完成されたマルケの彫刻像に比べて、マティスらの作品がどうしようもなく粗悪で「野獣（フォーヴ）」のように見える、と揶揄［やゆ］したのである。「印象派」という揶揄が呼称に転じたのと同様に、この「野獣」という揶揄も、「7番展示室」の荒くれ画家集団を呼ぶ「フォーヴィスム」という呼称へと転じた。原色で描かれ、平面的で粗っぽく、細部の描写が省略されたこの肖像画は、とくに激しい非難の的となった。マティスはこの作品を揶揄する声に対し、「私は女性を描いたのではなく、絵を描いただけだ」と応酬した。

◎この絵はマティスの妻を描いたものである。マティスは1939年に離婚することとなるが、それは少なくとも妻を醜く描いたせいではなく、ほかにさまざまな理由があった。

325
WED

ヨハネス・グンプ

ヨハネス・グンプ《自画像》、キャンバスに油彩、直径89cm、1646年、ウフィツィ美術館、フィレンツェ

　今なら画家は自分の写真を見て自画像を描くことができるが、かつては鏡を使って描くしかなかった。だからといって、自画像の中にさらに鏡まで描き込んでいる画家は珍しい。ヨハネス・グンプ（1626〜1728年）は、鏡の中の彼自身とそれを描く自分の後ろ姿、そしてキャンバスに描かれた自分と、合わせて3人の彼自身を1枚の絵の中に描いている。イーゼルに載せたキャンバスの上部には、彼の名前とこの自画像を描いた日付が入っている。この日付は、絵の中の画家が描いた時点ではなく、他者である鑑賞者の視線を基準に記されている。

　鏡の中のグンプの瞳は、鑑賞者に背を向けている画家のほうを向いている。しかし、キャンバスに描かれた彼の瞳は、絵の外側にいる鑑賞者のほうを向いている。このように、絵を描いている彼（ただし鏡越しにしか見えない）と描かれた彼は、一見よく似ているが、意識の上では隔たりがある。それは、つまるところ〈自分が知っている自分〉と〈他者から見た自分〉の間の隔たりと同じものだ。グンプは、オーストリア出身で建築家の息子という事実のほかは、ほとんど事績がわかっていない。作品についても、この自画像以外は広く知られていない。この作品は、画家の自画像を展示しているウフィツィ美術館の「ヴァザーリの回廊」で見ることができる。

326

隠された象徴

ドメニコ・ギルランダイオ《最後の晩餐》、フレスコ、400㎝×800㎝、1486年、サン・マルコ修道院、フィレンツェ

　フィレンツェのサン・マルコ修道院に描かれた《最後の晩餐》の中には、いくつもの「象徴」が隠されている。テーブルの向こう側には、イエスのほかに11人の弟子が座っている。その弟子たちとはとても同列に置くことができないと考えて、画家が1人だけ反対側に座らせた弟子は、何枚かの銀貨でイエスを売り渡したユダだ。ユダは、邪悪さを象徴する猫を脇に置いており、ほかの登場人物には皆ついている後光が、彼にはない。使徒ヨハネ▶125,266は例によって、愛弟子の特権でもあるかのように、イエスにしなだれかかっている。

　テーブルの上に散らばっているチェリーは〈イエスの血〉を意味する。右側の窓枠にとまっているクジャクは、死んでも腐敗しないという俗説にちなんで、〈永遠の不死〉つまり〈復活〉を意味する。その下に見える3羽の鳩は〈聖霊〉を意味する。空を飛んでいる鳥は、死の瞬間に肉体から離れた霊魂だ。その下のレモンの木は、毒性を取り除くために用いられることから、〈救い〉を意味するものとして描かれている。これらの象徴は、要するにイエスの受難と死、復活と救い、そしてそれらすべてを可能にした聖霊の力を物語っている。

327

FRI

メキシコのマクシミリアン皇帝

エドゥアール・マネ
《皇帝マクシミリアンの処刑》、
キャンバスに油彩、252cm×305cm、
1868年頃、マンハイム市立美術館、
マンハイム（ドイツ）

　フランス皇帝ナポレオン3世▶313は、フランスに対する巨額の債務を抱えていたメキシコに、自分の意のままに操れる傀儡［かいらい］帝室を樹立して、ハプスブルク家出身のマクシミリアン（在位1864〜1867年）を帝位に据えた。すでにれっきとした大統領が存在しているにもかかわらず、外部勢力をバックにもつ皇帝が登場したことで、メキシコ国民の反感は極度に達した。皇帝マクシミリアンは、自分の身の安全を守るため、メキシコに駐屯しているフランス軍の維持費に莫大な資金を費やさざるを得なかった。しかしナポレオン3世は、プロイセンとフランスの緊張が高まると、戦争勃発に備えてメキシコから自国の軍隊を引き揚げた。マクシミリアンは後ろ盾を失い、フアレスが樹立した自由主義政府によって処刑された。

　マネは、この事件がマクシミリアンの過ちによるのではなく、ナポレオン3世の残忍な野望によるものであることを、この絵を通じて告発した。マネは、銃を撃つ兵士たちをメキシコ人ではなくフランス兵士に描いた。絵の右側で銃を装填している軍曹は、ナポレオン3世の姿にさえ見える。この絵は、ゴヤが描いた《1808年5月3日》▶292から影響を受けたことが知られている。

◎マネはこの内容の絵を4回描いた。絵がフランス軍の恥辱を暴露する内容だと考えられたため、フランスでは展示することができず、アメリカで初めて展示された。

328

SAT

彼女の最期の姿

クロード・モネ《死の床のカミーユ・モネ》、キャンバスに油彩、
90cm×68cm、1879年、オルセー美術館、パリ

モネ▶038は、妻のカミーユがまさに息を引き取ったそのときに、この絵を描いた。モネはベッドの前に座り、妻の顔を覆う死の色を我を忘れて観察し、ほとんど無意識のうちに青色と黄色、灰色などの色を見いだして、手早くスケッチブックに写し取った。彼自身、この瞬間を次のように思い出している。

「ふと、私の目が死者の顔に現れた微妙な色彩の変化を追っていることに気づいた。(中略) 知らず知らずのうちに、その色彩が私に有機的な感動を呼び起こし、私は自分の意志に反して、反射的に私の日常を支配していた無意識の行為を行っていたのだ[80]」。

まだ父親の援助なしでは満足に生計を立てることすらできなかった時期に、モネは、一家総出での反対を押し切って、モデル出身のカミーユ・ドンシューとの恋愛を続けた。モネは父親の援助を捨てて、その代わりに彼女を選んだのである。いつでも優しくモネのモデルを務めたカミーユは、2人目の子どもを産んで以来、急激に体調を悪化させて、1年あまり病気に苦しんだのち、生涯を閉じた。

モネはその日、医師に借用書を送り、質屋に抵当にとられた彼女のネックレスを取り返してほしいと頼んだ。カミーユが世を去る前に、モネから受け取った唯一のプレゼントであるネックレスを掛けてやりたかったからだ。

80　『クロード・モネ』p.48 (モネが政治家のクレマンソーに語った言葉)。

329
SUN

モーセのエピソード

サンドロ・ボッティチェッリ《モーセの試練》、フレスコ、348.5cm×558cm、1481〜1482年、システィーナ礼拝堂、ヴァチカン

　システィーナ礼拝堂内部の南側の壁には、モーセの生涯を主題とした6枚の絵が描かれている。そのうちこの絵は、『出エジプト記』2章と3章に登場するエピソードを1画面に描いたものである。画面右側、黄色の上衣に濃いオリーブ色の外套を掛けたモーセが、エジプト人を剣で殺している。モーセの背後では、そのエジプト人に虐げられていたイスラエル人が逃げ出している。剣のすぐ上方では、モーセが殺人を犯してアラビア半島の紅海沿岸にあたるミディアンへ逃れる様子が見える。絵の中央、井戸端には、ミディアンの祭司エトロの娘をからかっていた悪い牛飼いを追い払ったのち▶336、彼女らが育てている羊に自ら水をやっているモーセの姿がある。

　モーセは、エトロの娘の1人、ツィポラと結婚する。ある日、モーセは火がついても燃え尽きない灌木を見て、近づいたところで神の声を聞いた。「お前の立つところは聖なる土地だから、お前の足の靴を脱ぎなさい[81]」。中央上部の2本の木の間で靴を脱いでいるモーセの姿は、まさにこのエピソードを描いたものだ。彼は画面左上の灌木の間で、イスラエル人をエジプトから救えという神の命令を受けている。左下のモーセは、杖を持ってイスラエル人たちの行列を導いている。

81　『出エジプト記』3章5節。

330
MON

カンパーニャのゲーテ

ヨハン・ハインリヒ・ヴィルヘルム・ティシュバイン《カンパーニャのゲーテ》、キャンバスに油彩、
164cm×206cm、1786年、シュテーデル美術館、フランクフルト（ドイツ）

　ティシュバイン（1751〜1829年）はベルリンで肖像画家として働いたのち、1779年に
奨学金を得てローマに留学したが、まもなく資金が底を突いてしまった。26歳とい
う若さで『若きウェルテルの悩み』（1774年）を著し、国際的に知られる高名な文学者
となっていたゲーテは、顔を合わせたことさえなかったティシュバインのために奨
学金を推薦し、引き続きローマで美術を学べるように支援した。

　それから約10年が過ぎ、ゲーテは、40歳になる前にきちんと教育を受けて学びた
いと考えてイタリア遊学に旅立ち、ティシュバインの暮らすローマの家で旅装を解
いた。彼ら2人は、一緒にイタリア各地を旅行した。当時のヨーロッパでは、古代ロー
マの史跡地を歴訪する旅行が大流行していた。古代ローマ帝国が最も理想的な社
会であったと信じられていたからだ。そして人々は、その理想を自分たちの時代に
再生させようとする意志を、文学や美術、建築などの分野で発揮した。

　この絵は、2人が一緒に旅行している間にティシュバインが描いた何点かのゲー
テの肖像画のうちの1点だ。絵の中のゲーテは、偉大な知識人としての理想的な姿で
描かれ、古代ローマの遺跡が遠くに見える場所に座って深い思索にひたっている。

331
TUE

ウィーン分離派

グスタフ・クリムト《アデーレ・ブロッホ=バウアーの肖像 I》、
キャンバスに油彩、銀、金、138cm×138cm、1907年、ノイエ・ギャラリー、
ニューヨーク

「ゼツェッション（分離派）」という言葉は、ラテン語のsecedo（分離する）という語に由来する。ゼツェッションは、アカデミー主導による保守的な芸術からの分離を宣言したヨーロッパの若い芸術家たちの集まりで、ドイツのミュンヘン分離派（1892年）、ベルリン分離派（1898年）、オーストリアのウィーン分離派（1897年）などが代表的である。

ウィーン分離派は、1897年4月3日、クリムト▶141を初代会長とし、コロマン・モーザー、オットー・ワーグナー、ヨゼフ・マリア・オルブリッヒ、ヨゼフ・ホフマンら、画家や建築家などの芸術家を主軸として結成された。彼らは印象派と同様に、官僚中心の展覧会とは異なる、自分たちだけの展覧会を開催した。分離派はアール・ヌーヴォー▶172の影響のもと、純粋美術と工芸、建築のそれぞれを接[つ]ぎ木したような芸術を指向した。

クリムトは、当時のウィーンを揺るがしていた心理学者フロイトの説にとくに力づけられて、人間の奥深い内面にうごめく欲望、とりわけ性的欲望を主題とする絵を描いて、繰り返し非難の対象となった。この絵は、顔、肩、手だけがリアルに表現されていて、それ以外はすべて、華やかなアール・ヌーヴォーのスタイルの装飾に覆われている。絵の主人公であるアデーレ・ブロッホ=バウアー（1881～1925年）は、クリムトのパトロンの妻であったが、のちにクリムトの愛人となり、彼の多数の作品でモデルとなった。絵の中の彼女は、左手で右手を覆っている。幼いときに事故で右手の中指を大けがして以後、人前で見せることを嫌ったためだ。

◎クリムトは生涯独身だったが、彼の死後、遺[のこ]された子どもの養育費を請求する訴訟が14件以上提起された。そのうち4件が受け入れられた。

332

WED

サルヴァトール・ローザ

サルヴァトール・ローザ《自画像》、キャンバスに油彩、116.3cm×94cm、
1645年、ナショナル・ギャラリー、ロンドン

サルヴァトール・ローザ（1615～1673年）は、ナポリで土地測量士の息子に生まれた。法律家や司祭になることを願う父親の意に逆らい、ひそかに絵を学んで、故郷を離れてローマやフィレンツェなどで活動した。ローザは画家であるとともに詩人でもあり、また音楽家としても活動した。のみならず、自ら戯曲を書いてそれに出演するなど、多芸多才の芸術家であった。ローザは、何か特別な存在に扮している自分自身をよく描いた。

この自画像のローザは、きりっとした顔つきの哲学者の姿だ。もつれた髪に帽子をかぶり、褐色のマントを着た彼の身なりは、見た目をまるで気にかけず、内面へと沈潜する思索家のそれだ。しかし実際の彼は、常に人からの評価を気にかけていて、俳優らしい気質が十分にあったという。

ローザが手に持っている板には、「お前の言葉が沈黙より劣るのなら、黙っていろ」という意味のラテン語の文が書かれている。その文の内容を演技で示すかのように、彼はひときわぐっと口をつぐんでいる。背景は、もうすぐ黒雲とともに暴風雨が押し寄せてきそうな空だ。ローザは、荒々しくも暗鬱［あんうつ］とした自然の様子を描いた風景画や、戦争画で有名である。19世紀に流行することになるロマン主義
▶219,233,240 の登場を予告しているかのようだ。

333

THU

オリエンタリズム

ウジェーヌ・ドラクロワ
《サルダナパールの死》、
キャンバスに油彩、
392cm×496cm、1827年、
ルーブル美術館、パリ

　ぞっとするような殺戮［さつりく］の現場を描いている。イギリスの作家・詩人である
るバイロンが1821年に発表した戯曲『サルダナパラス』の内容を扱った絵だ。東方
の王サルダナパラス（サルダナパール）は、敗戦の危機に直面すると、自分の所有物を
敵に奪わせないため、すべて処分してしまうことにした。彼にとっては、悦楽を共に
した女性も、馬も、侍従たちも、皆、所有物にすぎなかった。兵士たちは王の命令に
従って、無残にもそれらすべてを殺し、破壊していった。王はというと、その様子を
じっと見つめることで、サディスティックな欲望を満たしていた。

　シーツや地面に広がった赤い布地は、死んでいく人たちが流す血とも相まって、
この残酷で苦痛に満ちた場面を演出している。画面を斜めに横切るベッドの周辺に
は、首を切られるなどして死に至った人物がひしめいている。知的で落ち着いた優
雅な雰囲気にはほど遠く、暴力や絶叫、恐怖がうずまくこの作品は、理性や論理より
も情緒や感情を刺激するロマン主義▶219,233,240の真骨頂と呼ぶに値する。

　しかしドラクロワは、このような残酷で非理性的な出来事が起こる場所を、東方
（オリエント）に限定していた。こうしたヨーロッパ（の白人）中心の世界認識は、オリエ
ントに向けられたエキゾティシズム（異国趣味）のまなざしと、表裏一体である。こう
した世界認識のしかたは、今日、「オリエンタリズム」と呼ばれている。

334

FRI

ドイツ帝国の誕生

アントン・フォン・ヴェルナー
《ドイツ皇帝戴冠式》、
キャンバスに油彩、
167cm×202cm、1885年、
オットー・フォン・
ビスマルク財団、
フリードリヒスルー（ドイツ）

　神聖ローマ皇帝の座は、1438年以後、ハプスブルク家が世襲してきた。いくつもの王国と小さな公国の複合体のようになっていたこの帝国は、ナポレオン戦争中に皇帝フランツ2世が退位したことで、1806年に解体した。ナポレオンの没落以後、神聖ローマ帝国の後裔［こうえい］たちは、プロイセンを中心とする勢力と、オーストリアを中心とする勢力に分かれて厳しく対立した。一方、フランスでは、労働者・農民を主軸とする1848年の「二月革命」▶306ののち、1851年に「ブリュメール18日のクーデタ」を起こして実権を握ったナポレオン3世が皇帝となっていた▶313。

　プロイセンは、オーストリアとの戦争（普墺［ふおう］戦争）に勝利したのち、フランスを見下す姿勢をとるようになった。ナポレオン3世は、1870年にプロイセンに戦争をしかけたが、惨敗した（普仏戦争）。勝機をつかんだプロイセンは、1871年、まだ敗北を認めていなかったフランスに直行、ヴェルサイユ宮殿「鏡の間」でドイツ帝国の誕生を宣言し、ヴィルヘルム1世（在位1861〜1888年）がドイツ帝国の初代皇帝となった。

　普墺戦争でオーストリアをしりぞけ、プロイセンを中心とするドイツの統一と帝国の誕生に大きく貢献した宰相ビスマルク（1815〜1898年）は、画面中央で白い服を着ている。もともとはほかの人物と同じ色の服を着ていたが、偉大なるビスマルクを見つけにくいという批判のために修正されたのである。この絵は、ビスマルクの70歳の誕生日のためにハプスブルク家から注文された、3番目のバージョンである。

335

SAT

モネのもう1人の恋人

クロード・モネ《ジヴェルニーの森の中で》、キャンバスに油彩、
91.4cm×97.9cm、1887年、ロサンゼルス・カウンティ美術館、
ロサンゼルス（アメリカ・カリフォルニア州）

モネ[038]に対する一般的な評価がきわめて低かった時期に、実業家のエルネスト・オシュデ（1837～1891年）は、モネの作品を喜んで買い入れる心強いパトロンだった。モネは、一時期、作品の制作のために彼の別荘に滞在した。オシュデの財力はパリから自宅までの専用鉄道を引くほどであったが、景気後退のあおりを受けて破産してしまうと、身柄の拘束を避けるためにしばらくフランスを離れて、妻子をモネに預けた。

モネ自身も貧しさから抜け出せない身の上ではあったが、妻カミーユ・ドンシューと2人の子ども、そしてエルネストの妻であるアリス・オシュデとその子ども6人とともに、にぎやかに暮らすことになった。モネがパリ郊外のヴェトゥイユに引っ越したのは、この大家族が生活できる大きさで適当な値段の家が必要だったという理由もある。貧困の中で月日を送るうちにカミーユが病気で亡くなり[328]、アリスとモネは互いに支え合ってまるで夫婦のように暮らした。モネは、エルネスト・オシュデの没後にアリスと再婚することになる。しかし、モネはオシュデの別荘にいた時期からアリスと恋仲になっていたのだ、だからエルネストの生前に生まれてオシュデ姓を名乗っている末っ子はきっとモネの子どもだ、という説を唱える人も少なくない。

上の作品で、絵を描いているのはブランシュ・オシュデ、座って本を読んでいるのはシュザンヌ・オシュデだ。モネは、この義理の子どもたちの面倒をよく見た。とくにブランシュ・オシュデについては、自分の一番弟子として育て、画家への道を歩ませた。

336

SUN

エトロの娘たちを救うモーセ

ロッソ・フィオレンティーノ《エトロの娘たちを救うモーセ》、
キャンバスに油彩、160㎝×117㎝、1523年頃、ウフィツィ美術館、
フィレンツェ

この絵は、モーセがのちに妻となる女性、ツィポラに出会う決定的なきっかけとなった事件を描いている。その事件は『出エジプト記』2章に紹介されている。

イスラエル人を苦しめるエジプト人を殺して[329]逃亡していたモーセは、ミディアンという村に至り、井戸端で休んでいた。そこではちょうど7人の女性が、羊に飲ませるための水を汲んで運んでいるところだったが、見慣れぬ男たちが現れて女性たちを怖がらせ、彼女たちはなすすべもなかった。不義を見逃せない性格のモーセは、カッと憤ってすぐさま男たちを追い払った。こうしてモーセに助けられた女性たちは、ミディアンの祭司長であるエトロの娘であった。モーセはそのうちの1人、ツィポラと結婚することになった。

この絵は、人物を写真のようにクローズアップしつつ、多数の登場人物が入り乱れる複雑な構成をとっており、調和やバランスを重視するルネサンス時代の理想からはかけ離れているように思える。人体の筋肉の細かな表現や色彩も、やや誇張され、ぎこちなさがある。これは、ルネサンス後期の「マニエリスム美術」[116,149]の特徴である。ロッソ・フィオレンティーノ（1495〜1540年）は、フランス国王フランソワ1世がフォンテーヌブロー宮殿を建設する際、建築と装飾の仕事を引き受けてフランスに移住した。1匹の猿と一緒に暮らし、夜になると墓を掘り返して遺体が腐敗していく過程を観察するなどの特異な趣味があった、などとたくさんの噂話を残して、自殺した。

337

MON

ヴィル=ダブレー

ジャン=バティスト・カミーユ・コロー《ヴィル=ダブレー》、キャンバスに油彩、49.3cm×65.5cm、1867年、ワシントン国立美術館、ワシントン D. C.

　ジャン=バティスト・カミーユ・コローは、パリに生まれた。織物の卸業者だった父親の意に沿って同じ仕事をしていたが、まもなく画家の世界に入門した。自然を愛し、好んで風景を描いた彼は、バルビゾンに拠点を移し、その地で意を同じくした画家たちと交流しながら制作を行った。彼らは「バルビゾン派」▶261 と呼ばれる。伝統的な風景画が作為された〈自然〉を画面に表現していたのに対して、バルビゾン派の画家たちは、可能な限り外に出て、実際に目で見た自然、つまり〈見えるままの自然〉を描こうとした。こうした傾向は、印象派▶289 の風景画に大きな影響を与えた。

　コローは、時刻によって異なる大気の色や、光の当たる木や草や土、そして川や湖の色を目で確認し、写し取った。持ち運べるチューブ絵の具が普及する前の時代なので、現場での彩色は難しいため可能な限りたくさんのスケッチをとって、アトリエに戻ってから絵を仕上げた。晩年のコローは、霧がかかったように曇った日の銀色の大気を、青い森と組み合わせて表現する、幻想的で叙情的な風景画で人気を集めた。裕福な父親が莫大な遺産を残したおかげで、絵を売って生活する必要がなかった。豊富な財力に支えられ、彼は心ゆくまで実験的な制作を行うことができた。

338

TUE

新造形主義

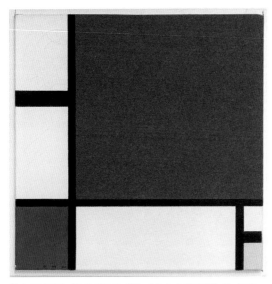

ピート・モンドリアン《赤・青・黄のコンポジション》、キャンバスに油彩、46cm×46cm、1930年、チューリヒ美術館、チューリヒ（スイス）

目に見える対象はどれも姿が異なっているが、その違いを取り除いてみると、本質に到達することができる。たとえば、それぞれ違って見える山々や人の顔から違いを取り除いてみると、形態の面で山は三角形に、顔は円になる。これらの三角形や円も、さらに違いを取り除いてみると、線と面になる。

最も根本的な色は、赤・青・黄の三原色だ。それ以外の色は、すべてこの3種類の色をどのように混ぜるのかによって、多様化していく。モンドリアン（1872～1944年）の抽象画は、こうした思考の反映である。彼は、自然を模倣して描いたり、感情を極度に介入させたりした表現主義▶303の美術を警戒した。

この作品で見るように、モンドリアンは、無秩序な自然の中から見つけ出した最も究極的な要素を、垂直線、水平線、三原色と黒・白の無彩色で表現し、最も完璧な秩序を画面に描いた。彼は、このような自分の制作を「新造形主義」と命名した。モンドリアンの制作は、感情をすべて取り除いたような、冷たく機械的で数学的な抽象の起源となった。この点で、カンディンスキー▶359の抽象とは対照的である。

◎モンドリアンは、彼と意を同じくしていたテオ・ファン・ドゥースブルフ（1883～1931年）が斜線を用いた作品を描いたことに対し、自然の本質は水平と垂直によってのみ可能になるのだと主張し、最終的に決別するに至った。モンドリアンは、曲線でさえ感情的だと非難した。

339
WED

アンゲリカ・カウフマン

アンゲリカ・カウフマン《音楽と絵画の間でためらう自画像》、キャンバスに油彩、147cm×216cm、1794年、
ノステル修道院ナショナル・トラスト、ウェイクフィールド（イギリス）

　スイスに生まれて父親から絵を学んだアンゲリカ・カウフマンは、21歳でフィレ
ンツェの美術アカデミーの会員となった。彼女は何カ国語にも通じた知的な人物で、
多方面にわたる博識に加え、絵だけでなく音楽にも造詣が深く、社交的な性格でも
あった。神話や宗教を主題とする絵も多く描いたが、社会の指導的人物たちの肖像
画で大きな人気を得た。アンゲリカは、イタリアを訪れていたイギリス大使夫人の
勧めによりロンドン行きを決心し、さらにはイギリス王立美術アカデミー▶212の創
立会員という名誉にもあずかった。このとき創立を主導した女性会員は2名だけで、
その後は1世紀以上にわたって、女性がアカデミーの会員になった事例はなかった。
　白いドレスを着た絵の中の女性はアンゲリカ・カウフマン自身で、腰のベルトに
名前が書かれている。彼女は、パレットを手にした〈美術〉と、楽譜を手にした〈音楽〉
の間で葛藤している。擬人化された〈美術〉は、はるか高いところに見える神殿を指
差している。遠く困難な道のりだが、それくらい偉大なところに美術の極致はある、
ということだ。男性の専有物とされてきた美術、たとえ厳しく長い道のりでも、やり
がいのあるその美術の世界を選んだ自分について物語っているようだ。

340
THU

インパスト

レンブラント・ファン・レイン
《ユダヤの花嫁》、
キャンバスに油彩、
121.5cm×166.5cm、
1665〜1669年、
アムステルダム国立美術館、
アムステルダム

　「インパスト」とは、イタリア語で「練られた」という意味である。絵画においてインパストは、油絵具を筆やパレットナイフ、指によって分厚く塗ったり、絵の具をチューブから直接搾って塗りつけたりするやり方で、筆跡などをそのまま残した厚塗りの技法を意味する。これは、絵画の自己表出のような一面をもっている。画面上ででこぼことして自らの存在感を示す絵の具の塊を目にした瞬間、見る者は、それが絵にすぎないという当然の事実に気づかされる。

　レンブラント▶157が描いたこの《ユダヤの花嫁》は、インパスト技法によって出っ張っている絵の具の影が、服の質感や色、宝石などの表現効果をいっそう際立たせている。レンブラントは、この技法によって事物の質感を魅惑的に描き上げたティツィアーノ▶220を、とりわけ尊敬していた。やはりインパスト技法で有名なゴッホは、レンブラントのこの絵を見て感動のあまり、「食事としてはたったのパン1切れだけでいいから2週間この絵の前に座り続けていられるものなら、僕は自分の生涯の10年間を喜んでくれてやる[82]」という言葉を残した。

◎『創世記』26章6節〜10節には、外地に住むことになったイサクが、ひょっとすると誰かが自分を殺して美しい妻を奪おうとするのではないかと恐れて、兄と妹のふりをしていたが、愛し合っている場面を目撃されて嘘が露見してしまうという場面がある。この絵はそのエピソードを描いたものと推定されるが、確かではない。

82　ゴッホ書簡番号435c。『ファン・ゴッホ書簡全集』第6巻、p.1247（アントン・ケルセマーケルス記、『アムステルダム週報』1912年4月14日号、p.6より再録）。

341

FRI

第一次世界大戦

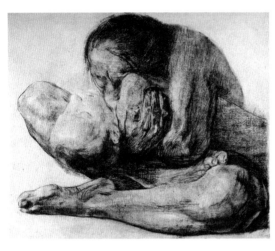

ケーテ・コルヴィッツ《亡き子を抱く母親》、
エッチング、41.7㎝×47.2㎝、1903年、
ワシントン国立美術館、ワシントンD. C.

　20世紀初めから中頃にかけて、ヨーロッパ・アメリカは2度の世界大戦を経験し、史上最悪のときを迎えることとなった。1914年、オーストリア・ハンガリー帝国の王位継承者であるフェルディナント大公夫妻が、祖国独立を願うセルビアの一青年によって暗殺されると、これをきっかけとして始まった戦争は1918年11月まで続き、1000万人をはるかに超える死傷者を出した（第一次世界大戦）。

　ドイツ出身のケーテ・コルヴィッツ（1867～1945年）は、ベルリンとミュンヘンで美術を学んだ。法律家出身で左官の親方に転身した父親のもと、上流層の家柄の娘として成長したが、結婚後は、ベルリン郊外の慈善病院で診療奉仕を行った夫カール・コルヴィッツの影響で、貧困や飢餓、労働などの社会問題に関する力強い版画を制作するようになった。

　コルヴィッツは、第一次世界大戦で出征した2人の息子のうちの1人、ペーターが亡くなると、本格的に反戦運動を展開した。彼女の版画作品は、戦争を直接経験した人々の恐怖や苦痛を扱ったもののほか、父母を失った子ども、子どもを失った親、恋人を送り出した人々の悲しみも題材としている。ケーテ・コルヴィッツの版画は、それ自体が叫びであり、人を動かすスローガンとなった。

◎彼女は、ナチスとヒトラーが求めた「ドイツ人の偉大さと優秀さ」を宣伝する作品からは距離を置いており、そのために作品を没収されるなどの試練を経た。第二次世界大戦中、彼女は息子ペーターと同じ名前の孫まで失ってしまった。

342
SAT

奇妙な三角関係

ダンテ・ゲイブリエル・ロセッティ《ピア・デ・トロメイ》、キャンバスに油彩、
104.7cm×120.6cm、1868〜1880年、スペンサー美術館、ローレンス（アメリカ・カンザス州）

　これはルネサンスの文人ダンテ・アリギエーリの『神曲』煉獄［れんごく］編（第5歌）に出てくるピア・デ・トロメイという女性を描いた絵である。ピアの夫は、妻への愛情が冷めたため、ピアを塔に閉じ込めて徐々に死に至らしめたといわれる。この絵の中のピアは、ウィリアム・モリスの妻のジェーン・モリス（1839〜1914年）をモデルとしている。ウィリアム・モリスはイギリスの有名デザイナーであり、建築家、画家として、「ラファエル前派」▶269 の画家たちとも親交があった。

　この絵を描いたロセッティは、妻をアヘン中毒で失ったのち▶265,269、以前から絵のモデルを依頼していた、しかし今はウィリアムという夫もいるジェーンと恋仲になってしまった。2人は人目もはばからず交際したので、当時の新聞の漫画にまで描かれた。これに対してウィリアムは、自分のもとにとどまるようにと頼むだけで、ジェーンを追い出したりはしなかった。それどころか、ロセッティも自分の家に呼び寄せ、ジェーンも含む3人での不可思議な同居生活もいとわなかった。

　絵の中の彼女は指輪に手を触れている。その指輪をはめさせたウィリアムのせいで、まっとうな人生を送れず死んでいくのだ、と異議を唱えているわけだ。

343
SUN

聖母の戴冠

ラファエッロ《聖母の戴冠》、パネルにテンペラ、267㎝×163㎝、1502〜1503年、ヴァチカン美術館、ヴァチカン

　聖母マリアは、生前のことをすべてなし終えたのち天に昇り（被昇天）、息子であったイエスから冠を授けられる。このことを、画家たちは《聖母の戴冠》の名でたびたび描いてきた。ラファエッロは、画面を雲によって二分し、上段を天上、下段を地上とした。

　天上ではイエスがマリアに冠を授けており、天使たちは祝賀の演奏を行っている。いがぐり頭をした赤んぼうの天使たちが宙を舞い、雰囲気を盛り上げている。地上では、聖母のからっぽの棺［ひつぎ］が斜めに置かれ、その前でイエスの弟子たちが茫然自失している様子が見える。真ん中で上を仰いでいる男性はベルトを手にしており、この持物［じもつ］[305]から、疑い深い聖トマス[322]であるとわかる。トマスが聖母マリアの被昇天を目撃できず疑いを抱いていると知り、マリアは身につけていたベルトを空高くから投げてやった[83]、という伝説にちなんでいる。

　トマスの右手側で、青色の服に黄色のマントを身につけた男性は、天国の鍵[84]を持物としており、聖ペトロ[163, 242, 301]であるとわかる。トマスの左手側には、長い剣を持物とするパウロ[082]が見える。パウロは剣で斬首された[85]。からっぽの棺の中では、ユリとバラが咲いている。いずれも聖母マリアを意味する花である。

◎この絵は、イタリア中部のペルージャにあるサン・フランチェスコ・アル・プラート教会内の、ある家の個人礼拝堂を装飾する祭壇画として制作された。ナポレオンのイタリア侵略に伴ってパリに奪われていったが、返還されたものである。

83　『黄金伝説』113、聖母マリア被昇天（第3巻、p.209）。
84　『マタイによる福音書』16章19節。
85　『黄金伝説』85、使徒聖パウロ（第2巻、p.417）。

344

MON

イーゼンハイム祭壇画

マティアス・グリューネヴァルト
《イーゼンハイム祭壇画》、
パネルに油彩、
269cm × 307cm、1515年頃、
ウンターリンデン美術館、
コルマール（フランス）

　閉じたり開いたりできる形の祭壇画▶249である。中央の絵は、イエスの磔刑［たっけい］▶294の場面である。ぶら下がっているイエスの全身には、釘を埋めこんだ鞭［むち］で打たれたような傷痕がびっしりついており、その苦痛を生々しく伝えている。この祭壇画が置かれたのは、フランス北東部・イーゼンハイム地方の修道院の病院礼拝堂である。右側のパネルに描かれた聖アントニウスは、この病院の守護聖人だ。

　アントニウスは極端な禁欲生活を行った隠修士であった。ある日、彼が誘惑に動じないことに憤慨した悪魔が呪いをかけたため、手足が燃えるような症状に苦しめられたという。10世紀以後、イーゼンハイムの近隣地域では似たような症状の患者が多発し、「アントニウスの火」という病名で呼ばれた（実際には麦角菌による中毒症状[86]）。左側のパネルには、キリスト教信者という理由で矢で射かけられた聖セバスティアヌスが描かれている。矢による傷痕がまるでペストの斑点のようだったからか、ペストを治癒する守護聖人としても崇められた。

　グリューネヴァルト（1470頃〜1528年）は、イエスの最期の姿をあたかもペストや「アントニウスの火」の患者のように描いた。その病気で修道院病院を訪れた人々に対し、イエスは苦しみを十分に理解している、と安心させようとしたわけだ。この絵の下段には、苦痛の中で息を引き取ったイエスの遺体に哀悼する姿が描かれている。

86　『図説　聖人事典』「アントニウス（大）」項、p.25。

345

TUE

未来主義

ジャコモ・バッラ《鎖に繋がれた犬のダイナミズム》、キャンバスに油彩、
89.8cm×109.8cm、1912年、オルブライト・ノックス美術館、ニューヨーク

1909年、イタリアの詩人マリネッティは、「未来主義宣言」を発表した。このことは文学界・美術界をはじめとして社会全般に大きな反響を呼び起こした。新しい時代、新しい思考、新しいものに向けて、すべての芸術家が旧態依然とした物事や慣習に抵抗しなければならない、という主張であった。

未来主義を標榜した「未来派」の芸術家たちは、機械や速さ、力動感を賞賛し、「疾駆する自動車は《サモトラケのニケ（勝利の女神）》よりも美しい」と主張した。ここで自動車は、いわば〈速さと未来〉を意味している。一方、ルーブルに展示されている《サモトラケのニケ》像は、翼があっても飛ぶことのできない剥製にされた勝利、つまり〈過去〉を意味している。彼らは「（動かぬ過去の象徴である）博物館を燃やせ」というスローガンのもとに急進的な運動を展開し、しばしば非常識な主張で民衆の怒りを買うこともあった。

ジャコモ・バッラ（1871〜1958年）が描いたこの作品は、子犬の脚と揺れる革紐を、速い動きの残像効果を利用して表現している。今日では漫画などで多く見られる表現だが、絵画史において用いられることは稀だった。未来派は、自分たちが目指すものを先に宣言文の形で明らかにし、それに合わせて活動した。この点でも、彼らはそれまでの芸術家たちの集まりとは異なった。彼らは、古いものを一瞬で覆すことができるという理由から、戦争でさえ賞賛した。第一次世界大戦に積極的に協力した画家ボッチョーニ（1882〜1916年）が亡くなったのち、未来派は自然解消したが、一部の芸術家はのちにファシズムとも関係を深めていった。

346

WED

ベノッツォ・ゴッツォリ

ベノッツォ・ゴッツォリ《東方三博士の行列、東壁》、フレスコ、1459〜1460年、メディチ・リッカルディ宮殿、フィレンツェ

　ベノッツォ・ゴッツォリ（1420〜1497年）は、ルネサンス初期のフィレンツェで主に活動した画家である。彼はフラ・アンジェリコ▶154,280の弟子で、師匠がサン・マルコ修道院で制作した際に助手を務め、さらにローマでも師匠とともに活動した。イタリアの都市を転々とした彼は、再びフィレンツェに戻り、メディチ家の邸宅内につくられた個人礼拝堂の壁面3面を装飾する《東方三博士の行列》を描いた。その一連の作品は、聖書のエピソードを主題としてはいるが、実際には、メディチ家の主導で開催された「東西教会の和解のための公会議（1439〜1442年）▶138」を記念した絵といってよい。このときに東ローマ帝国からやってきた人物を含め、メディチ家の人物や近隣地域の最高指導者、学者など、当時の有名人士をこぞって登場させている。

　この絵はそのうち東側の壁面に描かれたもので、東方から星に導かれてやってきた三博士▶073,189で最も若いバルタザールが行列を率いているところである。バルタザールは、メディチ家の「偉大なる者」ロレンツォ▶021の若い頃をモデルとしている。その後ろに、褐色のロバに乗ったコジモ・デ・メディチ▶194と、コジモの子のピエロが白い馬に乗って続いている。列をなしている人々の中には、画家自身の姿も描かれている。画面左側の群衆の中央、画家は自分がかぶっている赤い帽子にOPVS BEN-OTIIという文字を書き込んでいる。ラテン語で「ベノッツォの作品」という意味だ。

◎なお、ほかの2つの壁面に描かれているのは、東ローマ皇帝ヨハネス8世パレオロゴス、そしてコンスタンティノープル教会（東方教会）の総主教ヨーゼフ2世である。

347
THU

16世紀、独特の肖像画

ジュゼッペ・アルチンボルド《司書》、キャンバスに油彩、98cm×71cm、1562年、スコークロステル城、スコークロステル（スウェーデン）

アルチンボルド（1530頃～1593年）は、神聖ローマ帝国のフェルディナント1世からマクシミリアン2世、そしてルドルフ2世まで、3代の皇帝に仕えた宮廷画家である。

彼は、野菜、果物、カエル、鳥、花、木といった自然の生物や、さまざまな無生物の形態を用いて肖像画を描いた[215]。事物や生物の固有の形態を肖像画の中に巧みに配置し、全体も部分もよく生かしているこの技法はじつに奇抜で、その想像力には舌を巻く。

アルチンボルドは、図書館の司書の肖像画を描くために、山積みの本で全体的なシルエットをつくった上で、毛ばたきによってひげを、そして当時の図書館の個人閲覧室に備えつけられていたカーテンによって背景と服を描くなど、ディテールにも気を配った。司書が最も多く接する事物を選んで、その職業を表現しているのである。

絵のモデルは、フェルディナント1世の図書館司書であり、科学者でもあったヴォルフガング・ラツィウス（1514～1565年）と推定されている。この作品を含め、アルチンボルドがプラハ城で描いた肖像画は、1648年にスウェーデン軍がプラハを侵略した際に相当数が略奪されたことで、一時所在が忘れられ、近代に至って再び発掘された。

348

FRI

世界史

第一次世界大戦と
スラヴの独立

アルフォンス・ミュシャ《スラヴ叙事詩》、キャンバスにテンペラと油彩、
480cm×405cm、1926年、プラハ国立美術館、プラハ

各種商品のデザインや広告ポスターなどで高い人気を誇るアルフォンス・ミュシャは、パリとアメリカを行き来して活動したのち、1910年に晴れ晴れしくチェコに帰郷した。

ミュシャは、チェコの郵便切手や紙幣などをデザインしたのち、アメリカの事業家チャールズ・クレインの援助を受け、20年近くの時間をかけて、チェコに対する愛国心を盛り込んだ20点の連作、《スラヴ叙事詩》を完成させた。この絵はその最終篇にあたる。1928年に至って連作が最終的に完成すると、ミュシャはこれを政府に寄贈して、公共のものとなるように取り計らった。

ミュシャがこの大作を準備し制作していた時期は、混乱の時代だった。オーストリア・ハンガリー帝国とスラヴ系のセルビアの葛藤が極限に達し、ヨーロッパは第一次世界大戦勃発という恐るべき状況に置かれた▶341。膨大な数の死傷者を出しながらかろうじて戦争が終結すると、チェコスロヴァキア共和国が誕生し、バルカン半島でも多数の国々が帝国から独立した。絵の中央の両腕を広げた青年は、共和国を意味する。その背後はイエスが支えている。同盟国の旗の間にアメリカの星条旗が見える。この絵の制作を支援したアメリカの事業家クレインと、民族自決主義を宣言したウィルソン大統領に対する敬意を表したものと見ることができる。

◎ミュシャは、ナチスの思想に反した作品や活動を理由として逮捕され、厳しい尋問による負担の後遺症に加えて肺炎も重なり、1939年に生涯を終えることとなった。ミュシャの葬儀には、ナチスの妨害にもかかわらず、10万人を超える人々が参列のために押し寄せた。

349
SAT

ネルソン提督の愛人

ヴィジェ=ルブラン
《アリアドネーに扮したハミルトン嬢》、
キャンバスに油彩、135cm×158cm、
1790年、個人所蔵

　エマ・ハミルトン（1765〜1815年）は鍛冶職人の娘に生まれた。ロンドンのコヴェント・ガーデンの王立劇場で俳優の雑用係をしていたところ、担当者の目にとまってデビューし、モデル兼歌手として大成功した。エマは1791年、自分より35歳も年上のナポリ駐在イギリス大使で、美術コレクターでもあったウィリアム・ハミルトン（1730〜1803年）と結婚した。その後、ウィリアムは過度の収集癖のために破産し、自分のコレクションをクリスティーズの競売に出さざるを得なくなった。その中にはエマをモデルとして描いたこの作品も含まれており、ナポレオン戦争で活躍したイギリスの英雄ネルソン提督が300ポンドで購入した。

　じつはネルソンは、1798年以後、エマ・ハミルトンと愛人関係にあった。愛人の肖像画が他人の手に渡りそうになったため、ネルソンは戦争で戦艦に乗っている間も、競売人に直接手紙を送り、この値段で自分が落札できるように手配してほしい、と依頼していた。ネルソンは「300ポンドではなく300滴の血を代価として支払えと言われたとしても、そうするつもりだ」と綴り、エマに対する愛情を示した。

◎1801年、エマ・ハミルトンがネルソンの子どもを産むと、夫のウィリアムはエマとネルソンの関係を黙認して、ともに同居さえした。ウィリアムは1803年に亡くなったが、「今度の戦いが終われば結婚しよう」と言っていたネルソンも1805年に戦死した。

350

SUN

聖エラスムスの殉教

ニコラ・プッサン《聖エラスムスの殉教》、キャンバスに油彩、
320cm×186cm、1628〜1629年、ヴァチカン美術館、ヴァチカン

刑罰台に横たわる男の腹から、内臓が引っぱり出されている。ぞっとするような拷問に遭っているのは、キリスト教者という理由で迫害されて殉教した聖エラスムスである。

キリスト教迫害が頂点に達していたディオクレティアヌス帝（在位284〜305年）の時代、アンティオキアで司教を務めていたエラスムスは、迫害を避けて深い山の中に隠れ、カラスが与える穀物の粒で7年以上も生き延びたのち、逮捕・監禁された。しかし天使の助けによって脱出し、またしてもキリスト教の伝播に尽力していたが、再び逮捕された。彼は、蛇のいる洞穴に投げ込まれたり、煮え立つ油を浴びせられたり、燃えさかる石炭の中に投げ込まれたり、手の爪の下を釘で刺されたりするという、非常に残忍な拷問を受けた。

聖エラスムスは、この絵で見るように、船乗りたちがロープを巻き取る機械で内臓を引き出される拷問を受けている。このエピソードにちなんで、後世の人々はエラスムスを船乗りの守護聖人と定め、腹痛が起こったときなどにも彼に祈りを捧げた。この絵の右上にあるヘラクレスの彫刻像は、英雄や神を敬う偶像崇拝に対してキリスト教の立場から侮蔑を加えたものと見ることもできるが、古典主義に精通した画家プッサン（1594〜1665年）の古代ギリシャ・ローマに対する深い理解と関心を誇示したものと見ることもできる。

351
MON

ヴィーナスの誕生 II

ウィリアム・アドルフ・ブグロー《ヴィーナスの誕生》、キャンバスに油彩、300㎝×215㎝、1879年、オルセー美術館、パリ

現実の世界では、女性が身体を露出することはいつも警告と非難の対象とされ、〈ふしだら〉とみなされる。それなのに、服を脱いだ女性の映像や写真、絵などは、今も昔も変わらず消費され続けている。19世紀フランスの画壇も同様で、神話に名を借りた女性のヌードが頻繁に描かれ、またそれだけよく売れた。

この絵は、アフロディテ(ヴィーナス)が貝殻に乗って登場する場面で、ボッティチェッリの絵▶014と同じ状況だ。しかし、登場している脇役がプットという赤子の天使や美しい男女の人魚である点、そして何よりも、ヴィーナスが自らの恥ずかしい部分を隠すことなく大胆にさらけ出している点が異なっている。にもかかわらず、変わらないのはヴィーナスの視線だ。

ボッティチェッリのヴィーナスと同様に、ブグロー(1825~1905年)のヴィーナスも、視線を正面から外すことで、鑑賞者がきまり悪さを感じないように配慮している。ブグローは、完璧なデッサンや、古代ギリシャの彫刻像のような理想的な身体スタイルの表現、筆跡がまったく見えない写真のようなリアルさによって、当時のフランス・アカデミーの要求に即応した絵を描いた。しかし、進歩的な画家たちの間では、最も旧態依然たる作品として、常に嘲笑の対象となった。

352

TUE

ブリュッケ

エルンスト・ルートヴィヒ・キルヒナー《ベルリンの街角》、キャンバスに油彩、
121cm×95cm、1913年、ノイエ・ギャラリー、ニューヨーク

「ブリュッケ（ドイツ語で橋の意）」は、現在と未来をつなぎ、革命的で前衛的な発想を絵画と結びつける〈橋〉のような役割をしようと集まった美術家たちのグループで、ルートヴィヒ・キルヒナー▶059が1905年に創設したものだ。古くさい既成の慣習を否定してそれらに抵抗しようとし、目に飛び込んでくる世界ではなく、心がのぞき込んだ不可視的な世界を描こうとした、ドイツの表現主義者▶303たちの連合である。

彼らは、ドレスデンとベルリンに主な拠点を置き、共同生活をしながら制作を行った。荒々しい筆づかいで極端に形態を歪め、色の組み合わせもとうてい釣り合いがとれそうもないもので、しっくりと目になじむ感じではないが、その不調和がむしろ強い緊張感を漂わせるような作品が特徴的である。キルヒナーのこの絵の人物は、細くとがったように見え、暗く濁った彩色に堅苦しい線がまとわりついているように感じられる。

中央の女性たちは性売女性で、男性たちに囲まれている。街は息が詰まるほどの人波でごった返しているが、誰1人として温かさを感じさせはしない。感情を徹底的に排除して網膜に飛び込んでくる光の像だけをひたすら記録していた印象派とは異なり、彼の絵には、どことなく暗く不安で退廃的な雰囲気が漂っている。

◎エミール・ノルデ、ヘッケル、シュミット=ロットルフ、ペヒシュタイン、ヴァン・ドンゲンらの美術家が「ブリュッケ」として活動した。彼らは1913年に内部の対立により解体した。

353

WED

ジョゼフ・デュクルー

ジョゼフ・デュクルー《あくび中》、キャンバスに油彩、
114.3cm×88.9cm、1783年、ゲッティ美術館、
ロサンゼルス（アメリカ・カリフォルニア州）

ジョゼフ・デュクルー《嘲笑の表情をした自画像》、
キャンバスに油彩、91cm×72cm、1793年、
ルーブル美術館、パリ

モーリス・カンタン・ド・ラ・トゥール[241]が、その時代にしては珍しく笑顔の自画像を描いたとすれば、彼の唯一の弟子であったジョゼフ・デュクルー（1735～1802年）は、まるでピエロのようにさまざまな感情を演じて絵に表現した。その様子は、16世紀のハンス・フォン・アーヘン[318]の自画像を思い起こさせる。

デュクルーはフランス北東部の都市ナンシーに生まれ、画家である父親から絵を学んだのち、1760年にパリでラ・トゥールに弟子入りし、初期には師匠のように主にパステルで絵を描いた。1769年頃には、なんとルイ16世との結婚を控えたマリー・アントワネット[272]の肖像画を描く地位にまで至った。写真もインターネットもなかった時代、彼のような肖像画家の活躍が、王室の結婚成立に大きく寄与した。

王室の肖像画家という地位を確保した彼は、宮廷の信任を得て男爵の爵位を授与され、マリー・アントワネット王妃の専属肖像画家となった。フランス革命[271]が起こると、彼はロンドンに逃れ、その地でルイ16世の最後の肖像画を完成させた。革命によって王政が倒れ、急進的共和派であるロベスピエールの腹心として文化部長官となったジャック=ルイ・ダヴィッド[094]は、旧王室のために働いてきたデュクルーも、引き続きパリで画家として絵を描いていけるように取り計らった。

354

THU

肖像画

ピエロ・デッラ・フランチェスカ《ウルビーノ公爵夫妻の肖像》、パネルにテンペラ、各47cm×33cm、1465年頃、ウフィツィ美術館、フィレンツェ

　神中心の中世とは異なり、人間を中心とする考え方が次第に顕著になり始めたルネサンス時代、肖像画の制作が活発化した。貴族や新興富裕層は、古代ローマの皇帝や貴族がそうしたように、自分の完全な横顔（美術史においては「プロフィール」と呼ばれる）を刻み込んだコインやメダルを鋳造した。このことは、肖像画の注文や制作においても同様に行われた。したがって、ルネサンス初期の肖像画[221]は、この絵のように完全な横顔で描かれるのが一般的だった。側面から描いた顔のほうが権威があるように見えるという古代人の思考を受け入れていたのかもしれないが、キリスト教の「イコン画」[039]の伝統とも無関係ではない。中世、とくに東ローマ帝国で発達したイコン画では、ただ神とイエスだけが、正面向きの肖像画となることができた。

　戦争で一方の目を失った傭兵出身のウルビーノ公爵モンテフェルトロは、側面から描かれた結果、傷痕が見えなくなっている。この絵のような夫妻の肖像画では、概して外で働く夫は肌が暗い色で表現され、家で働く妻は明るく華麗に描かれる。しかし、この絵の女性は生気に乏しく顔面がひときわ蒼白だ。彼女は息子を産んでまもなく生涯を閉じ、死後肖像画としてこの絵が制作されたためである。

355
FRI
ナチスのゲルニカ爆撃

パブロ・ピカソ《ゲルニカ》、キャンバスに油彩、349.3cm×776.6cm、1937年、ソフィア王妃芸術センター、マドリード

　スペインは1873年以後、共和政を選択した。しかし、10ヶ月の間に大統領が4回も交代するほど、権力争いは熾烈だった。この混乱は、王政復古の時代を経て第二共和政となっても引き続いていた。1936年、スペイン国民は社会主義政権である人民戦線を選挙によって選出し、共和政を維持しようとした。ところが、ファシストのフランシスコ・フランコ（1892〜1975年）が主導する軍部がクーデタを起こし、スペインは3年以上の内戦状態に突入する。

　フランコはナチスに要請して、1937年4月、バスク地方の小さな村、ゲルニカを爆撃させた。2000人以上の死傷者を出して村は焦土化し、共和政府軍の退路を断ったことで彼は勝機をつかんだ。以後、フランコは約36年間にわたって権力を握った。スペイン南部のマラガ出身の画家ピカソ（1881〜1973年）は、当時パリに滞在していたが、祖国で起こったこの悲劇に世界の関心を集めるため、《ゲルニカ》を制作した。子どもの絵のように単純な形態で描かれているが、びっしりと細かな文字を配置することによって白黒刷りの新聞を連想させ、ニュースを見るような感覚を誘って、事件の真相に対する思慮を誘う。ピカソはのちにナチス占領下のパリで、ゲシュタポから「この絵はあなたが描いたのか？」という質問を受けて、こう答えた。「いや、あなたたちだ」、と。〈ゲルニカを爆撃してこの悲劇を招いたのは、ほかならぬナチスのあなたたちだ〉と非難したのである。

356

SAT

靴修理屋の踏み台の秘密

レオナルド・ダ・ヴィンチ《荒野の聖ヒエロニムス》、パネルに油彩、
103cm×75cm、1482年、ヴァチカン美術館、ヴァチカン

レオナルド・ダ・ヴィンチの未完成作品だ。4世紀頃に荒野で禁欲生活を送って修養したという聖ヒエロニムスを描いたものである。ヒエロニムスは、ギリシャ語とヘブライ語で書かれた聖書をラテン語に翻訳した学者であり、のちに枢機卿の地位にのぼった。やせ細ってあらわになった骨格の描き方からは、ダ・ヴィンチの解剖学的知識が相当なものだったことがわかる。

ぐっと伸ばしている右手には、石を握っている。ヒエロニムスは、やるかたない欲情にとらわれるたびに、この石で自分の胸を打ったという。また画面の下には、ライオンが尾を伸ばして休んでいる。ヒエロニムスは、砂漠でたまたまこのライオンの指に刺さっていたとげを抜いてやった。それ以後、いつも行動を共にするようになったという。

この作品は美術学校の学生の習作程度のものだと考えられたためか、切断されて2枚の板切れとなり、その下側部分は、箱の蓋として使われていたところを、ナポレオンの叔父のフェッシュ枢機卿によって偶然発見された。続いて発見された上側部分も、ある靴修理屋の仕事場で踏み台に使われていたものだ。19世紀末になって、2枚の板切れになっていた絵をヴァチカンが購入し、現在の姿に復元した。この絵に関連する記録は、女性画家アンゲリカ・カウフマン▶339の遺品目録に登場する。少なくともその時点までは切断されてはいなかったようだ。

357

SUN
サンタクロースの起源

ジェンティーレ・ダ・ファブリアーノ
《クァラテージの多翼祭壇画》のうち
「三人の娘がいる貧しい家に
金を投げ入れるニコラウス」、
パネルに油彩、35.8cm×36.1cm、1425年、
ヴァチカン美術館、ヴァチカン

　聖ニコラウスは、3世紀後半、今日のトルコのある都市で主教として活動していた[87]。アメリカに移住したオランダ人たちが、この聖人の名前を「シンタクラース」と呼び始め、アメリカ人たちが「サンタクロース」と呼ぶようになって、今日に至っている。1931年にコカ・コーラの広告のためにつくられた赤い服と白いひげのイメージが強烈だったため、今でもそのイメージが残っているのだ、と言われることもある。聖ニコラウスは裕福な家に生まれたが、相続した莫大な財産を貧しい者のために使い、自身は禁欲的な修道士生活を送って大主教となった。

　この絵の右側では、父親の足をぬぐってやる娘、髪をといている娘、そして寝床に入るために服を脱ぐ娘の姿が見える。絵の左側では、聖ニコラウスが外から窓越しに金のボールを投げ入れている。聖ニコラウスは、この家族があまりにも貧しいため、娘たちがまもなく性売業者に売られていくことを知って、この人知れぬ善行に至った。ベッドにはすでに2個のボールがあるので、聖ニコラウスがこれから投げ入れるのは3個目のボールだ。夜に行われた聖ニコラウスの善行は、夜更けにプレゼントをもってくる、クリスマスの「サンタのおじいさん」へと脚色されていった。

87　聖ニコラウスの伝説については、『黄金伝説』3、聖ニコラウスに詳しい（第1巻、pp.65-81）。

358

MON

マッレ・バッベ

フランス・ハルス《ハールレムの魔女》、キャンバスに油彩、75cm×64cm、1633年頃、ベルリン国立美術館、ベルリン

フランス・ハルス（1582頃〜1666年）の絵は、筆で何回描いたのか数えられそうなほど、堂々と筆跡を残す大胆さが印象的である。ハルスの真価はとくに肖像画で発揮された。何日にもわたってモデルを呼びつけ、長時間座らせて制作を行うほかの画家とは違って、人物の特徴をいち早く把握し、下絵も描かないですぐに筆で描き始め、可能な限り早く作業を仕上げることで有名だった。

この絵は《マッレ・バッベ》とも呼ばれる。「錯乱したバッベ」という意味で、彼女はオランダ西部の港町ハールレムの酒場で働く酌婦である。彼女の肩にはフクロウが1羽描かれ、「フクロウのように酔う」というオランダのことわざを想起させている。彼女はフクロウのように酔っ払って、隣席の人に冗談めかして話しているところだ。

ハルスの肖像画は、証明写真のような型にはまったスタイルからはほど遠く、隣席や向かいに腰掛けている人に向かって、語りかけたり見つめたりしている姿を多く描いており、今日のスナップ写真のような感じを与える。ハルスは生前、みんなが出かけていた旅行にさえほとんど出かけられず、ハールレムに根を張っていた。そのためか、地元ハールレムでは当代最高の肖像画家として知られていたにもかかわらず、あっさりと忘れ去られ、19世紀になって再発掘された。

◎ハルスの肖像画は人気があったが、2度の結婚でたくさんの子どもをもつことになり、子どもを養うために常に困窮していた。娘の1人は、貧困に耐えかねて性売者になってしまった。

359
TUE

熱い抽象

ヴァシリー・カンディンスキー《即興Vのための研究》、パルプボードに油彩、
70.2cm×69.9cm、1910年、ミネアポリス美術研究所、
ミネアポリス（アメリカ・ミネソタ州）

1910年のある日、散歩から帰宅したカンディンスキー（1866〜1944年）は、自分のアトリエで色に覆われたキャンバスを見て、その美しさに強く感動した。何が描かれているのか見当もつかないまま、画面全体をくまなく埋めている色に、ただうっとりと心を奪われたのだ。しばらく視線で絵をたどっていた彼は、それが、自分の描いた絵を逆さに置いていたのだということに気づいた。これ以後カンディンスキーは、何が描かれているのかまったくわからない絵でも、美しさや迫り来る感情、楽しい感じなどを十分に伝えることができると信じ、抽象の世界へと踏み込んでいった。

　このエピソードが示唆するところは明らかだ。われわれは絵を見るとき、そのキャンバスを覆う美しい色や楽しい線、その線がつくり出す魅力的な形を見るよりも、描かれた対象にのみ意識を集中している。ソクラテスが描かれていればソクラテスを、水の瓶が描かれていれば水の瓶を見ている。カンディンスキーは、絵の中から識別可能な対象を取り除いてこそ、人々は色や面や線に集中できるのだという事実を悟った。

　彼の絵は、認識できる対象は失われているが、色彩や線の力を借りて感情を刺激しようとしているという点で、表現主義▶303的である。モンドリアン▶338が〈冷たい抽象〉であるなら、カンディンスキーは多分に〈熱い抽象〉だといえる。

◎カンディンスキーは、幾何学的形態を羅列する《構成（コンポジション）》と、色彩をよどみない筆致で埋めた《即興（インプロヴィゼーション）》を連作で描いた。

360

WED

ユディト・レイステル

ユディト・レイステル《自画像》、キャンバスに油彩、74.3cm×65cm、
1630年頃、ワシントン国立美術館、ワシントンD. C.

　ユディト・レイステル（1609〜1660年）は、オランダ西部、ハールレムの醸造業者の娘に生まれた。この当時、ほとんどの女性は、父親が画家でなければ絵を学ぶ機会は得られなかった。しかしユディトは、そうではなかった。彼女はフランス・ハルス▶358の工房で絵を学ぶことができた。

　ユディトは、1633年に画家組合に加入した。このことは、彼女が自分の名前で絵の注文を受けて販売できたこと、そして後進画家を育成する資格をもっていたことを意味した。この自画像にも見られるように、日常のふとした瞬間を明るく楽観的な雰囲気で表現する彼女の絵は、ハルスの影響を大いに受けたものだといえよう。

　画業が順調だった時期のユディトは、自分の弟子を奪ったと師匠ハルスを告訴するほど、自己主張の強い人物だった。しかし同じく画家だった夫ヤン・モレナール（1610頃〜1668年）との結婚後は、子どもを養育するために絵から手を引き、以後、画家としての彼女は長らく忘れ去られていた。ユディトが残した絵は、大部分が自分の名前ではなく、師匠や夫の名前で売られていったからだ。女性の絵など見るまでもない、という偏見が強かった当時、美術市場からは十分な評価を得られないと考えた仲介商人たちが、画風のよく似たフランス・ハルスの絵であるかのように署名を書き換えて販売したのである。

361
THU

アレゴリー

「アレゴリー」(寓意)とは、ギリシャ語のallos(別の)とagoreuo(語る)が合わさってできた単語で、英語で表現するならother speaking(何か別のことを言うこと)という意味である。したがってアレゴリーには、ある対象の表面的な外見や行動とは別に、その裏面に隠された意味を読み取らせるというおもしろみがある。しかも、その「意味」がいくぶんあいまいなものだという点も魅力的である。

この絵の中では、美の女神アフロディテ(ヴィーナス)と愛情の神エロス(クピド)が母子の関係でありながら、何やら奇妙で背徳的な雰囲気だ。右側でバラを投げ込もうとしている子どもは、トゲが刺さっても痛みを感じない、恋愛の

アニョロ・ブロンズィーノ《愛の勝利の寓意》、パネルに油彩、147cm×117cm、1540〜1545年、ナショナル・ギャラリー、ロンドン

〈快楽〉と〈戯れ〉を意味している。その子どもの後方には、左右の手が入れ違いになっている少女が見える。少女の身体は蛇の尾とライオンの脚につながっており、これは〈欺瞞[ぎまん]〉を意味する[88]。ヴィーナスの足元に置かれている仮面は〈偽善〉だ。クピドの奥の両手で頭を抱えて苦痛にうめいている老婆は〈嫉妬〉を、左上の後頭部が失われた女性は〈忘却〉を象徴している。右上は、砂時計を肩に載せた時間の神だ。彼は、〈忘却〉が覆いかぶせようとしているカーテンを力強く引き払っている。

初めは快楽にのめり込みながら、いつしか欺瞞や嫉妬に悩まされることになる、愛。その苦痛に満ちた愛の思い出は、時間が経っても忘却されることはない。愛にまつわる真実は、そのようにして姿をあらわす。

88　パノフスキー『イコノロジー研究』3、時の翁(上巻、pp.174-179)。

362

FRI

ホロコーストの時代

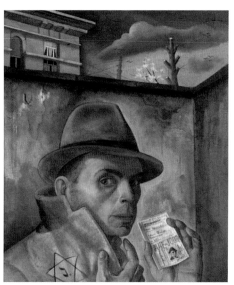

フェリックス・ヌスバウム《ユダヤ人の身分証を持つ自画像》、
キャンバスに油彩、56cm×49cm、1943年、
フェリックス・ヌスバウム美術館、オスナブリュック（ドイツ）

第二次世界大戦中、ヒトラー率いるナチスは、政治犯をはじめ、ユダヤ人やスラヴ人、さらには同性愛者や障害者まで、1000万人を超える罪のない人々を虐殺した。そのうち約600万人がユダヤ人であった。ナチスは各地に強制収容所をつくり、彼らを監禁したのち、各種の労役や生体実験などに動員して、ガスや銃で集団虐殺した。この大量虐殺は「ホロコースト」と呼ばれる。古代ギリシャ人が動物を焼いて神に捧げた祭儀の呼称に由来する。

フェリックス・ヌスバウム（1904〜1944年）は、ドイツ生まれのユダヤ人画家である。ベルギーに亡命したのち、1940年にドイツがベルギーに侵攻すると、「敵対的外国人」として逮捕・収容されたが、脱出した。以後、オランダでのアンネ・フランクのように、妻とともに隠れ家に身を隠し、知人の手助けを得て暮らした。

ヌスバウムは、描いた絵の全体を見渡す距離も十分確保できないような窮屈な場所で、絵を描いた。ところが、終戦の1年前に見つかってしまい、ベルギーからアウシュヴィッツに向かう最後のホロコースト列車に乗せられて、結局殺されてしまう。この自画像のヌスバウムの姿はあまりにもリアルで、この後の彼を待っている運命を思うと、傷ましさがこみ上げてくる。ナチスがユダヤ人に強制した黄色の星印のついたコートを着て、ユダヤ人であることを示す"JUIF-JOOD"という赤いスタンプが押された身分証を持ち、彼はわれわれを見ている。

363

SAT

レオ10世、スキャンダル そのものの人生

ラファエッロ《ローマ教皇レオ10世》、パネルに油彩、155.5cm×119.5cm、1518年、ウフィツィ美術館、フィレンツェ

　教皇レオ10世（在位1513～1521年）は、「偉大なる者」と呼ばれたロレンツォ・デ・メディチ▶021の息子、ジョヴァンニ・ディ・ロレンツォ・デ・メディチである。強大な一家の出身で、父親の権力と情報力を笠に着て教皇となった彼にとって、教会は神のものではなく、自分の執務室のような場所だったのだろう。自分の地位に見合うようにもっと大きく、もっと華麗にしたいという理由でサン・ピエトロ大聖堂の再建築に莫大な資金を注ぎ込むなど、習慣的な浪費と蕩尽［とうじん］で、財政は常に赤字に苦しむこととなった。

　レオ10世は、世俗の父親よりもはるかに偉大な力をもつ父なる神を売り渡した。金さえ払えば罪を許されるという免罪符（贖宥［しょくゆう］状）を販売し、聖職者の任命でも不正な金を受け取って懐に入れるなど、日常的に不祥事を行っていた。そのことが、マルティン・ルター▶180の宗教改革を呼び起こすきっかけとなった。

　人生がスキャンダルそのものともいえるこの教皇は、この絵の中で肘掛けのある椅子に座り、虫眼鏡を手にして祈禱書を読んでいる。彼の奥、画面左側に立っているジュリオ・デ・メディチは、「偉大なる」ロレンツォ・デ・メディチの弟、ジュリアーノ・デ・メディチの私生児で、のちに教皇クレメンス7世となる。右側のルイージ・デ・ロッシ枢機卿もメディチ家の人間で、レオ10世の母方のいとこである。

364

SUN

聖ヘレナ

パオロ・ヴェロネーゼ《聖ヘレナの夢》、キャンバスに油彩、166cm×134cm、1580年頃、ヴァチカン美術館、ヴァチカン

ローマ帝国によるキリスト教公認に最も大きな影響を及ぼした人物は、コンスタンティヌス帝の母親、ヘレナ（250～330年）だといっても過言ではない。ヘレナは現在のトルコのビテュニアという場所で、旅館の娘として生まれた。群を抜く美貌が噂になっていた彼女は、270年にローマの将軍コンスタンティヌス・クロルスの愛妾［あいしょう］となったのち、子どもを産んだ。

しかし、将軍は皇帝となることを望んでおり、そのためには、少なくとも皇帝一族の血筋を引く女性と結婚しなければならなかった。そこで将軍は、マクシミアヌス帝の娘テオドラと結婚し、皇帝の座につくことができた。ヘレナが彼との間に産んだ子どもは、長じて父の跡を継いで皇帝位につき、コンスタンティヌス帝となった。母のヘレナは、60歳を過ぎてキリスト教に改宗し、さらにキリスト教を公認するよう息子を説得した。

ある日、ヘレナは夢で木の十字架を見てイェルサレムに旅立ち、ゴルゴタの丘に登って、3本の十字架を見つけ出した。どれがイエスの十字架で、どれが盗賊のものなのか[294]見分けがつかなかったところに、葬列が通りがかり、そのうちの1つの十字架の前を通りすぎたときに死者が息を吹き返した。それを見て、ヘレナはその場所に降誕教会と聖墳墓教会を建てた[89]。この事件は、キリスト教者が十字架を重んじるようになるきっかけとなった。

89　『黄金伝説』64、聖十字架の発見（第2巻、pp.202-208）。

365

MON

カラスのいる麦畑

フィンセント・ファン・ゴッホ《カラスのいる麦畑》、キャンバスに油彩、50.5cm×103cm、1890年、ファン・ゴッホ美術館、アムステルダム

　1890年7月27日、ゴッホはこの世を旅立った。37歳だった。彼が最後に暮らしたオーヴェル・シュル・オワーズ▶013の麦畑は、まさにこのような風景であり、今でもそっくりそのままである。ゴッホは色彩を大胆に改め、形態も単純化したり変形させたりするのが常だったが、自ら直接目にしなかったものを強いて描くことはなかった。したがって彼の絵にはいつも、彼とともにあった瞬間が描き込まれている。

　道は地平線に向かって全速力で伸び、風は一帯の麦畑を揺さぶり、カラスの群れは空を飲み込んでいる。傷ついて荒れ果てた心と、苦痛にかすんでいた彼の目が目撃した、その日の風景はこうだった。そしてゴッホは別れの銃口を自分に向けた。

　もちろん、彼の死を巡ってはさまざまな疑問が残されている。精神病の病歴がある彼が、どうやって銃を手に入れたのだろうか？　しかもその銃は、その後、村のどこからも見つかっていない。自殺を決心した彼が、銃弾を受けた後、どうしてわざわざ自分の住みかに戻ったのかも疑問である。銃弾が飛んだのが、とうてい自分でねらったとは思えない方向だったという点も不審だ。

　真相はどうであれ、彼はこの絵を描いてまもなく、この場所のどこかで生涯最後の空を見上げ、悲しんでいるわれわれの胸の中にたどり着いた。カラスが飛び交う青い空のある限り、ゴッホの名はいつまでも記憶されていくことだろう。

エピローグ

あなたと美術、その365日

　知識がなければ疎遠になり、疎遠であれば顔を背けたくなる気持ちが先立つものだ。美術も同様だった。ちらっと見るだけで通り過ぎようと思うのに、なぜか背後に立っているような気配がして、歩みを止めさせる。美術はそんなふうに、文学や映画の作品の中で、あるいは哲学、歴史の本の中でも、至るところで隠喩や修辞として登場し、私を誘惑してきた。意外なことに美術とは、知識がなければ見えないものだった。けれども、知れば知るほど新たな世界の魅力を感じ、前にもまして好きになった。

　ほんの小さな絵の中に、無愛想に立つ彫刻の中に、生の喜びや存在の孤独が、世界に対する憤りや愛着が込められていた。「愛している」という100の言葉よりもずっと濃密な愛情だって凝縮されているし、忘れてはならない民衆たちの屈辱とその克服の歴史も詰め込まれていた。絵や彫刻の1点1点が、それ自体ですでに巨大な世界だった。

　美術が大好きでもっと知りたくて読み始めたのであれ、疎遠さを感じながら読み始めたのであれ、この本があなたに、美術とともに過ごす新たな365日をお贈りできたのであれば幸いだ。美術史からスキャンダルまで、そして偉大な作品から神話や宗教、画家や技法まで、語り尽くせないほどのエピソードをもっている作品を1点1点つぶさに見てきたあなたの手元には、美術とともに過ごしてきた日々の、愛すべき理由がぎっしり詰まった日記帳ができあがっているのではないかと期待する。

　本を閉じる365日目の今日、365の世界をすべて経験した今夜、ふと顔を上げたあなたの目にはどんな星が光るのだろうか。

キム・ヨンスク

訳者あとがき

　本書は、365＋αの絵画・彫刻作品が並ぶ、いわば「驚異の部屋 (ヴンダーカマー)」です。「驚異の部屋」とは、かつてヨーロッパの貴族たちが自邸に設けた珍品コレクションの展示室です。貴族自身の財力や権力を誇る意図ももちろんあったと思われますが、多様な品物に接して見聞を広げるという役割を果たしたことも確かです。この後者の点から、「驚異の部屋」は近代的な博物館・美術館の起源の1つともされています。知っている作品だけでなく知らない作品も次々と登場する、この「驚異の部屋」を通して、西洋美術についての知識をさらに広げ、より多くの美術作品をより深く味わう力をものにしていただければ、と思います。

　そこで、本書を読み進めながら確実に知識を蓄えていただけるよう、この日本語版では、新たにいくつかの工夫を加えました。

　まず本書の冒頭に、作品の「お気に入り度」を評価するチェックリストを付しています。最初はなじみが薄くて低い評価をつけた作品でも、改めて見直してみると身近に感じ、高い評価に変わることもあるでしょう。それが新たな知識の獲得を意味します。繰り返し本文を読み直し、作品の評価を上書きしていただきたいと思います。

　また、本文中では、ほかの作品や用語への参照マークを増やしました。さまざまな作品を行き来しながら、知識の網目を密にしていってください。ページ下部には、本文記述の典拠を示しました。これも日本語版で新たに加えました。さらに発展的な知識を身につけたい場合は、こうした出典や巻末の参考文献を最初の手がかりとするとよいでしょう。

　巻末の索引は、同時代のほかの美術家、関連する事項についても調べやすくなるよう、工夫を加えています。気になる人物や用語について調べるときはもちろん、時代ごとの美術の動向を調べたいときなどにも活用してください。

　そして、本書を通じて身につけた知識は、今後の作品鑑賞にも活かしていただきたいと思います。自由に海外旅行することも難しくなった昨今、本書で紹介した作

品を実見する機会は得がたいかもしれません。しかし、東京・上野の国立西洋美術館、岡山県倉敷市の大原美術館など、すぐれた西洋美術のコレクションをもつ美術館は、日本国内にもあります。また、インターネット上で作品の高精細画像を公開している美術館もありますし、図書館などで大型の美術全集を開いてみるのもよいでしょう。

　本書の著者キム・ヨンスク氏は、韓国随一の人気アート・エッセイストです。訳者自身も、知り合いの韓国人美術史研究者から「本を出すたびにベストセラー、という方だ」と教えてもらったことがあります。韓国最大の書店・教保文庫（キョボムンゴ）において本書は、2021年7月末の発売からわずか半年足らずで、同年の芸術書年間売上ランキング20位を記録しています。ずば抜けた人気ぶりがうかがえます。

　この日本語版では、先に述べたようないくつかの工夫を加えつつも、著者の魅力ある語り口をできるだけ生かした翻訳となるように留意しました。本書を手にとった方が、西洋美術はもちろん、著者のほかの本にも興味をもち、さらには韓国にも関心を向けてくださるならば、訳者としては幸いです。

　本書の内容については、訳者の学部時代の恩師である上村博先生に、ご多忙にもかかわらず監修の労をおとりいただきました。この場を借りて感謝の意を申し上げます。また、日本実業出版社の編集部には、いつもすばやく適切なアドバイスをいただき、その牽引力のおかげで訳文を形にすることができました。そして翻訳の機会を与えてくださったインターブックスの上野江理さん、麻生佳澄さんをはじめ、多くの方々のご協力にも感謝します。ありがとうございました。

2023年2月

大橋利光

参考文献

■ 欧文文献

著者姓のアルファベット順、入手・閲覧しやすい日本語版がある場合は併せて記載

Arasse, Daniel, *Histoires de peintures*, Paris: De noël: France culture, 2004（ダニエル・アラス、吉田典子訳『モナリザの秘密：絵画をめぐる25章』白水社、2007年）

Battistini, Matilde, *Simboli e allegorie*, Milano: Electa, 2007

Bazzotti, Ugo (ed.), *Palazzo Te Mantua*, Milano: Skira, 2007

Berger, John, *The success and failure of Picasso*, Harmondsworth: Penguin Books, 1965（J・バージャー、奥村三舟訳『ピカソ：その成功と失敗』雄渾社、1966年）

Borzello, Frances, *Seeing ourselves : women's self-portraits*, New York: Harry N. Abrams, Inc., 1998

Christie's (eds.), *Going once: 250 years of culture, taste and collecting at Christie's*, London: Phaidon Press, 2016

Cumming, Laura, *A Face to the world: on self-portraits*, Hammersmith, London: HarperPress, 2009

De Voragine, Jacobus, *The Golden Legend: Readings on the Saints*, Princeton: Princeton University Press, 2012（ヤコブス・デ・ウォラギネ、前田敬作ほか訳『黄金伝説1〜4』（平凡社ライブラリー）、平凡社、2006年）

Duchet-Suchaux, Gaston & Pastoreau, Michel, *The Bible and The Saints*, Paris: Flammarion, 1994

Ferguson, George, *Signs and symbols in Christian art*, New York: Oxford University Press, 1954（ジョージ・ファーガソン『図像の辞典』。中森義宗訳編『キリスト教図像辞典』近藤出版社、1970年に翻訳編集されて収載）

Giorgi, Rosa; Zuffi, Stefano (ed.); Hartmann, Thomas Michael (trans.), *Saints in art*, Los Angeles: The J. Paul Getty Museum, 2003

Gombrich, E. H., *The story of art*, London: Phaidon Press, 1995（エルンスト・H・ゴンブリッチ、天野衛ほか訳『美術の物語』河出書房新社、2019年）

Grebe, Anja, *The Vatican: All the Paintings: The Complete Collection of Old Masters, Plus More than 300 Sculptures, Maps, Tapestries, and other Artifacts*, New York: Black Dog & Leventhal, 2013

Guerrilla Girls, *The Guerrilla Girls' bedside companion to the history of Western art*, New York: Penguin Books, 2006

Haberlik, Christina & Mazzoni, Ira Diana, *50 Klassiker Künstlerinnen*, Hildesheim: Gerstenberg, 2002

Harbison, Craig, *Art of the northern renaissance*, London: Weidenfeld & Nicolson, 1995

Heinrich, Christoph, *Claude Monet: 1840-1926*, Köln: Benedikt Taschen, 1994

Hollingsworth, Mary, *Arte nella storia dell'uomo*, Firenze: Giunti, 1989（メアリー・ホリングスワース、木島俊介監訳『世界美術史』中央公論社、1994年）

Irwin, David, *Neoclassicism*, London: Phaidon Press, 1997（デーヴィッド・アーウィン、鈴木杜幾子訳『新古典主義』（岩波世界の美術）、岩波書店、2001年）

Jones, Stephen, *The eighteenth century*, Cambridge: Cambridge University Press, 1985（スティーヴン・ジョーンズ、高階秀爾ほか訳『18世紀の美術』（ケンブリッジ西洋美術の流れ）岩波書店、1989年）

Keisch, Claude (ed.), *The Alte Nationalgalerie Berlin*, London: Scala Publishers, 2005

Köster, Thomas & Röper, Lars, *50 artists you should know*, Munich; New York: Prestel, 2016

Le Clézio, Jean-Marie Gustave, *Diego et Frida*, Paris: Stock, 1993（ル・クレジオ、望月芳郎訳『ディエゴとフリーダ』新潮社、1997年）

Nochlin, Linda, *Women, art, and power*, New York: Harper & Row, 1988

Panofsky, Erwin, *Life and art of Albrecht Dürer*, Princeton: Princeton University Press, 1955（アーウィン・パノフスキー、中森義宗ほか訳『アルブレヒト・デューラー：生涯と芸術』日貿出版社、1984年）

Parker, Rozsika & Pollock, Griselda, *Old mistresses*, New York: Pantheon Books, 1981（ロジカ・パーカー、グリゼルダ・ポロック、萩原弘子訳『女・アート・イデオロギー：フェミニストが読みなおす芸術表現の歴史』新水社、1992年）

Penck, Stefanie, *Prestel Atlas Bildende Kunst*, München: Prestel, 2002

Pomarède, Vincent (ed.), *The Louvre: All the Paintings*, New York: Black Dog & Leventhal, 2011 (ヴァンサン・ポマレッド監修・解説、藤村奈緒美ほか訳『ルーヴル美術館収蔵絵画のすべて』ディスカヴァー・トゥエンティワン、2011年)

Portus, Javier (et al.), *The Spanish Portrait: From El Greco to Picasso*, Madrid: Museo Nacional del Prado, 2004

Prohaska, Wolfgang, *Kunsthistorisches Museum, Vienna: The Paintings*, London: Scala Arts & Heritage Publishers, 2004

Scudieri, Magnolia, *The frescoes by Angelico at San Marco*, Firenze: Giunti, 2011

Spivey, Nigel, *Greek Art*, London: Phaidon Press, 1987 (ナイジェル・スパイヴィ、福部信敏訳『ギリシア美術』(岩波世界の美術)、岩波書店、2000年)

Strickland, Carol, *The Annotated Mona Lisa: a crash course in art history from prehistoric to post-modern*, Kansas City: Andrews and McMeel, 1992

Todorov, Tzvetan, *Éloge du quotidien: essai sur la peinture hollandaise du XVIIe siècle*, Paris: Adam Biro, 1993 (ツヴェタン・トドロフ、塚本昌則訳『日常礼讃：フェルメールの時代のオランダ風俗画』白水社、2002年、2013年新装復刊)

Toman, Rolf (ed.), *Baroque: architecture, sculpture, painting*, Köln: Könemann, 2004

Tomlinson, Janis, *Painting in Spain: El Greco to Goya*, London: Weidenfeld Nicolson Illustrated, 1997

Valéry, Paul, *Degas, danse, dessin*, Paris: Gallimard, 1949 (ポール・ヴァレリー、塚本昌則訳『ドガ ダンス デッサン』(岩波文庫)、岩波書店、2021年)

Vasari, Giorgio, *Le vite de' più eccellenti pittori, scultori, e architettori*, Firenze: Giunti, 1568 (ジョルジョ・ヴァザーリ、平川祐弘ほか訳『芸術家列伝1〜3』(白水Uブックス)、白水社、2011年)

Wolf, Norbert, *Diego Velázquez*, Köln: Taschen, 1999 (ノルベルト・ヴォルフ、水野順子訳『ディエゴ・ベラスケス：1599-1660：スペインの顔』タッシェン・ジャパン、2000年)

Wölfflin, Heinrich, *Die Klassische Kunst*, München: F. Bruckmann, 1924 (ウェルフリン、矢田部達郎訳『イタリア古典期美術：様式論』岩波書店、1929年)

Zuffi, Stefano, *Episodi e personaggi del Vangelo*, Milano: Electa, 2002

Zuffi, Stefano, *Grande atlante della pittura dal Mille al Duemila*, Milano: Electa, 2001

■日本語文献

中野京子『怖い絵3』朝日出版社、2009年

■日本語版　参考文献（順不同）

・展覧会図録

『ギュスターヴ・クールベ展』ブリヂストン美術館、1989年

『マリー=アントワネットの画家　ヴィジェ・ルブラン：華麗なる宮廷を描いた女性画家たち』三菱一号館美術館、2011年

『ホイッスラー展』京都国立近代美術館・横浜美術館、2014〜2015年

『MUNCH : A Retrospective』東京都美術館、2018〜2019年

・単行本

『絵画論　改訂新版』レオン・バッティスタ・アルベルティ、三輪福松訳、中央公論美術出版、2011年

『原典イタリア・ルネサンス芸術論　上・下』池上俊一監修、名古屋大学出版会、2021年

『名画への旅13：豊かなるフランドル――17世紀III』木村重信ほか監修、高橋祐子ほか著、講談社、1993年

『イコノロジー研究　上・下』(ちくま学芸文庫)、エルヴィン・パノフスキー、浅野徹ほか訳、筑摩書房、2002年

『ロンドン・ナショナル・ギャラリー：名画がささやく激動の歴史』細川祐子、明石書店、2020年

『グリーンバーグ批評選集』グリーンバーグ、藤枝晃雄編訳、勁草書房、2005年

『アポリネール詩集』アポリネール、窪田般彌編・訳、小沢書店、1992年

『ベラスケス：宮廷のなかの革命者』(岩波新書)、大高保二郎、岩波書店、2018年

『ファン・ゴッホ書簡全集1〜6』小林秀雄ほか監修、二見史郎ほか訳、みすず書房、1970年

『ファン・ゴッホの手紙Ⅰ・Ⅱ』ファン・ゴッホ美術館編、圀府寺司訳、新潮社、2020年

『ミケランジェロの手紙』ミケランジェロ、杉浦明平訳、岩波書店、1995年

Arasse, Daniel; Rosetta Translations(trans.), *Leonardo Da Vinci: The Rhythm of the World*, New York: Konecky & Konecky, 1998

『もっと知りたい　ミレー：生涯と作品』高橋明也監修、安井裕雄著、東京美術、2014年

『ルノワール：生命の讃歌』(「知の再発見」双書)、アンヌ・ディステル、高階秀爾監修、柴田都志子ほか訳、創元社、1996年

『クロード・モネ』クリストフ・ハインリヒ、タッシェン・ジャパン、2000年

『マティス　画家のノート』マティス、二見史郎訳、みすず書房、1978年

『ギリシア芸術模倣論』(岩波文庫)、ヴィンケルマン、田邊玲子訳、岩波書店、2022年

『変身物語　上・下』(岩波文庫)、オウィディウス、中村善也訳、岩波書店、1981・1984年

『ホメロス　イリアス　上・下』(岩波文庫)、ホメロス、松平千秋訳、岩波書店、1992年

『アレクサンドロス大王東征記　上・下』(岩波文庫)、アッリアノス、大牟田章訳、岩波書店、2001年

『神曲　地獄篇・煉獄篇・天国篇』(河出文庫)、ダンテ、平川祐弘訳、河出書房新社、2008・2009年

『プリニウスの博物誌1〜6』中野定雄ほか訳、雄山閣、1986年 (縮刷第二版2021年)

『ローマ建国史　上』(岩波文庫)、リーウィウス、鈴木一州訳、岩波書店、2007年

『マキァヴェッリ全集1〜6・補巻』米山喜晟ほか訳、筑摩書房、1998〜2002年

『マラルメ全集Ⅰ〜Ⅴ』松室三郎ほか訳、筑摩書房、1989〜2010年

『新約聖書外典』(講談社文芸文庫)、荒井献編、講談社、1997年

『図説　聖人事典』オットー・ヴィマー、藤代幸一訳、八坂書房、2011年

『岩波キリスト教辞典』大貫隆ほか編、岩波書店、2002年

『マグダラのマリア：エロスとアガペーの聖女』(中公新書)、岡田温司、中央公論新社、2005年

『ルネサンスの異教秘儀』エドガー・ウィント、田中英道ほか訳、晶文社、1986年

『チェンバロ大事典』日本チェンバロ協会編、春秋社、2022年

※『黄金伝説』『芸術家列伝』『美術の物語』の書誌情報は前掲の「欧文文献」を参照。

索引

【画家・芸術家】年代別（50音順）

▼古代ギリシャ・ローマ

【世界史用語】 50音順

上村　博（うえむら　ひろし）
京都芸術大学大学院（通信教育）教授。京都大学大学院文学研究科博士課程中退。京都大学助手、パリ第四大学研究員を経て、1995年より京都造形芸術大学（現・京都芸術大学）に勤務。美学および芸術理論、特に芸術による場所と記憶の形成作用について研究。著書に『身体と芸術』（昭和堂）、『芸術環境を育てるために』（共編著、角川学芸出版）、訳書にカロル・タロン＝ユゴン『美学への手引き』、グザヴィエ・バラル・イ・アルテ『美術史入門』（ともに白水社）など。

◎カバーデザイン／志岐デザイン事務所（萩原睦）
◎翻訳協力／インターブックス
◎DTP／ダーツ

キム・ヨンスク

さかのぼること数万年の昔から現在に至るまでの芸術作品の中から、美しさ、おもしろさ、染みわたる感動を見つけ出し、知識の底辺を広げてくれるアート・エッセイスト。高麗大学でスペイン語・スペイン文学を専攻、駐韓チリ大使館、駐韓ボリビア大使館に勤務。絵画に対する情熱から、40歳を前にして梨花女子大学校大学院に入学し、美術史を学んだ。『ルーブルとオルセーの名画散歩』『美術館で読む世界史』『フィレンツェ芸術散歩』『オランダ、ベルギーの美術館散歩』『ヴァチカン美術館で見るべき名画100』『ウフィツィ美術館で見るべき名画100』（すべて未邦訳）など著書多数。

大橋利光（おおはし としみつ）

京都芸術大学通信教育部非常勤講師、編集者、翻訳者。岡山県倉敷市生まれ。中学1年生の時に担任だった美術の教師に強く勧められたことがきっかけで、地元の大原美術館が中高生時代の思い出の場所となった。大阪外国語大学（現・大阪大学外国語学部）朝鮮語学科を卒業後、通信教育系出版社に勤務。十数年後、もう一度大学で学ぼうと思い立ち、京都造形芸術大学（現・京都芸術大学）通信教育部に編入学、植民地期朝鮮で活躍した洋画家、李仁星（イ・インソン）についての卒業論文を仕上げるとともに、会社員生活も卒業した。東京大学大学院人文社会系研究科（文化資源学研究専攻）修士課程修了、同大学院総合文化研究科（地域文化研究専攻）博士後期課程。専門は朝鮮近代文化史（食文化史・美術史）。

世界の教養が身につく
1日1西洋美術

2023年3月10日　初版発行

著　者　キム・ヨンスク
訳　者　大橋利光
監修者　上村　博
発行者　杉本淳一

発行所　株式会社日本実業出版社　東京都新宿区市谷本村町3−29 〒162-0845

編集部 ☎03-3268-5651
営業部 ☎03-3268-5161　振　替　00170-1-25349
https://www.njg.co.jp/

印　刷・製　本／リーブルテック

ISBN 978-4-534-05992-5　Printed in JAPAN